CYRANO DE BERGERAC

COMÉDIE HÉROÏQUE

TEXTE INTÉGRAL

Classiques Hachette

Texte conforme à l'édition originale, revue et corrigée par Rostand, de 1910.

Notes explicatives, questionnaires, bilans, documents et parcours thématique

établis par

Denis ROGER-VASSELIN,
Professeur certifié de Lettres classiques.

«À la mémoire de François FURET
et de Marie-Lyse DARCOS,
prématurément disparus dans la nuit gasconne.»
D. R.-V.

La couverture de cet ouvrage a été réalisée avec l'aimable collaboration de la Comédie-Française.
Photographie : Philippe Sohiez.

Les mots suivis d'une puce ronde (•) renvoient au *Lexique de la pièce*, p. 340; les noms propres suivis d'un astérisque (*), au *Lexique des personnages*, p. 340; et les termes suivis d'un astérisque (*), au *Lexique stylistique*, p. 340.

Crédits photographiques :
© Photothèque Hachette :
pp. 4, 8; p. 96 : reprise de la pièce, en 1927, à la Porte Saint Martin ; p. 38; p. 223 : Roxane (Mala Powers), Cyrano (José Ferrer, Oscar de la meilleure interprétation), dans le film *Cyrano de Bergerac* de Michael Gordon, 1950
© J.-L. Charmet :
p. 9 bas ; p. 14 : Bibliothèque de la Comédie Française ; p. 164 : illustration de P. A. Laurens, vers 1910, bibliothèque des Arts Décoratifs.
p. 92 : © Collection Viollet.
p. 90 : affiche du film «Cyrano et d'Artagnan» d'Abel Ganz, © Collection Christophe; p. 98;
© Agence de presse Bernand :
pp. 160, 203, 260, 298, 333; p. 36 : Jean-Claude Drouot (Cyrano), 1985, mise en scène de J.-C. Drouot; p. 39 : Jean Marais (Cyrano), 1971, mise en scène de P. E. Deiber; p. 75 : Jean-Laurent Cochet (Valvert) et Jean Piat (Cyrano), 1964, mise en scène de J. Charon; p. 98 : Jean-Claude Drouot (Cyrano), 1985, mise en scène de J.-C. Drouot; p. 125 : Raphaële Moutier (Roxane) et Patrick Préjean (Cyrano), 1995, mise en scène de H. Lazarini; p. 138 : Georges Descrières (De Guiche) et Jacques Destoop (Cyrano), 1972, mise en scène de J. Charon; p. 331 : Jean Marais dans le rôle de Cyrano, mise en scène de P. E. Deiber, 1971.
© B. Barbier/Sygma :
p. 278 ; p. 205 : Roxane (Anne Brochet) Christian (Vincent Perez) dans le film Cyrano de Bergerac de J.-P. Rappeneau, 1989;
p. 9 haut : © Harlingue-Viollet; pp. 144, 230 : © Lipnitzki - Viollet

ISBN : 2.01.166745.3

SOMMAIRE

AVERTISSEMENT

- Cette collection s'adressant prioritairement à un public scolaire, nous avons choisi d'annoter scrupuleusement le texte.
- En effet, la prodigieuse érudition de la pièce de Rostand se révélant, en beaucoup d'endroits (notamment au premier acte), absolument incompréhensible sans notes, nous avons donc décidé d'offrir au lecteur tous les outils nécessaires à la pleine compréhension du texte.
- Aussi, la longueur de la pièce, combinée à cette abondance de notes, nous a-t-elle conduit à placer dans le dossier du professeur certaines des rubriques habituelles de l'après-texte.

Edmond Rostand

Le 28 décembre 1897, le rideau du théâtre parisien de la porte Saint-Martin se lève sur une pièce qui semble offrir toutes les conditions d'un échec assuré : son auteur, après seulement deux succès d'estime en cinq pièces et un recueil de poésies, est presque inconnu du grand public et ne peut compter que sur le populaire Constant Coquelin, alias *Coq, qui tient le rôle-titre – Sarah Bernhardt, interprète de ses deux dernières pièces, étant retenue par d'autres engagements. Son sujet, en cette fin de siècle où seuls triomphent, au théâtre, le Boulevard – assez grossier – et le drame social – scandinave, de préférence –, ressuscite l'époque de Louis XIII, sa préciosité et son ambiance de cape et d'épée, enterrées depuis Hugo et Dumas. Sa distribution comprend des dizaines d'acteurs, autant de costumes et d'accessoires, et sa mise en scène en cinq actes requiert autant de décors aussi compliqués et précis qu'imposants et ruineux. Son écriture en vers (quelque 2600 alexandrins et octosyllabes, dont 1600 – un record – pour le seul rôle-titre), alterne sublime et grotesque, scènes intimes et scènes de foule, tout en maltraitant la métrique académique; son genre littéraire (« comédie héroïque »), hybride et contradictoire, décourage toute unité de rythme et de ton; son déroulement, du rire initial aux larmes finales, risque de décevoir à la fois les amateurs de comédie et les amateurs de tragédie; le rôle-titre, malgré la vérité historique et le texte lui-même qui suppose que le trio principal ait quasiment le même jeune âge (une vingtaine d'années), est tenu par un acteur de... 56 ans; bien pis : l'avant-veille, on constate – trop tard – que les loges des précieuses, élément essentiel du décor de l'acte I, ont été montées à l'envers, et l'actrice jouant le rôle de Roxane, souffrante (mais rétablie le soir de la première), doit être remplacée au pied levé, pour ces ultimes répétitions, par la propre épouse de l'auteur – lequel, épouvanté, en vient à supplier son ami Coq de l'excuser de l'avoir entraîné dans un tel désastre! Cinq actes et plus de cinquante rappels plus tard – et alors que (fait sans précédent), à l'entrace des actes IV et V, l'auteur, un certain Edmond Rostand, âgé de 29 ans, a reçu la Légion d'Honneur! –, le rideau se referme à grand peine sur* <u>Cyrano de Bergerac</u>*, le plus universel et durable triomphe du théâtre français.*

LES RÉFÉRENCES DU *CYRANO* DE ROSTAND

Le tableau suivant rassemble les **dix auteurs** et les **quinze œuvres** (par ordre chronologique) qui ont implicitement ou explicitement influencé Rostand, et précise les **dix thèmes** de la pièce illustrés par ces références.

RÉFÉRENCES / THÈMES	Le nez	la Lune	le panache	la fierté	la préciosité	la comédie	la tragédie	le règne de Louis XIII	Paris	l'Espagne
W. SHAKESPEARE, *Roméo et Juliette,* drame [tragédie], 1594							■			
M. de CERVANTÈS, *Don Quichotte,* roman picaresque, 1605 et 1615			■	■						■
F. LOPE de VEGA, *L'Étoile de Séville,* comédie, 1617						■				■
P. CORNEILLE, *La Place Royale* comédie, 1634					■	■		■	■	
L'Illusion comique, comédie, 1636				■		■				
Le Cid, tragi-comédie, 1636							■			■
CYRANO de BERGERAC, *Le Pédant joué,* comédie, 1645	■			■	■	■			■	
La Mort d'Agrippine, tragédie, 1653							■			
Les États et empires de la Lune, roman, posthume, 1657	■	■				■				
Mme M. de SCUDÉRY, *Clélie,* roman en 10 vol., 1654 à 1661					■			■	■	
MOLIÈRE, *Les Fourberies de Scapin,* comédie, 1671						■				
A. DUMAS, *Les Trois Mousquetaires,* roman, 1844			■	■				■	■	■
Th. GAUTIER, *Les Grotesques,* essai, 1844	■		■	■				■		
Le Capitaine Fracasse, roman, 1863			■	■	■	■		■	■	
V. HUGO, *Ruy Blas,* drame romantique, 1838			■	■			■			■

Le triomphe jamais démenti Cyrano de Bergerac*, en tous temps comme en tous lieux, suffit à justifier qu'on découvre ou redécouvre cette œuvre (souvent hélas ! amputée ou transformée, même dans les adaptations les plus coûteuses, alors que seule sa version intégrale permet d'en mesurer la singulière perfection). Pourtant, à bien des égards, ce triomphe même reste un mystère. Auteur peu connu, pièce très longue, sujet guère à la mode et multipliant les allusions érudites, dsitribution et décors faramineux, mise en scène exigeante, écriture déséquilibrée, versification souvent vertigineuse : comment tous ces « défauts » ont-ils pu aboutir à un tel triomphe ? C'est que, loin d'être ce chef-d'œuvre apparemment surgi de nulle part,* Cyrano *est l'aboutissement de plusieurs obsessions anciennes (ainsi, le thème central du triangle amoureux, avec substitution des deux prétendants, remonte à une expérience personnelle d'adolescent et constitue déjà l'argument de la comédie* Les Deux Pierrots*, en 1891, puis de la tragédie* La Princesse lointaine*, en 1895) et de plusieurs échecs de l'auteur, qui a longtemps mûri les unes et enfin dépassé les autres pour en réaliser cette synthèse maîtrisée. Synthèse,* Cyrano *l'est aussi des goûts et dégoûts d'une France écartelée par l'affaire Dreyfus et par l'imminente séparation de l'Église et de l'État : cette pièce du dreyfusard Rostand, où les seuls vers « patriotiques » se résument à l'éloge, plutôt régionaliste, de la Gascogne (d'ailleurs faussement) natale, est acclamée par les écrivains les plus nationalistes et anti-dreyfusards, en qui la guerre théâtrale contre les Espagnols ravive l'envie de se venger de l'humiliation infligée par les Prussiens en 1870 ; de même l'équilibre entre le ridicule capucin et la digne Mère Marguerite de Jésus enchante-t-il à la fois laïcs et cléricaux. Synthèse,* Cyrano *l'est enfin des aspirations les plus universelles : à l'aube d'un siècle de mondialisation des guerres militaires puis économiques, comme de standardisation des existences, elle rend la parole à tous les décalés et recalés de la vie, qu'elle restaure dans leur plénitude d'individus libres et différents, fiers d'être indépendants et heureux d'être inutiles, comme à tous les nantis et puissants, qu'elle console de ne plus l'être.*

La terre me ſut importune ,
Ie pris mon eſsort vers les Cieux .
Iy vis le ſoleil, et la lune ,
Et maintenant Iy vois les Dieux .

Savinien de Cyrano de Bergerac (1619-1655), auteur – entre autres –
*de l'*Histoire comique des États et Empire de la Lune,
roman utopique posthume (1657) et lointain modèle du personnage de Rostand.

Photoprogramme illustré des Théâtres, du 23 décembre 1897 : Cyrano de Bergerac *au Théâtre de la Porte Saint-Martin.*

Affiche de la tournée en province de la pièce Cyrano de Bergerac *d'Edmond Rostand. Dessin de L. Métivet, Bibliothèque Forney.*

PERSONNAGES[1]

CYRANO DE BERGERAC*
CHRISTIAN DE NEUVILLETTE*
COMTE DE GUICHE*
RAGUENEAU*
LE BRET*
LE CAPITAINE CARBON DE CASTEL-JALOUX*
LES CADETS•
LIGNIÈRE*
DE VALVERT*
UN MARQUIS•
DEUXIÈME MARQUIS
TROISIÈME MARQUIS
MONTFLEURY*
BELLEROSE*
JODELET*
CUIGY*
BRISSAILLE*
UN FÂCHEUX•
UN MOUSQUETAIRE•
UN AUTRE
UN OFFICIER ESPAGNOL
UN CHEVAU-LÉGER•
LE PORTIER
UN BOURGEOIS•
SON FILS
UN TIRE-LAINE•
UN SPECTATEUR
UN GARDE
BERTRANDOU LE FIFRE•
LE CAPUCIN•
DEUX MUSICIENS
LES POÈTES
LES PÂTISSIERS
ROXANE*

---

1. Nous mentionnons la liste des personnages telle que la reproduit notre édition de référence, celle publiée en 1910 chez Pierre Laffitte et Cie, dans la collection des « Œuvres complètes illustrées », première édition à avoir été presque complètement corrigée, par Rostand, d'un certain nombre d'erreurs ou d'inadvertances manifestes (édition qu'adopte d'ailleurs Jacques Truchet, collection « Lettres françaises », Imprimerie Nationale, 1983), et qui servit de base à la réédition courante de 1910 chez Charpentier & Fasquelle.

SŒUR• MARTHE*
LISE
LA DISTRIBUTRICE DES DOUCES LIQUEURS[1]
MÈRE MARGUERITE DE JÉSUS*
LA DUÈGNE•
SŒUR CLAIRE
UNE COMÉDIENNE
LA SOUBRETTE•
LES PAGES•
LA BOUQUETIÈRE•

LA FOULE, BOURGEOIS•, MARQUIS•, MOUSQUETAIRES•, TIRE-LAINE•, PÂTISSIERS, POÈTES, CADETS•, GASCONS•, COMÉDIENS, VIOLONS•, PAGES•, ENFANTS, SOLDATS ESPAGNOLS, SPECTATEURS, SPECTATRICES, PRÉCIEUSES•, COMÉDIENNES, BOURGEOISES•, RELIGIEUSES, ETC.
(Les quatre premiers actes en 1640[2], le cinquième en 1655[3].)

---

1. *La Distributrice des douces liqueurs* : L'ouvreuse.
2. en 1640 : donc vers la fin du règne (1610-1643) de Louis XIII, alors que la France est, depuis 1635 et 1636, en guerre ouverte contre respectivement l'Espagne et le Saint Empire germanique des Habsbourg, engagée dans la guerre dite de Trente Ans (1618-1648), conflit religieux (protestants contre catholiques) et politique (inquiétudes nées des ambitions de la maison d'Autriche) qui ravagea l'Europe (notamment l'Allemagne) et s'acheva, après les victoires françaises de Rocroi (1643) et de Lens (1648) sur les Espagnols, par la signature des traités de Westphalie (1648). La ville d'Arras fut effectivement reprise aux Espagnols en 1640. En cette même année, Pierre Corneille créa ses premières tragédies (*Horace* et *Cinna*).
3. en 1655 : donc en pleine régence (depuis 1643) d'Anne d'Autriche, veuve de Louis XIII et mère de Louis XIV, et de son Premier ministre, le cardinal Mazarin (mort en 1661), même si Louis XIV est majeur (âgé de 13 ans) depuis 1651. La France sort alors à peine de la période très troublée de la Fronde (1648-1652), révolte parlementaire puis seigneuriale contre la politique de Mazarin, qui fut toutefois un échec pour la noblesse. En 1650, Cyrano de Bergerac, pourtant libertin, s'était mis, moyennant finances, au service de Mazarin contre les Frondeurs.

ACTE PREMIER

Une représentation à l'Hôtel de Bourgogne•

La salle de l'Hôtel de Bourgogne, en 1640. Sorte de hangar de jeu de paume[1] *aménagé et embelli pour des représentations. La salle est un carré long*[2] *: on la voit en biais, de sorte qu'un de ses côtés forme le fond qui part du premier plan, à droite, et va au dernier plan, à gauche, faire angle avec la scène, qu'on aperçoit en pan coupé. Cette scène est encombrée, des deux côtés, le long des coulisses, par des banquettes. Le rideau*[3] *est formé par deux tapisseries qui peuvent s'écarter. Au-dessus du manteau d'Arlequin*[4]*, les armes*[5] *royales. On descend de l'estrade dans la salle par de larges marches. De chaque côté de ces marches, la place des violons*•*. Rampe de chandelles*[6].

Deux rangs superposés de galeries latérales : le rang supérieur est divisé en loges. Pas de sièges au parterre•*, qui est la scène même du théâtre ; au fond de ce parterre, c'est-à-dire à droite, premier plan, quelques bancs formant gradins et, sous un escalier qui monte vers des places supérieures, et dont on ne voit que le départ*[7]*, une sorte de buffet orné de petits lustres, de vases fleuris, de verres de cristal, d'assiettes de gâteaux, de flacons, etc.*

Au fond, au milieu, sous la galerie de loges, l'entrée du théâtre. Grande porte qui s'entrebâille pour laisser passer les spectateurs. Sur les battants[8] *de cette porte, ainsi que dans plusieurs coins et*

---

1. jeu de paume : ancêtre du tennis.
2. carré long : par abus de langage, carré dont les deux côtés opposés sont plus longs que les deux autres, c'est-à-dire un rectangle.
3. Le rideau : Le rideau de scène, qui s'ouvre au début et se ferme à la fin de chaque acte.
4. manteau d'Arlequin : encadrement d'une scène de théâtre figurant des rideaux relevés.
5. armes : armoiries.
6. chandelles : comme les lustres *« attendant d'être allumés »* (p. 14, l. 26), ce détail est historiquement exact, la durée d'une représentation étant alors limitée par celle des chandelles.
7. départ : début.
8. battants : parties mobiles sur des gonds.

au-dessus du buffet, des affiches rouges sur lesquelles on lit : La Clorise[1].
Au lever du rideau, la salle est dans une demi-obscurité, vide
25 *encore. Les lustres sont baissés au milieu du parterre*•*, attendant d'être allumés.*

Représentation de Cyrano de Bergerac à la Comédie Française en 1939.

1. *La Clorise* : pastorale (pièce mettant en scène bergers et bergères dans des intrigues amoureuses) de *« monsieur Balthazar Baro »* (v. 24), créée à l'Hôtel de Bourgogne, en 1630 ou 1631.

Questions

Compréhension

• La distribution des personnages

1. *Quelles observations vous inspire la liste des personnages dans son ensemble ?*

2. *Que pensez-vous de l'ordre dans lequel les personnages sont mentionnés ? Vous étonne-t-il ? Pourquoi ?*

3. *Combien de personnages sont désignés par leur nom ? Combien le sont anonymement ? Qu'en pensez-vous ?*

4. *Cette répartition recouvre-t-elle totalement l'opposition habituelle entre personnages principaux et secondaires ?*

5. *Traduit-elle une opposition sociale ?*

• La didascalie* générale de l'acte I

6. *Quels commentaires sa longueur et sa précision appellent-elles ? Qu'annoncent-elles au spectateur ?*

7. *En quel lieu va se dérouler l'acte I ? Quelles conséquences ce choix implique-t-il vis-à-vis du spectateur ?*

8. *Quelle importance revêt l'indication : « La salle est dans une demi-obscurité » (p. 14, l. 24) ?*

Écriture

9. *Que révèlent, de la part de Rostand, des didascalies si détaillées ?*

Mise en scène / Mise en perspective

10. *Qu'imposent au metteur en scène une telle distribution et de telles didascalies ?*

11. *À votre connaissance, quelles adaptations théâtrales ou cinématographiques ont fidèlement respecté cette didascalie générale ?*

SCÈNE PREMIÈRE. LE PUBLIC, *qui arrive peu à peu.* CAVALIERS, BOURGEOIS•, LAQUAIS•, PAGES•, TIRE-LAINE•, LE PORTIER, *etc., puis* LES MARQUIS•, CUIGY, BRISSAILLE, LA DISTRIBUTRICE, LES VIOLONS•, *etc.*

On entend derrière la porte un tumulte de voix, puis un cavalier entre brusquement.

LE PORTIER, *le poursuivant.*

Holà ! vos quinze sols[1] !

LE CAVALIER

J'entre gratis[2] !

LE PORTIER

Pourquoi ?

LE CAVALIER

Je suis chevau-léger• de la maison du Roi !

LE PORTIER, *à un autre cavalier qui vient d'entrer.*

Vous ?

DEUXIÈME CAVALIER

Je ne paie pas !

LE PORTIER

Mais...

DEUXIÈME CAVALIER

Je suis mousquetaire•.

PREMIER CAVALIER, *au deuxième.*

On ne commence qu'à deux heures. Le parterre•
5 Est vide. Exerçons-nous au fleuret.

Ils font des armes[3] avec des fleurets qu'ils ont apportés.

---

1. *sols* : sous. Un sou valait douze deniers, soit un vingtième de livre. Relativement aux conditions économiques du XVIIe s. où deux gros pains valent 16 sols, un prix de *« quinze sols »* pour une place de théâtre, d'ailleurs assez vraisemblable, est bien moindre que celui qu'il faut payer aujourd'hui (dans les théâtres subventionnés comme dans les théâtres privés).
2. *gratis* : gratuitement, sans payer.
3. *font des armes* : s'entraînent à l'escrime.

UN LAQUAIS•, *entrant.*

Pst... Flanquin[1]?...

UN AUTRE, *déjà arrivé.*

Champagne?...

LE PREMIER, *lui montrant des jeux qu'il sort de son pourpoint•.*

Cartes. Dés.

Il s'assied par terre.

Jouons.

LE DEUXIÈME, *même jeu.*

Oui, mon coquin.

PREMIER LAQUAIS, *tirant de sa poche un bout de chandelle qu'il allume et colle par terre.*

J'ai soustrait[2] à mon maître un peu de luminaire[3].

UN GARDE, *à une bouquetière• qui s'avance.*

C'est gentil de venir avant que l'on n'éclaire!...

Il lui prend la taille.

UN DES BRETTEURS•, *recevant un coup de fleuret.*

Touche!

UN DES JOUEURS

Trèfle!

LE GARDE, *poursuivant la fille.*

Un baiser!

LA BOUQUETIÈRE, *se dégageant.*

On voit!...

LE GARDE, *l'entraînant dans les coins sombres.*

Pas de danger!

UN HOMME, *s'asseyant par terre avec d'autres porteurs de provisions de bouche[4].*

10 Lorsqu'on vient en avance, on est bien pour manger.

UN BOURGEOIS•, *conduisant son fils.*

Plaçons-nous là, mon fils.

---

1. *Flanquin* : nom de l'autre laquais «*déjà arrivé*».
2. *J'ai soustrait* : J'ai volé.
3. *un peu de luminaire* : un peu de lumière, d'éclairage.
4. *de provisions de bouche* : d'aliments.

UN JOUEUR
Brelan d'as[1] !

UN HOMME, *tirant une bouteille de sous son manteau et s'asseyant aussi.*
Un ivrogne
Doit boire son bourgogne...
Il boit.
à l'hôtel de Bourgogne* !

LE BOURGEOIS*, *à son fils.*
Ne se croirait-on pas en quelque mauvais lieu?
Il montre l'ivrogne du bout de sa canne.
Buveurs...
En rompant[2], un des cavaliers le bouscule.
Bretteurs* !
Il tombe au milieu des joueurs.
Joueurs !

LE GARDE, *derrière lui, lutinant[3] toujours la femme.*
Un baiser !

LE BOURGEOIS, *éloignant vivement son fils.*
Jour de Dieu[4] !
15 Et penser que c'est dans une salle pareille
Qu'on joua du Rotrou[5], mon fils !

---

1. *Brelan d'as* : aux cartes, fait de posséder, en trois cartes, trois des quatre as disponibles (pique, cœur, carreau, trèfle); le brelan était un jeu se jouant avec trois cartes : aujourd'hui, l'expression *« avoir brelan »* s'étend au jeu de plus de trois cartes et désigne le fait de posséder les quatre as en quatre cartes.
2. *En rompant* : En rompant la mesure, c'est-à-dire en reculant pour parer le coup d'un adversaire (terme d'escrime).
3. *lutinant* : tourmentant comme le ferait un lutin, sorte de démon nocturne plus malicieux que méchant; faisant la cour à (aujourd'hui, on dirait : *« draguant »*).
4. *Jour de Dieu!* : juron répandu, selon le *Dictionnaire* de Furetière, parmi *« les femmes du peuple »*, et que prononce le personnage de Mme Pernelle, dans *Le Tartuffe* de Molière (I, 1, v. 170) : *« Jour de dieu! je saurai vous frotter les oreilles. »*
5. *Rotrou* : Jean de Rotrou, poète dramatique français (1609-1650), longtemps lié aux comédiens de l'Hôtel de Bourgogne, auteur de comédies d'intrigue (*Les Sosies*, 1637), de tragédies (*Saint Genest*, 1646) et de tragi-comédies (*Venceslas*, 1647).

LE JEUNE HOMME

Et du Corneille[1] !

UNE BANDE DE PAGES•, *se tenant par la main, entre en farandole*[2] *et chante.*

Tra la la la la la la la la la lalère[3]...

LE PORTIER, *sévèrement aux pages.*

Les pages, pas de farce !...

PREMIER PAGE, *avec une dignité blessée.*

Oh ! Monsieur ! ce soupçon !...

Vivement au deuxième, dès que le portier a tourné le dos.

As-tu de la ficelle ?

LE DEUXIÈME

Avec un hameçon.

PREMIER PAGE

On pourra de là-haut pêcher quelque perruque[4].

---

1. *Corneille* : le célèbre Pierre Corneille (1606-1684), auteur notamment du *Cid* (1636), mais qui, en réalité, lié à la troupe rivale du Marais, ne fournit de pièce aux comédiens de l'Hôtel de Bourgogne qu'en 1651, avec sa tragédie *Nicomède*. L'exclamation du jeune homme, en cette scène censée se situer en 1640, constitue donc un anachronisme.
2. en farandole : en un cortège dansant ; la caractéristique principale de la farandole (danse populaire d'origine provençale) étant d'être exécutée par une file de danseurs se tenant par la main, la didascalie de Rostand (*« se tenant par la main, entre en farandole »*) constitue donc un pléonasme.
3. Cette « réplique » des pages ne constitue pas un vers et n'est donc pas comptabilisée parmi les quelque 2 600 vers de la pièce (c'est pourquoi la numérotation des vers ne l'inclut pas). Cette ligne est donc typographiquement centrée dans la page.
4. *quelque perruque* : l'usage masculin de la perruque est répandu dans la noblesse, aux XVIIe (longue perruque Louis XIV) et XVIIIe siècles (courtes perruques Louis XV et Louis XVI), et a disparu avec l'Ancien Régime. Mais il n'est pas impossible de déceler également ici un double jeu de mots de Rostand, puisque le terme *« perruque »* désigne aussi, dans le lexique de la pêche, l'enchevêtrement d'une ligne, et, au sens figuré, une personne âgée, attachée à des goûts démodés, des préjugés ridicules, un « classique » opposé à un « moderne », comme le rapporte d'ailleurs Théophile Gautier dans son *Histoire du romantisme* (1872), à propos de la « bataille d'*Hernani* » (pièce de Victor Hugo, créée le 25 février 1830) : « [...] *chaque soir, Hernani était obligé de sonner du cor pour rassembler ses éperviers de montagne, qui parfois emportaient dans leurs serres quelque bonne perruque classique en signe de triomphe.* » C'est très exactement ce qui se passe plus loin à la scène 3, entre un page et un bourgeois chauve (v. 168-169). Le texte de Rostand regorge de ces jeux, allusions et autres clins d'œil à peine perceptibles...

UN TIRE-LAINE•, *groupant autour de lui plusieurs hommes de mauvaise mine.*

20 Or çà, jeunes escrocs, venez qu'on vous éduque :
Puis donc que[1] vous volez pour la première fois...

DEUXIÈME PAGE•, *criant à d'autres pages déjà placés aux galeries supérieures.*

Hep! Avez-vous des sarbacanes?

TROISIÈME PAGE, *d'en haut.*

Et des pois!

Il souffle et les crible de pois.

LE JEUNE HOMME, *à son père.*

Que va-t-on nous jouer?

LE BOURGEOIS•

Clorise.

LE JEUNE HOMME

De qui est-ce?

LE BOURGEOIS

De monsieur Balthazar Baro[2]. C'est une pièce!...

Il remonte au bras de son fils.

LE TIRE-LAINE, *à ses acolytes*[3].

25 ... La dentelle surtout des canons[4], coupez-la!

UN SPECTATEUR, *à un autre, lui montrant une encoignure élevée.*

Tenez, à la première[5] du *Cid*[6], j'étais là!

---

1. *Puis donc que* : Puisque donc.
2. *Balthazar Baro* : écrivain (1590-1650) qui termina *L'Astrée* (1607, 1610 et 1619), laissée inachevée par son ami et « maître » (il en était le secrétaire) Honoré d'Urfé à sa mort (1625). C'est à Honoré d'Urfé que Rostand consacra un essai (*Deux romanciers de Provence : Honoré d'Urfé et Émile Zola*) qui lui valut, en 1887, le prix de l'Académie de Marseille.
3. acolytes : complices.
4. *canons* : cylindres de toile garnis de dentelle et attachés au-dessous du genou.
5. *première* : première représentation, création d'une pièce.
6. *à la première du* Cid : en réalité, la tragi-comédie *Le Cid* a été créée fin 1636 au théâtre du Marais.

LE TIRE-LAINE•, *faisant avec ses doigts le geste de subtiliser*[1].

Les montres...

LE BOURGEOIS•, *redescendant, à son fils.*

Vous verrez des acteurs très illustres...

LE TIRE-LAINE, *faisant le geste de tirer par petites secousses furtives*[2].

Les mouchoirs...

LE BOURGEOIS

Montfleury[3]...

QUELQU'UN, *criant de la galerie supérieure.*

Allumez donc les lustres!

LE BOURGEOIS

... Bellerose, l'Épy[4], la Beaupré[5], Jodelet!

UN PAGE•, *au parterre•.*

30 Ah! voici la distributrice!...

LA DISTRIBUTRICE, *paraissant derrière le buffet.*

Oranges, lait,

Eau de framboise, aigre de cèdre[6]...

Brouhaha[7] *à la porte.*

UNE VOIX DE FAUSSET[8]

Places, brutes!

UN LAQUAIS•, *s'étonnant.*

Les marquis•!... au parterre?...

---

1. subtiliser : dérober, voler.
2. furtives : exécutées à la dérobée, de manière à passer inaperçues.
3. *Montfleury, Bellerose, Jodelet* : *cf.* les notes respectives, au lexique des personnages. Tous les acteurs évoqués ici par le bourgeois jouaient effectivement dans la troupe de l'Hôtel de Bourgogne en 1640.
4. *l'Épy* : de son vrai nom, François Bedeau, il était le frère de Jodelet.
5. *la Beaupré* : de son vrai nom, Madeleine Le Moyne, cette comédienne joua alternativement au Marais et à l'Hôtel de Bourgogne.
6. *aigre de cèdre* : sorte de citronnade.
7. Brouhaha : Bruit confus.
8. *voix de fausset* : voix très aiguë.

UN AUTRE LAQUAIS•

Oh ! pour quelques minutes.

Entre une bande de petits marquis.

UN MARQUIS•, *voyant la salle à moitié vide.*

Hé quoi ! Nous arrivons ainsi que• les drapiers,
Sans déranger les gens ? sans marcher sur les pieds ?
35 Ah fi ! fi ! fi !

Il se trouve devant d'autres gentilshommes entrés peu avant.

Cuigy ! Brisaille [1] !

Grandes embrassades.

CUIGY

Des fidèles !
Mais oui, nous arrivons devant que [2] les chandelles...

LE MARQUIS

Ah ! ne m'en parlez pas ! Je suis dans une humeur...

UN AUTRE

Console-toi, marquis, car voici l'allumeur [3] !

LA SALLE, *saluant l'entrée de l'allumeur.*

Ah !...

On se groupe autour des lustres qu'il allume. Quelques personnes ont pris place aux galeries. Lignière entre au parterre•, donnant le bras à Christian de Neuvillette. Lignière, un peu débraillé, figure d'ivrogne distingué. Christian, vêtu élégamment, mais d'une façon un peu démodée, paraît préoccupé et regarde les loges.

SCÈNE 2. LES MÊMES, CHRISTIAN, LIGNIÈRE, *puis* RAGUENEAU *et* LE BRET

CUIGY

Lignière !

1. *Cuigy, Brissaille* : *cf.* les notes respectives, au lexique des personnages.
2. *devant que* : avant que.
3. *l'allumeur* : l'allumeur de chandelles. Le spectacle commence une fois que les chandelles sont allumées.

BRISSAILLE, *riant.*
Pas encore gris•!...

LIGNIÈRE, *bas à Christian.*
Je vous présente?

Signe d'assentiment[1] *de Christian.*

40 Baron• de Neuvilette.

Saluts.

LA SALLE, *acclamant l'ascension du premier lustre allumé.*
Ah!

CUIGY, *à Brissaille, en regardant Christian.*
La tête est charmante.

PREMIER MARQUIS•, *qui a entendu.*
Peuh!...

LIGNIÈRE, *présentant à Christian.*
Messieurs de Cuigy, de Brissaille...

CHRISTIAN, *s'inclinant.*
Enchanté!...

PREMIER MARQUIS, *au deuxième.*
Il est assez joli, mais n'est pas ajusté[2]
Au dernier goût[3].

LIGNIÈRE, *à Cuigy.*
Monsieur débarque de Touraine.

CHRISTIAN
Oui, je suis à Paris depuis vingt jours à peine.
45 J'entre aux gardes• demain, dans les Cadets•.

PREMIER MARQUIS, *regardant les personnes qui entrent dans les loges.*
Voilà

---

1. *assentiment* : accord.
2. *ajusté* : vêtu, habillé.
3. *Au dernier goût* : Au goût du jour, à la dernière mode.

La présidente Aubry[1] !

LA DISTRIBUTRICE
Oranges, lait...

LES VIOLONS•, *s'accordant.*
La... la...

CUIGY, *à Christian, lui désignant la salle qui se garnit*[2].
Du monde !

CHRISTIAN
Eh ! oui, beaucoup.

PREMIER MARQUIS•
Tout le bel air[3] !

Ils nomment les femmes à mesure qu'elles entrent, très parées[4], *dans les loges. Envois de saluts, réponses de sourires.*

DEUXIÈME MARQUIS
Mesdames
De Guéméné[5]...

CUIGY
De Bois-Dauphin[6]...

PREMIER MARQUIS
Que nous aimâmes !

1. *La présidente Aubry* : Françoise de Villandry, ainsi désignée pour avoir été la seconde femme du puissant président Aubry, était surnommée dès 1630 la « *Pucelle Priande* » à l'Hôtel de Rambouillet, dont elle était l'une des plus actives précieuses.
2. qui se garnit : qui se remplit.
3. *le bel air* : le beau monde, les gens de bon ton et aux bonnes manières (l'expression est employée péjorativement par Molière, dans *L'Impromptu de Versailles*, sc. 3).
4. *parées* : ornées de parures et vêtues avec recherche.
5. *De Guéméné* : Anne de Rohan, princesse de Guéméné (1604-1685), mère du fameux chevalier de Rohan (décapité en 1674 pour avoir conspiré contre Louis XIV), fut une figure authentique de la préciosité, connue pour sa beauté comme pour sa science ; elle protégea notamment l'écrivain La Calprenède (1610-1663), aujourd'hui oublié, mais auteur de suites romanesques monumentales à grand succès : *Cassandre* (10 vol., 1642-1645) et surtout *Cléopâtre* (12 vol., 1647-1656), où apparaît Artaban, personnage passé à la postérité (« *fier comme Artaban* ») en raison d'une fierté qui rappelle celle de Cyrano (*cf.* v. 110 de la pièce de Rostand).
6. *De Bois-Dauphin* : la marquise de Bois-Dauphin, *alias* « *Basilide* », autre précieuse illustre, liée à la fameuse marquise de Sablé (l'une des figures intellectuelles les plus importantes du XVIIe s.).

BRISSAILLE

De Chavigny[1]...

DEUXIÈME MARQUIS•

Qui de nos cœurs va se jouant !

LIGNIÈRE

50 Tiens, monsieur de Corneille est arrivé de Rouen[2].

LE JEUNE HOMME, *à son père.*

L'Académie[3] est là ?

LE BOURGEOIS•

Mais... J'en vois plus d'un membre ;
Voici Boudu, Boissat, et Cureau de La Chambre ;
Porchères, Colomby, Bourzeys, Bourdon, Arbaud[4]...

---

1. *De Chavigny* : Marie de Bragelongue (1590-1673), *alias* « *Hespérie* » dans *Les Visionnaires* (1637), comédie satirique de Jean Desmarets de Saint-Sorlin (1595-1676). La mention de Mme de Chavigny nous ramène doublement à la pièce de Rostand, *via* le Cardinal de Richelieu, protecteur de De Guiche : d'une part, Desmarets de Saint-Sorlin était un auteur tellement apprécié de Richelieu que celui-ci l'attacha à son service dès 1634, collabora à ses pièces et lui commanda *Les Visionnaires*, qui met en scène trois excentriques prétendant à la main de trois sœurs qui ne le sont guère moins ; d'autre part, Mme de Chavigny était l'épouse de Claude Bouthillier, qui occupa le poste décisif de surintendant (sorte de ministre) des Finances de 1632 jusqu'à la mort de Louis XIII en 1643, et son fils, Léon Bouthillier, comte de Chavigny, fut un ministre d'État aussi dévoué au Cardinal de Richelieu que l'avait été son père, lequel en avait été un confident. Rostand n'a donc pas choisi tout à fait au hasard, en ces vers 46 à 49, parmi les innombrables précieuses que recensait le *Dictionnaire des Prétieuses* de Somaize (1661), réédité par Livet en 2 vol. (1856 et 1861), auquel il recourut.
2. *de Rouen* : Pierre Corneille – autre protégé de Richelieu – était natif de Rouen, où il résida jusqu'en 1662.
3. *L'Académie* : l'Académie française, créée par Richelieu dès 1634 (mais officiellement en janvier 1635 seulement, par des lettres patentes de Louis XIII, que le Parlement ne se résigna à enregistrer que deux ans plus tard, en juillet 1637), pour réglementer – et contrôler... – la vie littéraire et notamment l'usage de la langue française.
4. *Boudu* [...] *Arbaud* : à l'exception de Boudu (ou Bautru, académicien dès 1635 ?) et de Bourdon (ou Bourbon, académicien en 1637 ?), ces noms sont tous ceux d'authentiques académiciens de la toute première Académie française (1634-1635). Signalons que siégeaient dès 1634 deux Porchères : un Porchères d'Arbaud (auquel cas les premier et dernier noms du v. 53 désignent un seul et même académicien) et un Porchères Laugier (auquel cas Rostand mentionne bien deux académiciens distincts).

Tous ces noms dont pas un ne mourra[1], que c'est beau!

PREMIER MARQUIS•

55 Attention! nos précieuses• prennent place :
Barthénoïde, Urimédonte, Cassandace,
Félixérie[2]...

DEUXIÈME MARQUIS, *se pâmant*[3].

Ah! Dieu! leurs surnoms sont exquis!
Marquis, tu les sais tous?

PREMIER MARQUIS

Je les sais tous, marquis!

LIGNIÈRE, *prenant Christian à part.*

Mon cher, je suis entré pour vous rendre service :
60 La dame ne vient pas. Je retourne à mon vice!

CHRISTIAN, *suppliant.*

Non! vous qui chansonnez[4] et la ville et la cour,
Restez : vous me direz pour qui je meurs d'amour.

LE CHEF DES VIOLONS•, *frappant sur son pupitre, avec son archet.*

Messieurs les violons!...

Il lève son archet.

LA DISTRIBUTRICE

Macarons, citronnée[5]...

Les violons commencent à jouer.

CHRISTIAN

J'ai peur qu'elle ne soit coquette et raffinée,
65 Je n'ose lui parler, car je n'ai pas d'esprit.

---

1. *Tous ces noms dont pas un ne mourra* : allusion ironique au surnom des membres de l'Académie française, les « immortels » (surnom provenant d'ailleurs du sceau de la compagnie : le profil de Richelieu, avec un contre-sceau renfermant la devise « *À l'immortalité* », au cœur d'une couronne de laurier).
2. *Barthénoïde, Urimédonte, Cassandace, Félixérie* : sous ces quatre authentiques surnoms se dissimulent respectivement la marquise de Boudreno (l'une des plus spirituelles précieuses), Mlle Vaugeron (l'une des plus savantes), Mme de Chalais (l'une des plus belles) et Mlle Ferrand (l'une des plus insensibles à l'amour).
3. *se pâmant* : perdant presque connaissance, comme paralysé par l'émotion ou l'agrément.
4. *chansonnez* : raillez, tournez en dérision dans des chansons satiriques.
5. *citronnée* : boisson à base de jus de citron.

Le langage aujourd'hui qu'on parle et qu'on écrit[1],
Me trouble. Je ne suis qu'un bon soldat timide.
– Elle est toujours à droite, au fond : la loge vide.

LIGNIÈRE, *faisant mine de sortir.*

Je pars.

CHRISTIAN, *le retenant encore.*

Oh ! non, restez !

LIGNIÈRE

Je ne peux pas. D'Assoucy[2]
70 M'attend au cabaret. On meurt de soif, ici.

LA DISTRIBUTRICE, *passant devant lui avec un plateau.*

Orangeade ?

LIGNIÈRE

Fi !

LA DISTRIBUTRICE

Lait ?

LIGNIÈRE

Pouah !

LA DISTRIBUTRICE

Rivesalte• ?

---

1. *Le langage* [...] *qu'on écrit* : la métrique a contraint Rostand à écrire « *le langage aujourd'hui qu'*[...] » au lieu de « *le langage qu'aujourd'hui* [...] » (dans un cas, le *e* final de « *langage* » étant muet, puisque suivi par une voyelle, la syllabe « *ge* » s'élide et se comptabilise avec la première syllabe, « *au* », d'« *aujourd'hui* », pour un total de 12 syllabes, donc un alexandrin ; dans l'autre, la syllabe « *ge* », suivie par une consonne, ne s'élide pas, ce qui aboutirait à un total de 13 syllabes). La formule est à double entente, désignant à la fois la préciosité du XVIIe s., donc des contemporains de Cyrano (au prix, d'ailleurs, d'un anachronisme, puisque celle-ci n'apparaît qu'en 1654), et les obscurités des symbolistes de la fin du XIXe s., donc des contemporains de Rostand.
2. *D'Assoucy* : Charles Coyppeau (ou Couppeau) d'Assoucy (1605-1677) fut musicien, poète burlesque, et aventurier. Ami de Scarron, de Molière, de Tristan l'Hermite, mais surtout de Cyrano de Bergerac, lequel préfaça son *Jugement de Pâris* (1648), avant qu'une brouille définitive et mortelle ne les séparât, pour une raison restée inconnue (1650), D'Assoucy est demeuré (avec d'ailleurs Cyrano mais aussi Lignières) un « extravagant ». On lui doit un portrait très pittoresque de Ragueneau, auquel il est probable que Rostand ait beaucoup emprunté.

LIGNIÈRE

Halte !

À Christian.

Je reste encore un peu. – Voyons ce rivesalte•.

Il s'assied près du buffet. La distributrice lui verse du rivesalte.

CRIS, *dans le public à l'entrée d'un petit homme grassouillet et réjoui.*

Ah ! Ragueneau !...

LIGNIÈRE, *à Christian.*

Le grand rôtisseur Ragueneau.

RAGUENEAU, *costume de pâtissier endimanché*[1], *s'avançant vivement vers Lignière.*

Monsieur, avez-vous vu monsieur de Cyrano ?

LIGNIÈRE, *présentant Ragueneau à Christian.*

75 Le pâtissier des comédiens et des poètes !

RAGUENEAU, *se confondant*[2].

Trop d'honneur...

LIGNIÈRE

Taisez-vous, Mécène[3] que vous êtes !

RAGUENEAU

Oui, ces messieurs chez moi se servent...

LIGNIÈRE

À crédit.

Poète de talent lui-même...

RAGUENEAU

Ils me l'ont dit.

LIGNIÈRE

Fou de vers !

---

1. endimanché : vêtu avec des habits du dimanche, plus soignés que ceux de la semaine.
2. se confondant : multipliant les remerciements.
3. *Mécène* : avec une majuscule, désigne Caius Cilnius Maecenas (69-8 av. J.-C.), ministre de l'empereur romain Auguste, qui encouragea les lettres et les arts (il protégea notamment les poètes latins Virgile, Horace et Properce) ; avec une minuscule, désigne tout protecteur des arts, toute personne qui aide matériellement les artistes.

RAGUENEAU
Il est vrai que pour une odelette[1]...

LIGNIÈRE
80 Vous donnez une tarte...

RAGUENEAU
Oh! une tartelette!

LIGNIÈRE
Brave homme, il s'en excuse!... Et pour un triolet[2]
Ne donnâtes-vous pas?...

RAGUENEAU
Des petits pains!

LIGNIÈRE, *sévèrement.*
Au lait.
– Et le théâtre! vous l'aimez?

RAGUENEAU
Je l'idolâtre[3].

LIGNIÈRE
Vous payez en gâteaux, vos billets de théâtre!
85 Votre place, aujourd'hui, là, voyons, entre nous,
Vous a coûté combien?

RAGUENEAU
Quatre flans. Quinze choux.

Il regarde de tous côtés.

Monsieur de Cyrano n'est pas? Je m'étonne.

LIGNIÈRE
Pourquoi?

RAGUENEAU
Montfleury joue!

---

1. *odelette* : petite ode d'un genre gracieux (une ode, à l'origine poème chanté ou récité avec accompagnement musical, est un poème lyrique d'inspiration élevée).
2. *triolet* : poème à forme fixe, de huit vers sur deux rimes, dont les 1er, 4e et 7e sont identiques, ainsi que les 2e et 8e (structure ABAAABAB). La présentation des cadets de Gascogne, par Cyrano, en constitue un parfait exemple (II, 7, v. 891 à 922).
3. *l'idolâtre* : lui rend une sorte de culte, comme à l'idole d'un dieu.

LIGNIÈRE

En effet, cette tonne[1]

Va nous jouer ce soir le rôle de Phédon[2].

90 Qu'importe à Cyrano ?

RAGUENEAU

Mais vous ignorez donc ?

Il fit à Montfleury, messieurs, qu'il prit en haine,

Défense, pour un mois, de reparaître en scène.

LIGNIÈRE, *qui en est à son quatrième petit verre.*

Eh bien ?

RAGUENEAU

Montfleury joue !

CUIGY, *qui s'est rapproché de son groupe.*

Il n'y peut rien.

RAGUENEAU

Oh ! Oh !

Moi, je suis venu voir !

PREMIER MARQUIS•

Quel est ce Cyrano ?

CUIGY

95 C'est un garçon versé dans[3] les colichemardes[4].

DEUXIÈME MARQUIS

Noble ?

CUIGY

Suffisamment. Il est cadet• aux gardes•.

Montrant un gentilhomme qui va et vient dans la salle comme s'il cherchait quelqu'un.

---

1. *cette tonne* : dans le double sens de barrique (une tonne étant un récipient plus large qu'un tonneau) et d'unité de poids (sur Montfleury, *cf.* la note au lexique des personnages).
2. *Phédon* : personnage de *La Clorise* de Baro, désignant un philosophe grec (du IVe s. av. J.-C.) qui a donné son nom à un célèbre dialogue philosophique de Platon (428-348 av. J.-C.), relatant les derniers moments de leur maître Socrate (470-399 av. J.-C.) ; Socrate y définissant la mort comme le moment où l'âme, immortelle, se sépare du corps qui, seul, est périssable, le rapprochement entre Phédon et le très corpulent et... corporel Montfleury est évidemment ironique (*cf.* aussi le v. 2524).
3. *versé dans les* : expert en, habitué aux.
4. *colichemardes* : rapières (épées longues et effilées) à très larges lames.

Mais son ami Le Bret peut vous dire...

Il appelle.

Le Bret !

Le Bret descend vers eux.

Vous cherchez Bergerac ?

LE BRET

Oui, je suis inquiet !...

CUIGY

N'est-ce pas que cet homme est des moins ordinaires ?

LE BRET, *avec tendresse.*

100 Ah ! c'est le plus exquis des êtres sublunaires[1] !

RAGUENEAU

Rimeur !

CUIGY

Bretteur• !

BRISSAILLE

Physicien !

LE BRET

Musicien !

LIGNIÈRE

Et quel aspect hétéroclite[2] que le sien !

RAGUENEAU

Certes, je ne crois pas que jamais nous le peigne
Le solennel[3] monsieur Philippe de Champaigne[4] ;

---

1. *sublunaires* : situés entre la Terre et la Lune (allusion directe à l'œuvre du Cyrano historique) ; mais l'adjectif signifie aussi *« de la terre, d'ici-bas »* (par exemple, chez Théophile Gautier, où l'expression *« notre boule sublunaire »* désigne la Terre).
2. *hétéroclite* : bigarré, hétérogène, composite, constitué d'éléments disparates ; en parlant de quelqu'un, *« qui ne vit pas comme les autres hommes, qui est bourru et singulier dans ses mœurs, ses habits et ses sentiments »*, selon le *Dictionnaire* de Furetière.
3. *solennel* : d'une gravité propre ou convenable aux grandes occasions.
4. *Philippe de Champaigne* : dessinateur et peintre français d'origine flamande (1602-1674), auteur notamment de célèbres portraits de Richelieu (1635) et de *Louis XIII couronné par la victoire* (1635).

105 Mais bizarre, excessif, extravagant, falot[1],
Il eût fourni, je pense, à feu[2] Jacques Callot[3]
Le plus fol spadassin[4] à mettre entre ses masques[5] :
Feutre• à panache• triple et pourpoint• à six basques[6],
Cape que par-derrière, avec pompe[7], l'estoc[8]
110 Lève, comme une queue insolente de coq,
Plus fier que tous les Artabans[9] dont la Gascogne[10]
Fut et sera toujours l'alme[11] Mère Gigogne[12],
Il promène en sa fraise[13] à la Pulcinella[14],

1. *falot* : plaisant, drôle, joyeux, gai (tel est le sens originel et classique de ce mot, dont le sens moderne, à partir des années 1920, est devenu, à l'opposé : *« insignifiant et grotesque au point d'en devenir comique »*).
2. *feu* : décédé, mort.
3. *Jacques Callot* : graveur et dessinateur français (1592-1635), aussi célèbre pour les personnages pittoresques de ses *Caprices* (1619) que pour les scènes pathétiques des *Misères de la guerre* et des *Supplices* (1634 et 1635), très apprécié de ses contemporains et admiré par les romantiques.
4. *spadassin* : homme d'épée qui peut être tueur à gages.
5. *masques* : personnes masquées, personnages déguisés (c'est le nom qu'on donnait à plusieurs types de la *Commedia dell'arte*, que Jacques Callot a souvent dessinés).
6. *basques* : parties d'étoffe découpées et pendant plus ou moins loin à partir de la taille. Les basques d'un pourpoint comportaient des œillets.
7. *avec pompe* : avec solennité, avec recherche, avec cérémonie.
8. *l'estoc* : la très longue épée droite.
9. *Artabans* : c'est dans la suite romanesque *Cléopâtre* (12 vol., 1647-1656) de l'écrivain La Calprenède (1610-1663) qu'apparaît un certain Artaban, passé à la postérité (*« fier comme Artaban »*) en raison d'une fierté qui n'est pas sans rappeler celle de Cyrano (*cf.* la première note du v. 48).
10. *Gascogne* : ancienne région du Sud-Ouest de la France, s'étendant de la Garonne aux Pyrénées (Pays basque excepté) et de l'Atlantique au méridien de Toulouse, couvrant donc les actuels départements du Gers (dont la préfecture, Auch, était la capitale de la Gascogne), des Landes, des Hautes-Pyrénées, et une partie de la Gironde, du Lot-et-Garonne, du Tarn-et-Garonne, de la Haute-Garonne et de l'Ariège. Outre Auch, les grandes villes gasconnes sont notamment Agen, Mont-de-Marsan, Tarbes, Foix, Montauban, Bayonne. La Gascogne, occupée par les Anglais à partir de 1154, ne fut définitivement rattachée à la France qu'en 1453, à l'issue de la guerre de Cent Ans (1337-1453).
11. *l'alme* : la nourricière, la vénérable ; *« l'alme Mère »* est la traduction littérale du latin *alma mater*, *« la mère nourricière »*, désignation usuelle de la mère patrie. Rostand synthétise donc les deux formules *« l'alme Mère »* et *« la Mère Gigogne »* en une seule.
12. *Mère Gigogne* : nom d'un personnage de théâtre d'enfants, désignant une géante entourée d'un grand nombre d'enfants sortant de dessous ses jupons ; se dit de toute femme qui a beaucoup d'enfants.
13. *fraise* : collerette plissée et empesée qui se portait au XVIe et au début du XVIIe s. (*cf.* illlustration, p. 000).
14. *Pulcinella* : nom italien de Polichinelle ; personnage de la comédie italienne habillé de blanc avec un masque noir agrémenté d'un long nez crochu, Pulcinella n'est pas, contrairement à Polichinelle, figuré avec deux bosses.

Un nez!... Ah! messeigneurs, quel nez que ce nez-là!...
115 On ne peut voir passer un pareil nasigère[1]
Sans s'écrier : «Oh! non, vraiment, il exagère!»
Puis on sourit, on dit : «Il va l'enlever...» Mais
Monsieur de Bergerac ne l'enlève jamais.

LE BRET, *hochant la tête.*
Il le porte, – et pourfend[2] quiconque le remarque!

RAGUENEAU, *fièrement.*
120 Son glaive est la moitié des ciseaux de la Parque[3]!

PREMIER MARQUIS•, *haussant les épaules.*
Il ne viendra pas!

RAGUENEAU
Si!... Je parie un poulet
À la Ragueneau!

LE MARQUIS, *riant.*
Soit!

Rumeurs d'admiration dans la salle, Roxane vient de paraître dans sa loge. Elle s'assied sur le devant, sa duègne• prend place au fond. Christian occupé à payer la distributrice, ne regarde pas.

DEUXIÈME MARQUIS, *avec des petits cris.*
Ah! messieurs! mais elle est
Épouvantablement ravissante!

PREMIER MARQUIS
Une pêche
Qui sourirait avec une fraise!

DEUXIÈME MARQUIS
Et si fraîche

1. *nasigère* : néologisme créé par Rostand pour désigner le nez.
2. *pourfend* : au sens propre, fend d'un coup de sabre de haut en bas; au sens figuré, met à mal.
3. *la Parque* : dans la mythologie gréco-latine, désigne chacune des trois déesses qui filaient, dévidaient et coupaient le fil de la vie humaine, respectivement Clotho, Lachésis et Atropos; en l'occurrence, l'expression désigne donc Atropos. Rostand se souvient peut-être ici que, dans la comédie *Le Pédant joué* (IV, 2) de Cyrano de Bergerac (1654, Belin, 1977, p. 212), Châteaufort fanfaronne : «*Ne savez-vous pas que mon épée est faite d'une branche des ciseaux d'Atropos?*»

125 Qu'on pourrait, l'approchant, prendre un rhume de cœur!

CHRISTIAN, *lève la tête, aperçoit Roxane, et saisit vivement Lignière par le bras.*

C'est elle!

LIGNIÈRE, *regardant.*

Ah! c'est elle?...

CHRISTIAN

Oui. Dites vite. J'ai peur.

LIGNIÈRE, *dégustant son rivesalte• à petits coups.*

Magdeleine Robin, dite Roxane[1]. – Fine.
Précieuse•.

CHRISTIAN

Hélas!

LIGNIÈRE

Libre. Orpheline. Cousine.
De Cyrano, – dont on parlait...

À ce moment un seigneur très élégant, le cordon bleu[2] en sautoir[3], entre dans la loge et, debout, cause un instant avec Roxane.

---

1. *Magdeleine Robin, dite Roxane* : sur Roxane, *cf.* la note au lexique des personnages.
2. le cordon bleu : le cordon d'un ordre de chevalerie, ruban auquel on porte, attachées, les marques de cet ordre et qu'on passe en écharpe (ou qu'on porte en sautoir). Le cordon bleu était l'insigne de l'ordre du Saint-Esprit, très prestigieux ordre de chevalerie fondé par Henri III en 1578, qui devint le premier ordre de la monarchie, constitué de cent membres (plus le roi), lesquels devaient tous être catholiques et de noblesse héréditaire (preuve de quatre degrés). Ordre d'autant plus prestigieux que les nominations pouvaient y être rares : une seule entre 1633 et 1643, intervalle dans lequel se situe l'action des quatre premiers actes de notre pièce. *« S'il ne donne pas à la cour de France un rang particulier, le cordon bleu crée* de facto*, au XVII*e *siècle, un rang social et mondain, intermédiaire entre le club fermé des ducs et ce qu'on peut appeler le tout-venant de la gentilhommerie »* (François Bluche, *Dictionnaire du Grand Siècle*, Fayard, 1990, p. 408; *cf.* aussi p. 1384). Toutefois, Rostand commet ici un autre anachronisme, puisque ce n'est qu'en 1661 (donc une vingtaine d'années plus tard...) que le comte de Guiche, devenu duc de Gramont, âgé de 57 ans, fut décoré de l'ordre du Saint-Esprit.
3. en sautoir : porter un ordre en sautoir, c'est en porter le cordon en forme de collier tombant en pointe sur la poitrine.

CHRISTIAN, *tressaillant*•[1].
Cet homme?...

LIGNIÈRE, *qui commence à être gris*•, *clignant de l'œil.*
Hé! Hé!...

130 – Comte de Guiche. Épris d'elle. Mais marié
À la nièce d'Armand de Richelieu[2]. Désire
Faire épouser Roxane à certain triste sire[3],
Un monsieur de Valvert, vicomte... et complaisant[4].
Elle n'y souscrit pas[5], mais de Guiche est puissant :
135 Il peut persécuter une simple bourgeoise•.
D'ailleurs j'ai dévoilé sa manœuvre sournoise[6]
Dans une chanson qui... Ho! il doit m'en vouloir!
– La fin était méchante... Écoutez...

Il se lève en titubant[7], le verre haut, prêt à chanter.

CHRISTIAN
Non. Bonsoir.

LIGNIÈRE
Vous allez?

CHRISTIAN
Chez monsieur de Valvert!

LIGNIÈRE
Prenez garde :
140 C'est lui qui vous tuera!

---

1. tressaillant : si Christian tressaille, ce n'est peut-être pas seulement parce qu'il voit que l'homme *«cause un instant avec Roxane»*, mais aussi parce que l'importance sociale et politique de cet homme se signale à son cordon bleu – d'autant plus impressionnante pour ce provincial de Christian qui, rappelons-le, *«débarque de Touraine»* (v. 43).
2. *À la nièce d'Armand de Richelieu* : à Françoise de Chivré, épousée en 1634, nièce – à la mode de Bretagne – d'Armand-Jean du Plessis, cardinal puis duc de Richelieu (1585-1642), «principal ministre» (Premier ministre) de Louis XIII, de 1624 à 1642.
3. *triste sire* : Rostand joue sur les mots, *«sire»* signifiant *«seigneur»*, et l'expression *«triste sire»* désignant un triste individu.
4. *complaisant* : le mot paraît ici pris substantivement (en parallèle avec *«vicomte»*) et désigne péjorativement l'entremetteur qui favorise les galanteries d'une autre personne; en l'occurrence, Valvert, «obligé» et complice de De Guiche, accepte donc d'être un époux «qui fermera les yeux» sur les galanteries de son protecteur à l'égard de Roxane.
5. *Elle n'y souscrit pas* : Elle s'y oppose.
6. *sournoise* : cachée, dissimulée, hypocrite.
7. en titubant : en vacillant, en allant de droite et de gauche, incapable de marcher droit.

Lui désignant du coin de l'œil Roxane.

Restez. On vous regarde.

CHRISTIAN

C'est vrai !

Il reste en contemplation. Le groupe de tire-laine•, à partir de ce moment, le voyant la tête en l'air et la bouche bée[1]*, se rapproche de lui.*

LIGNIÈRE

C'est moi qui pars. J'ai soif ! Et l'on m'attend
Dans des tavernes[2] !

Il sort en zigzaguant.

LE BRET, *qui a fait le tour de la salle, revenant vers Ragueneau, d'une voix rassurée.*

Pas de Cyrano.

RAGUENEAU, *incrédule•.*

Pourtant...

LE BRET

Ah ! je veux espérer qu'il n'a pas vu l'affiche !

LA SALLE, *trépignante•.*

Commencez ! Commencez !

1. la bouche bée : la bouche ouverte, d'admiration, d'étonnement ou de stupeur.
2. *tavernes* : lieux où l'on paye pour boire, plutôt à l'excès, jusqu'à l'ivrognerie (*cf.* la note du v. 162).

Questions

Compréhension

1. *Comment débute la pièce ? Quel est le qualificatif habituel d'un tel début ?*

2. *Combien d'actions simultanées dénombrez-vous dans les scènes 1 et 2 ? Relevez-les dans un tableau récapitulatif qui en précise les protagonistes.*

3. *Dans quelle mesure ces actions présentent-elles une utilité dramatique* ? Justifiez votre réponse.*

4. *Où commence l'exposition* ? Dans quelle mesure est-elle ou non achevée à la fin de la scène 2 ?*

5. *De combien de personnages principaux avons-nous, directement ou indirectement, le portrait ? Précisez les vers consacrés à chaque portrait.*

6. *D'après les scènes 1 et 2, comment définiriez-vous Christian (citez les vers) physiquement ? socialement ? psychologiquement ?*

7. *Comment qualifieriez-vous Ragueneau d'après sa première apparition (v. 75 à 86) ?*

8. *Le portrait de Cyrano (v. 99 à 122).*
a) *Sur quels aspects (extérieurs, physiques ? ou intérieurs, moraux ?) ce portrait insiste-t-il le plus ?*
b) *Dans quelle mesure justifie-t-il l'exclamation de Lignière (v. 102) ?*
c) *Quelle importance accorder au fait qu'il soit dressé surtout par Ragueneau ?*

9. *Que laisse entrevoir le portrait de Roxane (v. 127 à 130) ? Et celui de De Guiche (v. 131 à 139) ?*

Écriture

10. *Que pensez-vous de l'abondance et de la précision des didascalies* ?*

11. *Relevez et commentez un certain nombre de jeux de mots.*

12. *Quelles figures* stylistiques Rostand emploie-t-il respectivement aux v. 58 et 123 ?*

13. *Relevez plusieurs exemples de vers révélant la volonté d'une « escrime verbale » de la part de Rostand.*

14. *Quels vers offrent des coupes* inhabituelles pour des alexandrins* ?*

Mise en scène / Mise en perspective

15. *Quelles libertés décorateur et metteur en scène conservent-ils ici ?*

16. *Dans quelle mesure ces scènes 1 et 2 sont-elle « injouables » au théâtre ? En quoi sont-elles plus « cinématographiques » ?*

17. *L'érudition de Rostand (dont témoigne l'abondance des notes) vous paraît-elle excessive ou nécessaire ?*

18. *En vous aidant des notes, relevez les anachronismes. Dans quelle mesure sont-ils ou non gênants ?*

Coquelin dans le rôle de Cyrano, portrait de Nadar.

SCÈNE 3. LES MÊMES, *moins* LIGNIÈRE ; DE GUICHE, VALVERT, *puis* MONTFLEURY

UN MARQUIS•, *voyant de Guiche, qui descend de la loge de Roxane, traverse le parterre•, entouré de seigneurs obséquieux*[1], *parmi lesquels le vicomte de Valvert.*

Quelle cour, ce de Guiche !

UN AUTRE

145 Fi !... Encore un Gascon•[2] !

LE PREMIER

Le Gascon souple et froid,
Celui qui réussit !... Saluons-le, crois-moi.

Ils vont vers de Guiche.

DEUXIÈME MARQUIS

Les beaux rubans• ! Quelle couleur, comte de Guiche ?
Baise-moi-ma-mignonne ou bien *Ventre-de-Biche* ?

DE GUICHE

C'est couleur *Espagnol malade*[3].

1. obséquieux : excessifs dans leur complaisance et leurs marques d'égards.
2. *un Gascon* : De Guiche, né à Hagermau, était, en fait, béarnais (son père étant souverain de Bidache et vice-roi de Navarre, lui-même chevalier du Saint-Esprit) et non point gascon ; or le Béarn a longtemps joui d'une autonomie beaucoup plus large que celle de la Gascogne, province placée, avec la Guyenne (l'une et l'autre constituant l'ancien domaine des ducs d'Aquitaine), sous l'autorité d'un seul gouverneur. Mais l'usage se généralisa d'appeler indistinctement *gascon* tout habitant ou natif du Sud-Ouest, et la réputation de vantardise et d'exagération des Gascons – comme celle de leur bravoure – était déjà bien attestée, notamment depuis la parution, en 1617 (livres I et II), 1619 (III) et 1630 (IV), des *Aventures du baron de Fœneste* d'Agrippa d'Aubigné (1552-1630), qui ridiculisent le grotesque baron gascon Fæneste (Fœneste dans les éditions postérieures à 1630), «*baron en l'air*», c'est-à-dire sans baronnie réelle (I, Préface), dialoguant avec un «*faux Poitevin*» (*ibid.*) du nom d'Enay, et cela malgré les aimables prévenances de l'auteur : «*Je désire faire savoir au lecteur que celui qui écrit ces choses, sur toutes les parties de la France affectionne la Gascogne, et en ses discours communs n'estime et ne loue rien tant que les Gascons* [...], *ces cerveaux bouillants, d'entre lesquels se tirent plus de capitaines et de maréchaux de France que d'aucun autre lieu*».
3. Baise-moi-ma-mignonne, Ventre-de-Biche, Espagnol malade : ces couleurs sont répertoriées, avec une cinquantaine d'autres, dans *Les Aventures du baron de Fæneste* d'Agrippa d'Aubigné (*op. cit.*, I, 2), mais dans un ordre différent : «*Ventre-de-Biche*», puis «*Espagnol malade*», enfin «*Baise-moi-ma-mignonne*».

PREMIER MARQUIS•

La couleur

150 Ne ment pas, car bientôt, grâce à votre valeur,
L'Espagnol ira mal, dans les Flandres[1] !

DE GUICHE

Je monte

Sur scène[2]. Venez-vous ?

Il se dirige, suivi de tous les marquis et gentilshommes, vers le théâtre. Il se retourne et appelle.

Viens, Valvert !

CHRISTIAN, *qui les écoute et les observe, tressaille• en entendant ce nom.*

Le vicomte !

Ah ! je vais lui jeter à la face mon...

Il met la main dans sa poche, et y rencontre celle d'un tire-laine• en train de le dévaliser. Il se retourne.

Hein ?

LE TIRE-LAINE

Hay !...

CHRISTIAN, *sans le lâcher.*

Je cherchais un gant !

LE TIRE-LAINE•, *avec un sourire piteux*[3].

Vous trouvez une main.

Changeant de ton, bas et vite.

155 Lâchez-moi. Je vous livre un secret.

---

1. *L'Espagnol ira mal, dans les Flandres* : ce vers annonce l'acte IV, mais fait aussi écho à une couleur répertoriée – et probablement inventée – par Agrippa d'Aubigné, à savoir « *Espagnol mourant* »...
2. *Sur scène* : jusqu'au milieu du XVIIIe s., les spectateurs appartenant à la noblesse prenaient place dans des fauteuils installés sur la scène même.
3. piteux : à la fois malheureux et ridicule.

CHRISTIAN, *le tenant toujours.*
Quel ?

LE TIRE-LAINE
Lignière...
Qui vous quitte...

CHRISTIAN, *de même.*
Eh bien ?

LE TIRE-LAINE
... touche à son heure dernière [1].
Une chanson qu'il fit blessa quelqu'un de grand,
Et cent hommes – j'en suis – ce soir sont postés !...

CHRISTIAN
Cent !
Par qui ?

LE TIRE-LAINE
Discrétion...

CHRISTIAN, *haussant les épaules.*
Oh !

LE TIRE-LAINE, *avec beaucoup de dignité.*
Professionnelle !

CHRISTIAN
160 Où seront-ils postés ?

LE TIRE-LAINE
À la porte de Nesle [2].
Sur son chemin. Prévenez-le !

CHRISTIAN, *qui lui lâche enfin le poignet.*
Mais où le voir ?

---

1. *touche à son heure dernière* : c'est, mot pour mot, la fin d'un vers de *Polyeucte*, tragédie (1642) de Pierre Corneille (*« Mon Polyeucte touche à son heure dernière »*, IV, 5, v. 1336). Réminiscence involontaire ou clin d'œil délibéré de Rostand ?
2. *À la porte de Nesle* : porte alors située à proximité de la tour de Nesle, sur la rive gauche de la Seine, tour qui, à l'emplacement actuel de l'Institut (dans le VIe arrondissement de Paris), face à la tour du Louvre, défendait vers l'Ouest l'enceinte de Philippe Auguste. *La Tour de Nesle* est aussi le titre d'un drame (1832) d'Alexandre Dumas, évoquant les débauches, qui s'y seraient déroulées, des trois belles-filles de Philippe-le-Bel (au début du XIVe s.).

LE TIRE-LAINE•

Allez courir tous les cabarets[1] : *le Pressoir*
D'Or, la Pomme de Pin, la Ceinture qui craque,
Les Deux Torches, les Trois Entonnoirs, – et dans chaque,
165 Laissez un petit mot d'écrit l'avertissant.

CHRISTIAN

Oui, je cours ! Ah ! les gueux• ! Contre un seul homme, cent !

Regardant Roxane avec amour.

La quitter... elle !

Regardant avec fureur Valvert.

Et lui !... – Mais il faut que je sauve
Lignière !...

Il sort en courant. De Guiche, le vicomte, les marquis•, tous les gentilshommes ont disparu derrière le rideau pour prendre place sur les banquettes de la scène. Le parterre• est complètement rempli. Plus une place vide aux galeries et aux loges.

LA SALLE

Commencez !

UN BOURGEOIS•, *dont la perruque s'envole au bout d'une ficelle, pêchée par un page• de la galerie supérieure.*

Ma perruque !

CRIS DE JOIE

Il est chauve !
Bravo, les pages !... Ha ! ha ! ha !...

LE BOURGEOIS, *furieux, montrant le poing.*

Petit gredin• !

---

1. *cabarets* : auberges d'un rang modeste, où l'on vend à boire et à manger. Selon Littré, « cabaret *est un terme indifférent qui n'implique rien de défavorable, sinon que c'est un lieu destiné à la fréquentation de petites gens. Mais* taverne [...] *ne se dit guère que d'un cabaret où l'on va pour boire à l'excès et se livrer à la crapule* [l'ivrognerie], *excepté quand il s'agit des restaurants anglais ou faits à l'imitation des anglais* ». À l'exception de *la Ceinture qui craque*, et à ceci près que *Les Deux Torches* s'appelaient en fait *Les Torches*, ces enseignes de cabarets sont toutes authentiques.

RIRES ET CRIS, *qui commencent très fort et vont décroissant.*
170 HA! HA! ah! ah! ah! ah!

Silence complet.

LE BRET, *étonné.*
Ce silence soudain?...

Un spectateur lui parle bas.

Ah?...

LE SPECTATEUR
La chose me vient d'être certifiée.

MURMURES, *qui courent.*
Chut! – Il paraît?... – Non!... – Si! – Dans la loge grillée.
– Le Cardinal[1]! – Le Cardinal? – Le Cardinal!

UN PAGE•
Ah! diable, on ne va pas pouvoir se tenir mal!...

On frappe sur la scène. Tout le monde s'immobilise. Attente.

LA VOIX D'UN MARQUIS•, *dans le silence, derrière le rideau.*
175 Mouchez[2] cette chandelle!

UN AUTRE MARQUIS, *passant la tête par la fente du rideau.*
Une chaise!

Une chaise est passée, de main en main, au-dessus des têtes. Le marquis la prend et disparaît, non sans avoir envoyé quelques baisers aux loges.

UN SPECTATEUR
Silence!

---

1. *Le Cardinal* : désigne Richelieu, qui voit tout sans être vu, évoqué à l'ultime scène du drame *Marion de Lorme* (1831) de Victor Hugo, où il n'est d'ailleurs qu'une voix (*« Le cardinal! c'est vrai. Le cardinal viendra »*, V, 7, et, dernière réplique de la pièce : *« Regardez tous! voilà l'homme rouge qui passe »*, *ibid.*), « présent » aussi dans le roman *Cinq-Mars* (1826, évocation de la noblesse humiliée par la monarchie absolue) d'Alfred de Vigny et, bien sûr, dans *Les Trois Mousquetaires* (1844) d'Alexandre Dumas; Richelieu était lui-même auteur, à ses heures, comme nous l'avons signalé précédemment (*cf.* la note du v. 49, ainsi que celle du v. 469).
2. *Mouchez* : ôtez le bout de mêche qui empêche la chandelle de bien éclairer.

On refrappe les trois coups. Le rideau s'ouvre. Tableau•. Les marquis• assis sur les côtés, dans des poses insolentes. Toile de fond représentant un décor bleuâtre de pastorale[1]. *Quatre petits lustres de cristal éclairent la scène. Les violons• jouent doucement.*

LE BRET, *à Ragueneau, bas.*
Montfleury entre en scène?

RAGUENEAU, *bas lui aussi.*
Oui, c'est lui qui commence.

LE BRET
Cyrano n'est pas là.

RAGUENEAU
J'ai perdu mon pari.

LE BRET
Tant mieux! tant mieux!

On entend un air de musette[2], *et Montfleury paraît en scène, énorme, dans un costume de berger de pastorale, un chapeau garni de roses penché sur l'oreille, et soufflant dans une cornemuse*[3] *enrubannée.*

LE PARTERRE•, *applaudissant.*
Bravo, Montfleury! Montfleury!

MONTFLEURY, *après avoir salué, jouant le rôle de Phédon.*
« Heureux qui loin des cours, dans un lieu solitaire,
180 *Se prescrit*[4] *à soi-même un exil volontaire,*
Et qui, lorsque Zéphire[5] *a soufflé sur les bois*[6]*... »*

1. pastorale : pièce mettant en scène bergers et bergères dans des intrigues amoureuses. De ce genre d'origine italienne, le spécialiste français fut Jean Mairet (1604-1686) qui triompha avec *Sylvie* (1626), puis avec *Silvanire* (1630), empruntée à une pastorale du même titre (1625) d'Honoré d'Urfé (l'auteur de *L'Astrée* dont Mairet avait d'ailleurs déjà transposé un épisode à l'occasion de sa première pièce, la tragi-comédie *Chryséide et Arimant*, en 1625 – *cf.* la note du v. 24). Un décor de pastorale est nécessairement assez conventionnel.
2. musette : synonyme poétique de *« cornemuse »* ; un air de musette est un air joyeux.
3. cornemuse : instrument de musique champêtre, constitué d'un sac de cuir et de tuyaux dont l'un est troué.
4. Se prescrit : Se fixe, s'ordonne.
5. Zéphire : dans la mythologie grecque, nom du vent d'ouest ; dans le langage courant, désigne tout souffle de vent doux et agréable (variante orthographique : Zéphyr).
6. Seuls les deux premiers vers sont authentiquement tirés de *La Clorise*.

UNE VOIX, *au milieu du parterre•.*
Coquin, ne t'ai-je pas interdit pour un mois?

Stupeur. Tout le monde se retourne. Murmures

VOIX DIVERSES
Hein? – Quoi? – Qu'est-ce?...

On se lève dans les loges, pour voir.

CUIGY
C'est lui!

LE BRET, *terrifié.*
Cyrano!

LA VOIX
Roi des pitres[1],
Hors de scène à l'instant[2]!

TOUTE LA SALLE, *indignée.*
Oh!

MONTFLEURY
Mais...

LA VOIX
Tu récalcitres[3]?

VOIX DIVERSES, *du parterre•, des loges.*
185 Chut! – Assez! – Montfleury, jouez! – Ne craignez rien!...

MONTFLEURY, *d'une voix mal assurée.*
«Heureux qui loin des cours dans un lieu sol...»

LA VOIX, *plus menaçante.*
Eh bien?
Faudra-t-il que je fasse, ô Monarque des drôles[4],

---

1. *pitres* : bouffons, clowns.
2. *à l'instant* : immédiatement, tout de suite.
3. *récalcitres* : résistes fermement, regimbes (verbe qui n'est usité que sous la forme du participe-adjectif *«récalcitrant»*).
4. *Monarque des drôles* : Roi des coquins (le mot *«drôles»* est synonyme de *«personnes méprisables»* et non pas de *«personnes qui font rire»*).

Une plantation de bois[1] sur vos épaules?

Une canne au bout d'un bras jaillit au-dessus des têtes.

MONTFLEURY, *d'une voix de plus en plus faible.*
« Heureux qui... »

La canne s'agite.

LA VOIX
Sortez!

LE PARTERRE•
Oh!

MONTFLEURY, *s'étranglant.*
« Heureux qui loin des cours... »

CYRANO, *surgissant du parterre, debout sur une chaise, les bras croisés, le feutre• en bataille[2], la moustache hérissée[3], le nez terrible.*

190 Ah! je vais me fâcher !...

Sensation à sa vue.

SCÈNE 4. LES MÊMES, CYRANO, *puis* BELLEROSE, JODELET

MONTFLEURY, *aux marquis•*
Venez à mon secours,
Messieurs!

1. *plantation de bois* : action de planter du bois. Rostand se souvient ici de la lettre X, dite *Contre un gros homme*, écrite par Cyrano de Bergerac contre Montfleury : « [...] *je puis même vous assurer que, si les coups de bâton s'envoyaient par écrit, vous liriez ma lettre des épaules; et ne vous étonnez pas de mon procédé, car la vaste étendue de votre rondeur me fait croire si fermement que vous êtes une terre, que de bon cœur je planterais du bois sur vous pour voir comme il s'y porterait* » (Belin, 1977, p. 90).
2. en bataille : en désordre.
3. hérissée : dressée.

UN MARQUIS*, *nonchalamment*[1].

Mais jouez donc !

CYRANO

Gros homme, si tu joues

Je vais être obligé de te fesser les joues[2] !

LE MARQUIS

Assez !

CYRANO

Que les marquis se taisent sur leurs bancs,

Ou bien je fais tâter ma canne à leurs rubans* !

TOUS LES MARQUIS, *debout.*

195 C'en est trop !... Montfleury...

CYRANO

Que Montfleury s'en aille,

Ou bien je l'essorille[3] et le désentripaille[4] !

UNE VOIX

Mais...

CYRANO

Qu'il sorte !

UNE AUTRE VOIX

Pourtant...

CYRANO

Ce n'est pas encore fait ?

Avec le geste de retrousser ses manches.

Bon ! je vais sur la scène, en guise de buffet[5],

---

1. nonchalamment : comme si de rien n'était.
2. *fesser les joues* : frapper les joues, gifler.
3. *l'essorille* : lui coupe les oreilles.
4. *désentripaille* : lui fait perdre sa grosse bedaine ; néologisme formé sur *« entripaillé »*, qui signifie *« qui a de la tripaille, qui a une grosse bedaine »* (*cf.* Molière, *L'Impromptu de Versailles*, sc. 1 : *« Il faut un roi qui soit gros et gras comme quatre ; un roi, morbleu ! qui soit entripaillé comme il fait ; un roi d'une vaste circonférence, et qui puisse remplir un trône de belle manière »*).
5. *en guise de buffet* : comme l'un des mets agrémentant la table dressée pour se restaurer.

Découper cette mortadelle[1] d'Italie !

MONTFLEURY, *rassemblant toute sa dignité.*

200 En m'insultant, Monsieur, vous insultez Thalie[2] !

CYRANO, *très poli.*

Si cette Muse[3], à qui, Monsieur, vous n'êtes rien,
Avait l'honneur de vous connaître, croyez bien
Qu'en vous voyant si gros et bête comme une urne[4],
Elle vous flanquerait quelque part son cothurne[5].

LE PARTERRE•

205 Montfleury ! – Montfleury ! – La pièce de Baro ! –

CYRANO, *à ceux qui crient autour de lui.*

Je vous en prie, ayez pitié de mon fourreau[6] :
Si vous continuez, il va rendre sa lame !

Le cercle s'élargit.

LA FOULE, *reculant.*

Hé ! là !...

CYRANO, *à Montfleury.*

Sortez de scène !

LA FOULE, *se rapprochant et grondant.*

Oh ! oh !

CYRANO, *se retournant vivement.*

Quelqu'un réclame ?

Nouveau recul.

---

1. *mortadelle* : gros saucisson, large et au goût assez prononcé ; ce saucisson provenant (selon Littré) de Bologne, en Italie, l'expression « *mortadelle d'Italie* » constitue un pléonasme.
2. *Thalie* : dans la mythologie grecque, Muse de la Comédie.
3. *cette Muse* : cette déesse (l'une des neuf déesses qui, dans la mythologie grecque, présidaient aux arts dits *libéraux*).
4. *une urne* : un vase.
5. *son cothurne* : sa chaussure à très haut talon (utilisée par les acteurs de l'Antiquité et qui montait jusqu'au milieu de la jambe) ; le cothurne n'était employé que dans la tragédie (ce qui, en association avec Thalie, Muse de la Comédie, est donc contradictoire).
6. *mon fourreau* : la gaine protectrice de mon épée.

UNE VOIX, *chantant au fond.*

Monsieur de Cyrano
210 Vraiment nous tyrannise,
Malgré ce tyranneau[1]
On jouera *La Clorise.*

TOUTE LA SALLE, *chantant.*

La Clorise, La Clorise ![2]...

CYRANO

Si j'entends une fois encor• cette chanson,
Je vous assomme tous.

UN BOURGEOIS•

Vous n'êtes pas Samson[3] !

CYRANO

215 Voulez-vous me prêter, Monsieur, votre mâchoire[4] ?

UNE DAME, *dans les loges.*

C'est inouï !

UN SEIGNEUR

C'est scandaleux !

UN BOURGEOIS

C'est vexatoire[5] !

UN PAGE•

Ce qu'on s'amuse !

1. *tyranneau* : tyran subalterne, petit tyran.
2. Tout comme l'intervention des pages (I, 1, entre les v. 16 et 17), cette « réplique » de toute la salle ne constitue pas un vers et n'est donc pas comptabilisée parmi les quelque 2 600 vers de la pièce : c'est pourquoi elle est typographiquement centrée dans la page.
3. *Samson* : selon la Bible (Ancien Testament, Livre des Juges, XIII à XVI), juge d'Israël, qui, consacré à Dieu, conservait intacte sa chevelure, siège de sa force. Luttant contre les Philistins (un peuple rival des Israélites), il en tua mille, avant d'être trahi par Dalila, qui lui rasa la tête puis le livra.
4. *votre mâchoire* : allusion au fait que, selon le récit biblique, c'est avec une mâchoire d'âne que Samson tua mille Philistins.
5. *vexatoire* : vexant, blessant, offensant.

LE PARTERRE•
Kss ! – Montfleury ! – Cyrano !

CYRANO
Silence !

LE PARTERRE, *en délire.*
Hi han ! Bêê ! – Ouah, ouah ! – Cocorico !

CYRANO
Je vous...

UN PAGE•
Miâou !

CYRANO
Je vous ordonne de vous taire !
220 Et j'adresse un défi collectif au parterre !
– J'inscris les noms ! – Approchez-vous, jeune héros !
Chacun son tour ! – Je vais donner des numéros ! –
Allons, quel est celui qui veut ouvrir la liste ?
Vous, Monsieur ? Non ! Vous ? Non ! Le premier duelliste [1],
225 Je l'expédie avec les honneurs qu'on lui doit !
– Que tous ceux qui veulent mourir lèvent le doigt.

Silence.

La pudeur vous défend de voir ma lame nue ?
Pas un nom ? Pas un doigt ? – C'est bien. Je continue.

Se retournant vers la scène où Montfleury attend avec angoisse.

Donc, je désire voir le théâtre guéri
230 De cette fluxion [2]. Sinon...

La main à son épée.

le bistouri [3]...

MONTFLEURY
Je...

---

1. *duelliste* : combattant en duel.
2. *cette fluxion* : ce gonflement (le terme désigne, au sens propre, un afflux de sang ou d'autres liquides en certains tissus et, couramment, un gonflement inflammatoire des gencives ou des joues, provoqué par une infection dentaire).
3. *bistouri* : instrument chirurgical ayant la forme d'un couteau.

CYRANO *descend de sa chaise, s'assied au milieu du rond qui s'est formé, s'installe comme chez lui.*

Mes mains vont frapper trois claques, pleine lune[1] !
Vous vous éclipserez[2] à la troisième.

LE PARTERRE•, *amusé.*

Ah ?

Cyrano, *frappant dans ses mains.*

Une !

MONTFLEURY

Je...

UNE VOIX, *dans les loges.*

Restez !

LE PARTERRE

Restera... restera pas...

MONTFLEURY

Je crois,

Messieurs...

CYRANO

Deux !

MONTFLEURY

Je suis sûr qu'il vaudrait mieux que...

CYRANO

Trois !

Montfleury disparaît comme dans une trappe. Tempête de rires, de sifflets, de huées.

LA SALLE

235 Hu ! hu !... Lâche !... Reviens !...

CYRANO, *épanoui, se renverse sur sa chaise, et croise ses jambes.*

Qu'il revienne, s'il l'ose !

---

1. *pleine lune* : pleine paume (la formule joue aussi avec cet autre sens du mot « *lune* », qui désignait, au jeu de paume, un trou placé au haut de la muraille située du côté du toit où l'on servait, et qu'on retrouvait dans l'expression ancienne « *mettre dans la lune* »).
2. *Vous vous éclipserez* : Vous disparaîtrez.

UN BOURGEOIS•

L'orateur de la troupe[1]!

Bellerose s'avance et salue.

LES LOGES

Ah!... Voilà Bellerose!

BELLEROSE, *avec élégance.*

Nobles seigneurs...

LE PARTERRE•

Non! Non! Jodelet!

JODELET *s'avance et, nasillard[2].*

Tas de veaux!

LE PARTERRE

Ah! Ah! Bravo! très bien! bravo!

JODELET

Pas de bravos!

Le gros tragédien[3] dont vous aimez le ventre

240 S'est senti...

LE PARTERRE

C'est un lâche!

JODELET

Il dut sortir!

LE PARTERRE

Qu'il rentre!

LES UNS

Non!

LES AUTRES

Si!

UN JEUNE HOMME, *à Cyrano.*

Mais à la fin, Monsieur, quelle raison

1. *L'orateur de la troupe* : *cf.* la note sur Bellerose, au lexique des personnages.
2. nasillard : parlant du nez.
3. *tragédien* : acteur de tragédie.

Avez-vous de haïr Montfleury?

CYRANO, *gracieux, toujours assis.*
Jeune oison[1],
J'ai deux raisons, dont chaque[2] est suffisante seule.
Primo : c'est un acteur déplorable qui gueule,
245 Et qui soulève, avec des « han ! » de porteur d'eau,
Le vers qu'il faut laisser s'envoler ! – *Secundo* :
Est mon secret...

LE VIEUX BOURGEOIS•, *derrière lui.*
Mais vous nous privez sans scrupule[3]
De *La Clorise* ! Je m'entête...

CYRANO, *tournant sa chaise vers le bourgeois•, respectueusement.*
Vieille mule,
Les vers du vieux Baro valant moins que zéro,
250 J'interromps sans remords !

LES PRÉCIEUSES•, *dans les loges.*
Ha ! – ho ! – Notre Baro !
Ma chère ! – Peut-on dire ?... Ah ! Dieu !...

CYRANO, *tournant sa chaise vers les loges, galant.*
Belles personnes,
Rayonnez, fleurissez, soyez des échansonnes[4]
De rêve, d'un sourire enchantez un trépas[5],
Inspirez-vous des vers... mais ne les jugez pas !

BELLEROSE
255 Et l'argent qu'il va falloir rendre !

CYRANO, *tournant sa chaise vers la scène.*
Bellerose,
Vous avez dit la seule intelligente chose !

---

1. *oison* : imbécile (au sens propre, l'oison est le petit de l'oie).
2. *chaque* : chacune.
3. *sans scrupule* : sans gêne, sans hésitation, sans regret.
4. *échansonnes* : féminin (créé par Rostand) d'« *échansons* », personnes qui servent à boire.
5. *un trépas* : une mort, un décès.

Au manteau de Thespis[1] je ne fais pas de trous :

Il se lève, et lançant un sac sur la scène.

Attrapez cette bourse au vol, et taisez-vous !

LA SALLE, *éblouie.*

Ah !... Oh !...

JODELET, *ramassant prestement*[2] *la bourse et la soupesant.*

À ce prix-là, Monsieur, je t'autorise

260 À venir chaque jour empêcher *La Clorise* !...

LA SALLE

Hu !... Hu !...

JODELET

Dussions-nous même[3] ensemble être hués !...

BELLEROSE

Il faut évacuer la salle !...

JODELET

Évacuez !...

On commence à sortir, pendant que Cyrano regarde d'un air satisfait. Mais la foule s'arrête bientôt en entendant la scène suivante, et la sortie cesse. Les femmes qui, dans les loges, étaient déjà debout, leur manteau remis, s'arrêtent pour écouter, et finissent par se rasseoir.

LE BRET, *à Cyrano.*

C'est fou !...

UN FÂCHEUX*, *qui s'est approché de Cyrano.*

Le comédien Montfleury ! quel scandale !

1. *Thespis* : le plus ancien poète tragique grec (VIe s. av. J.-C.), à qui est attribuée l'invention de l'action tragique, des tirades parlées, du masque et du jeu des acteurs, et qui aurait mené, sur son fameux chariot, dans les villes de l'Attique puis à Athènes, sa troupe d'acteurs, créant ainsi le premier théâtre ambulant (le chapitre II du *Capitaine Fracasse* [1863] de Théophile Gautier, cher à Rostand, a pour titre *Le Chariot de Thespis*).

2. prestement : vivement, rapidement.

3. *Dussions-nous même* : Même si nous devions.

Mais il est protégé par le duc de Candale[1] !
265 Avez-vous un patron[2] ?

CYRANO
Non !

LE FÂCHEUX
Vous n'avez pas ?...

CYRANO
Non !

LE FÂCHEUX
Quoi, pas un grand seigneur pour couvrir de son nom ?...

CYRANO, *agacé.*
Non, ai-je dit deux fois. Faut-il donc que je trisse[3] ?
Non, pas de protecteur...

La main à son épée.

mais une protectrice !

LE FÂCHEUX
Mais vous allez quitter la ville ?

CYRANO
C'est selon.

LE FÂCHEUX
270 Mais le duc de Candale a le bras long !

---

1. *Candale* : Louis-Charles-Gaston, petit-fils du fameux duc d'Épernon (cadet de Gascogne, devenu tout-puissant favori d'Henri III et qui était dans le carrosse royal où Henri IV fut assassiné en 1610) et fils de Bernard de Nogaret de La Valette et de Foix, duc d'Épernon, devint duc de Candale en 1639, à la mort de son oncle Henri qui fut protecteur du poète Théophile de Viau (un autre de ses oncles était le cardinal de La Valette, qui devint un chef de guerre dévoué à Richelieu) ; né en 1627 (sa mère, fille légitimée d'Henri IV et d'Henriette d'Entragues, marquise de Verneuil, mourut d'ailleurs en couches à sa naissance), il n'avait donc que treize ans en 1640 (Rostand commet un anachronisme) ; il mourut en 1658. Son père et ses oncles furent tous trois chevaliers du Saint-Esprit (d'ailleurs dans la même promotion que Richelieu, en 1633), ce qui montre l'influence et la valeur de cette « protection ».
2. *patron* : protecteur.
3. *que je trisse* : que je répète une troisième fois (au sens propre, « *trisser* » signifie « *faire dire trois fois un morceau de vers, de musique* », et c'est aussi le terme technique désignant la façon de crier de l'hirondelle).

CYRANO

Moins long
Que n'est le mien...

Montrant son épée.

quand je lui mets cette rallonge !

LE FÂCHEUX•

Mais vous ne songez pas à prétendre...

CYRANO

J'y songe.

LE FÂCHEUX

Mais...

CYRANO

Tournez les talons, maintenant.

LE FÂCHEUX

Mais...

CYRANO

Tournez !
– Ou dites-moi pourquoi vous regardez mon nez.

LE FÂCHEUX, *ahuri.*

275 Je...

CYRANO, *marchant sur lui.*

Qu'a-t-il d'étonnant ?

LE FÂCHEUX, *reculant.*

Votre Grâce se trompe...

CYRANO

Est-il mol[1] et ballant[2], monsieur, comme une trompe...

LE FÂCHEUX, *même jeu.*

Je n'ai pas...

CYRANO

Ou crochu comme un bec de hibou ?

1. *mol* : mou (devant une voyelle).
2. *ballant* : qui pend et oscille.

LE FÂCHEUX•

Je...

CYRANO

Y distingue-t-on une verrue[1] au bout?

LE FÂCHEUX

Mais...

CYRANO

Ou si[2] quelque mouche, à pas lents, s'y promène?

280 Qu'a-t-il d'hétéroclite[3]?

LE FÂCHEUX

Oh!...

CYRANO

Est-ce un phénomène?

LE FÂCHEUX

Mais d'y porter les yeux j'avais su me garder!

CYRANO

Et pourquoi, s'il vous plaît, ne pas le regarder?

LE FÂCHEUX

J'avais...

CYRANO

Il vous dégoûte alors?

LE FÂCHEUX

Monsieur...

CYRANO

Malsaine

Vous semble sa couleur?

LE FÂCHEUX

Monsieur!

---

1. *verrue* : sorte de bouton.
2. *si* : est-ce que.
3. *d'hétéroclite* : (ici) de bizarre, d'anormal (*cf.* aussi la note du v. 102).

CYRANO
Sa forme, obscène?

LE FÂCHEUX•
285 Mais pas du tout!...

CYRANO
Pourquoi donc prendre un air dénigrant[1]?
– Peut-être que monsieur le trouve un peu trop grand?

LE FÂCHEUX, *balbutiant.*
Je le trouve petit, tout petit, minuscule!

CYRANO
Hein? Comment? m'accuser d'un pareil ridicule?
Petit, mon nez? Holà!

LE FÂCHEUX
Ciel!

CYRANO
Énorme, mon nez!
290 – Vil[2] camus[3], sot camard[4], tête plate, apprenez
Que je m'enorgueillis[5] d'un pareil appendice[6],
Attendu qu'un[7] grand nez est proprement l'indice
D'un homme affable, bon, courtois, spirituel,
Libéral, courageux, tel que je suis, et tel
295 Qu'il vous est interdit à jamais de vous croire,
Déplorable maraud•! car la face sans gloire
Que va chercher ma main en haut de votre col,
Est aussi dénuée...

Il le soufflette.

LE FÂCHEUX
Ay!

CYRANO
De fierté, d'envol,

1. *dénigrant* : méprisant.
2. *Vil* : De peu de valeur, méprisable, abject.
3. *camus* : qui a le nez court et plat; au sens figuré, qui est embarrassé, interdit.
4. *camard* : qui a le nez plat et écrasé (*cf.* aussi le v. 2554).
5. *je m'enorgueillis* : je suis fier, je tire orgueil.
6. *appendice* : prolongement, supplément.
7. *Attendu qu'un* : Étant donné qu'un.

De lyrisme, de pittoresque, d'étincelle,
300 De somptuosité, de Nez enfin, que celle...

Il le retourne par les épaules, joignant le geste à la parole.

Que va chercher ma botte au bas de votre dos!

LE FÂCHEUX•, *se sauvant.*

Au secours! À la garde[1]!

CYRANO

Avis donc aux badauds[2]
Qui trouveraient plaisant mon milieu de visage,
Et si le plaisantin est noble, mon usage
305 Est de lui mettre, avant de le laisser s'enfuir,
Par-devant, et plus haut, du fer, et non du cuir!

DE GUICHE, *qui est descendu de la scène, avec le marquis•.*

Mais, à la fin, il nous ennuie[3]!

LE VICOMTE DE VALVERT, *haussant les épaules.*

Il fanfaronne[4]!

DE GUICHE

Personne ne va donc lui répondre?

LE VICOMTE

Personne?...
Attendez! Je vais lui lancer un de ces traits[5]!...

Il s'avance vers Cyrano qui l'observe, et se campant devant lui d'un air fat•.

310 Vous... vous avez un nez... heu... un nez... très grand.

CYRANO, *gravement.*

Très.

LE VICOMTE, *riant.*

Ha!

CYRANO, *imperturbable.*

C'est tout?...

1. *la garde* : équivalent de notre actuelle police.
2. *badauds* : curieux.
3. *ennuie* : importune (en notre sens actuel, et non pas au sens fort de «*tourmenter, frapper de malheur*» qu'avait ce verbe au XVIIe s.).
4. *fanfaronne* : fait le fanfaron, c'est-à-dire sonne la fanfare sur lui-même, exagère sa propre bravoure, se vante trop, se fait passer pour meilleur qu'il ne vaut.
5. *traits* : traits d'esprit, mots censés atteindre et blesser l'adversaire.

LE VICOMTE

Mais...

CYRANO

Ah ! non ! c'est un peu court, jeune [homme !
On pouvait dire... Oh ! Dieu !... bien des choses en somme...
En variant le ton, – par exemple, tenez :
Agressif : « Moi, monsieur, si j'avais un tel nez,
315 Il faudrait sur-le-champ que je me l'amputasse ! »
Amical : « Mais il doit tremper dans votre tasse !
Pour boire, faites-vous fabriquer un hanap[1] ! »
Descriptif : « C'est un roc ! c'est un pic ! c'est un cap !
Que dis-je, c'est un cap ?... C'est une péninsule ! »
320 Curieux : « De quoi sert cette oblongue[2] capsule ?
D'écritoire[3], monsieur, ou de boîte à ciseaux ? »
Gracieux : « Aimez-vous à ce point les oiseaux
Que paternellement vous vous préoccupâtes
De tendre ce perchoir à leurs petites pattes ? »
325 Truculent[4] : « çà, monsieur, lorsque vous pétunez[5],
La vapeur du tabac vous sort-elle du nez
Sans qu'un voisin ne[6] crie au feu de cheminée ? »
Prévenant[7] : « Gardez-vous, votre tête entraînée
Par ce poids, de tomber en avant sur le sol ! »
330 Tendre : « Faites-lui faire un petit parasol
De peur que sa couleur au soleil ne se fane ! »
Pédant[8] : « L'animal seul, monsieur, qu'Aristophane[9]

1. *hanap* : grand vase à boire.
2. *oblongue* : qui est plus longue que large (curieusement, on dit d'un livre qu'il est oblong lorsqu'il est, à l'inverse, plus large que haut).
3. *D'écritoire* : le terme désigne aussi bien un encrier qu'un petit meuble portatif contenant tout le nécessaire à écrire.
4. *Truculent* : D'apparence violente, farouche, terrible (ce n'est qu'au XXe s. que le mot acquiert son sens actuel de « *haut en couleur, réjouissant par ses excès* »).
5. *pétunez* : prenez du pétun, c'est-à-dire fumez du tabac.
6. *Sans qu'un voisin ne* : pour des raisons de métrique (c'est-à-dire pour avoir douze syllabes), Rostand ajoute ici un « *ne* » qui, en toute logique grammaticale (les doubles négations « *Sans que* » et « *ne* » s'annulant et constituant donc une affirmation), devrait inverser le sens de la subordonnée introduite par « *Sans que* » et signifier « *Non sans qu'un voisin crie* » (donc « *la vapeur du tabac vous sort du nez, et un voisin crie* »), alors que, à l'évidence, ce vers doit se comprendre comme s'il était écrit « *Sans qu'un voisin crie* » (donc « *la vapeur du tabac vous sort du nez, et aucun voisin ne crie* »).
7. *Prévenant* : Qui va au-devant de tout ce qui peut faire plaisir.
8. *Pédant* : Prenant des airs savants et suffisants, malgré de faibles connaissances.
9. *Aristophane* : célèbre auteur comique grec (450-386 av. J.-C.), qui s'est illustré en plus de quarante comédies dont une dizaine seulement nous sont parvenues.

Appelle Hippocampéléphantocamélos[1]
Dut avoir sous le front tant de chair sur tant d'os!»
335 Cavalier : «Quoi, l'ami, ce croc est à la mode?
Pour pendre son chapeau, c'est vraiment très commode!»
Emphatique[2] : «Aucun vent ne peut, nez magistral,
T'enrhumer tout entier, excepté le mistral[3]!»
Dramatique : «C'est la mer Rouge[4] quand il saigne!»
340 Admiratif : «Pour un parfumeur, quelle enseigne[5]!»
Lyrique : «Est-ce une conque[6], êtes-vous un triton[7]?»
Naïf : «Ce monument, quand le visite-t-on?»
Respectueux : «Souffrez[8], monsieur, qu'on vous salue,
C'est là ce qui s'appelle avoir pignon sur rue[9]!»
345 Campagnard : «Hé, ardé[10]! C'est-y un nez? Nanain[11]!
C'est queuqu'navet géant ou ben queuqu'melon nain!»
Militaire : «Pointez contre cavalerie!»
Pratique : «Voulez-vous le mettre en loterie?

---

1. *Hippocampéléphantocamélos* : aucune trace, chez Aristophane, de ce monstrueux animal dont l'inventeur semble bien être Rostand lui-même.
2. *Emphatique* : Qui s'exprime avec emphase, c'est-à-dire avec exagération dans le ton, la voix, le geste.
3. *mistral* : vent violent qui souffle du nord ou du nord-ouest vers la mer, dans la vallée du Rhône et sur la Méditerranée.
4. *mer Rouge* : mer du Proche-Orient, séparant, sur plus de 2000 km de long et 300 km de large, les côtes d'Afrique de celles d'Arabie, et qui doit son nom à la coloration provoquée, par endroits, par des algues rouges.
5. *enseigne* : inscription ou emblème ornant le panneau placé au-dessus d'une maison pour indiquer le commerce ou la profession du propriétaire.
6. *conque* : (ici) coquille en spirale, dont les tritons, dans la mythologie grecque, se servaient comme trompe (sans autre précision, une conque est une grande coquille concave : *cf.* la note du v. 506).
7. *triton* : (ici, malgré l'absence de majuscule initiale) divinité de la mer à figure humaine et à queue de poisson, ayant pour attribut une conque au son retentissant (sans autre précision, un triton est un mollusque de très grande taille, dont la coquille, depuis toujours, sert de trompette). *Triton* est le nom du fils de Neptune et d'Amphitrite.
8. *Souffrez* : Permettez.
9. *avoir pignon sur rue* : être propriétaire d'un magasin ou d'une maison bien situés et fréquentés par de nombreux clients ou visiteurs (l'expression signifie, à l'origine, posséder une maison dont la façade à pignon, c'est-à-dire à sommet triangulaire, donne sur la rue).
10. *ardé* : regardez.
11. *Nanain* : Absolument pas (cette négation, comme l'exclamation précédente, «*ardé*», et l'indéfini suivant, «*queuqu'*» pour «*quelque*», sont très fréquentes dans la bouche du paysan Gareau, dans la comédie *Le Pédant joué* de Cyrano de Bergerac : «*Nanain da, je le trouverai tout fait*» [II, 2, Belin, 1977, p. 181]; «*Nanain vraiment* [...]. *Hé! ardé, tous ces brimborions de contrats* [...] » [II, 3, *id.*, p. 188]).

Assurément, monsieur, ce sera le gros lot ! »
350 Enfin, parodiant[1] Pyrame[2] en un sanglot :
« Le voilà donc ce nez qui des traits de son maître
A détruit l'harmonie ! Il en rougit, le traître ![3] »
– Voilà ce qu'à peu près, mon cher, vous m'auriez dit
Si vous aviez un peu de lettres et d'esprit :
355 Mais d'esprit, ô le plus lamentable des êtres,
Vous n'en eûtes jamais un atome, et de lettres
Vous n'avez que les trois qui forment le mot : sot !
Eussiez-vous eu[4], d'ailleurs, l'invention qu'il faut
Pour pouvoir là, devant ces nobles galeries,
360 Me servir toutes ces folles plaisanteries,
Que vous n'en eussiez pas articulé le quart
De la moitié du commencement d'une, car
Je me les sers moi-même, avec assez de verve,
Mais je ne permets pas qu'un autre me les serve.

DE GUICHE, *voulant emmener le vicomte pétrifié*[5].
365 Vicomte, laissez donc !

LE VICOMTE, *suffoqué*[6].
Ces grands airs arrogants[7] !
Un hobereau[8] qui... qui... n'a même pas de gants !
Et qui sort sans rubans•, sans bouffettes[9], sans ganses[10] !

CYRANO
Moi, c'est moralement que j'ai mes élégances.

---

1. *parodiant* : imitant pour rire et faire rire.
2. *Pyrame* : allusion à la dernière scène de la tragédie *Les Amours tragiques de Pyrame et Thisbé* (1621) de Théophile de Viau, pièce très célèbre au XVIIe s., et à l'apostrophe prononcée en fait par Thisbé (et non pas par Pyrame – et pour cause...) trouvant le poignard utilisé par Pyrame pour se suicider.
3. *Il en rougit, le traître !* : seul cet hémistiche est repris de la tragédie de Viau, dont les deux vers ici parodiés sont : *« Ah ! voici le poignard qui du sang de son maître / S'est souillé lâchement ; il en rougit, le traître. »*
4. *Eussiez-vous eu* : Même si vous aviez eu.
5. pétrifié : comme transformé en pierre, immobile, stupéfait.
6. suffoqué : perdant sa respiration.
7. *arrogants* : hautains, orgueilleux, méprisants.
8. *hobereau* : petit gentilhomme campagnard (péjoratif).
9. *bouffettes* : nœuds de rubans.
10. *ganses* : cordonnets (petits cordons) destinés à border ou à orner et constituant les premiers éléments des nœuds.

Je ne m'attife pas[1] ainsi qu'•un freluquet[2],
370 Mais je suis plus soigné si je suis moins coquet ;
Je ne sortirais pas avec, par négligence,
Un affront pas très bien lavé, la conscience
Jaune encor de sommeil dans le coin de son œil,
Un honneur chiffonné[3], des scrupules en deuil.
375 Mais je marche sans rien sur moi qui ne reluise,
Empanaché[4] d'indépendance et de franchise ;
Ce n'est pas une taille avantageuse, c'est
Mon âme que je cambre ainsi qu'•en un corset,
Et tout couvert d'exploits qu'en rubans• je m'attache,
380 Retroussant mon esprit ainsi qu'une moustache,
Je fais, en traversant les groupes et les ronds,
Sonner les vérités comme des éperons.

LE VICOMTE

Mais, monsieur...

CYRANO

Je n'ai pas de gants ?... La belle affaire !
Il m'en restait un seul... d'une très vieille paire,
385 Lequel m'était d'ailleurs encor fort• importun[5] :
Je l'ai laissé dans la figure de quelqu'un.

LE VICOMTE

Maraud•, faquin[6], butor[7] de pied plat[8] ridicule !

---

1. *Je ne m'attife pas* : Je ne me pare pas (en général, et en parlant de la tête en particulier).
2. *freluquet* : homme léger, frivole et sans mérite (le terme appartient aussi au lexique de la passementerie et désigne un petit poids de plomb suspendu à un fil, qui sert à passer chaque brin de glands pour le tenir en équilibre pendant le travail – ce qui n'est pas sans rapport avec les attributs vestimentaires que vient d'évoquer le vicomte).
3. *chiffonné* : froissé comme un chiffon.
4. *Empanaché* : Garni comme d'un panache.
5. *importun* : embarrassant, gênant de manière répétée ou continue.
6. *faquin* : homme de rien, à la fois ridicule et méprisable.
7. *butor* : homme stupide, grossier, maladroit.
8. *pied plat* : l'expression ne désigne pas ici la difformité physique consistant dans l'aplatissement général de la voûte plantaire, mais, péjorativement, un homme qui ne mérite aucune considération (l'origine de cette injure vient de la différence de chaussures entre gens du peuple et gentilshommes, ceux-ci portant des souliers aux talons rouges très relevés, ceux-là, des souliers plats).

CYRANO, *ôtant son chapeau et saluant comme si le vicomte venait de se présenter.*
Ah ?... Et moi, Cyrano-Savinien-Hercule[1]
De Bergerac.

Rires.

LE VICOMTE, *exaspéré.*
Bouffon !

CYRANO, *poussant un cri comme lorsqu'on est saisi d'une crampe.*
Ay !...

LE VICOMTE, *qui remontait, se retournant.*
Qu'est-ce encor qu'il dit ?

CYRANO, *avec des grimaces de douleur.*
390 Il faut la remuer, car elle s'engourdit...
– Ce que c'est que de la laisser inoccupée ! –
Ay !...

LE VICOMTE
Qu'avez-vous ?

CYRANO
J'ai des fourmis dans mon épée !

LE VICOMTE, *tirant la sienne.*
Soit !

CYRANO
Je vais vous donner un petit coup charmant.

LE VICOMTE, *méprisant.*
Poète !

CYRANO
Oui, monsieur, poète ! et tellement,
395 Qu'en ferraillant je vais – hop ! – à l'improvisade[2],
Vous composer une ballade.

---

1. *Cyrano-Savinien-Hercule* : ces prénoms étaient bien ceux (avec parfois Alexandre) de Cyrano de Bergerac.
2. *à l'improvisade* : en improvisant.

LE VICOMTE
Une ballade?

CYRANO
Vous ne vous doutez pas de ce que c'est, je crois?

LE VICOMTE
Mais...

CYRANO, *récitant comme une leçon.*
La ballade, donc, se compose de trois
Couplets de huit vers...

LE VICOMTE, *piétinant.*
Oh!

CYRANO, *continuant.*
Et d'un envoi* de quatre[1]...

LE VICOMTE
400 Vous...

CYRANO
Je vais tout ensemble en faire une et me battre,
Et vous toucher, Monsieur, au dernier vers.

LE VICOMTE
Non!

CYRANO
Non?

Déclamant.
«Ballade du duel qu'en l'hôtel bourguignon
Monsieur de Bergerac eut avec un bélître[2] !»

LE VICOMTE
Qu'est-ce que c'est que ça, s'il vous plaît?

---

1. *La ballade* [...] *de quatre* : la définition de la ballade par Cyrano n'est pas inexacte, à ceci près qu'une ballade peut se composer de plus de trois couplets (ou stances), lesquels ne totalisent pas nécessairement huit vers (mais un même nombre de vers), que l'envoi, s'il comporte bien un nombre moindre de vers que les couplets, n'est pas limité à quatre vers, que les couplets sont normalement sur deux rimes (mais très souvent sur une seule), et que couplets et envoi se terminent par le même vers qui sert de refrain.
2. bélître : homme de rien, homme sans valeur.

CYRANO

C'est le titre.

LA SALLE, *surexcitée au plus haut point.*

405 Place ! – Très amusant ! – Rangez-vous ! – Pas de bruits !

Tableau•. Cercle de curieux au parterre•, les marquis• et les officiers mêlés aux bourgeois• et aux gens du peuple : les pages• grimpés sur des épaules pour mieux voir. Toutes les femmes debout dans les loges. À droite, de Guiche et ses gentilshommes. À gauche, Le Bret, Ragueneau, Cuigy, etc.

CYRANO, *fermant une seconde les yeux.*

Attendez !... Je choisis mes rimes... Là, j'y suis.

Il fait ce qu'il dit, à mesure.

Je jette avec grâce mon feutre•,
Je fais lentement l'abandon
Du grand manteau qui me calfeutre[1],
410 *Et je tire mon espadon*[2],
Élégant comme Céladon[3],
Agile comme Scaramouche[4],
Je vous préviens, cher Myrmidon[5],
Qu'à la fin de l'envoi• je touche !

Premiers engagements de fer.

415 *Vous auriez bien dû rester neutre ;*
Où vais-je vous larder, dindon ?...
Dans le flanc, sous votre maheutre[6] *?*
Au cœur, sous votre bleu cordon[7] *?...*

1. me calfeutre : m'entoure chaudement.
2. espadon : à l'origine, grande et large épée qu'on tenait à deux mains, puis sabre (enfin poisson dont la mâchoire supérieure se prolonge en forme d'épée). Compte tenu du contexte du duel, il doit s'agir du sabre.
3. Céladon : personnage de *L'Astrée* d'Honoré d'Urfé, déjà mentionnée (*cf.* les notes du v. 24 et de la didascalie précédant le v. 176), type même de l'amoureux platonique, délicat et langoureux (c'est aussi le nom d'une couleur, un vert pâle).
4. Scaramouche : personnage bouffon de la comédie italienne, habillé de noir de la tête aux pieds.
5. Myrmidon : homme très petit, par sa taille comme par sa force ou son importance (du grec *myrmex* : *fourmi*) ; c'était le nom d'un ancien peuple mythologique de la Thessalie, au nord de la Grèce.
6. maheutre : espèce de manche qui couvrait le bras, de l'épaule au coude ; coussin qui rembourrait cette partie du vêtement.
7. bleu cordon : jusqu'à ce vers, seul De Guiche paraissait être porteur du fameux cordon bleu (*cf.* la note de la didascalie entrecoupant le v. 129).

– Les coquilles[1] tintent, ding-don!
420 *Ma pointe voltige : une mouche!*
Décidément... c'est au bedon[2]
Qu'à la fin de l'envoi•, je touche.
Il me manque une rime en eutre...
Vous rompez[3], plus blanc qu'amidon[4] ?
425 *C'est pour me fournir le mot pleutre[5] !*
Tac! je pare[6] la pointe dont
Vous espériez me faire don,
J'ouvre la ligne[7], je la bouche,
Tiens bien ta broche, Laridon[8] !
430 *À la fin de l'envoi•, je touche.*

Il annonce solennellement.

ENVOI

Prince, demande à Dieu pardon!

1. coquilles : parties de la poignée d'une épée qui ont la forme d'une double coquille. Dans un long entretien accordé à André Arnyvelde et publié dans *Les Annales* le 9 mars 1913 (reproduit dans l'édition de J. Truchet, Imprimerie Nationale, 1983, p. 383), Rostand explicite l'origine de ce vers précis, un «*souvenir d'enfance*» : «*J'étais tout petit. Paul de Cassagnac devait avoir un duel avec un personnage politique du Midi. Ami de mon père, il était devenu notre hôte pour quelques jours. Le matin, dans le salon, il s'exerçait à l'escrime. Attiré par le cliquetis des épées, je venais entrebâiller la porte et regarder. Un jour, Paul de Cassagnac m'attira près de lui... Et je revois ce grand bel homme, à la voix large et chaude, me montrant ses épées... D'admirables armes, aux coquilles d'argent massif, et qui étaient un don de la reine d'Espagne.* «Tu vois, ces coquilles, *me dit Paul de Cassagnac.* Eh bien! petit, quand elles tintent au commencement..., le son dure jusqu'à la fin du duel... *Et c'est ce souvenir d'enfance...*»
2. bedon : ventre rebondi, bedaine, bidon (familier).
3. rompez : rompez la mesure, c'est-à-dire reculez pour parer le coup d'un adversaire (terme d'escrime).
4. amidon : fécule de céréales, tirée sous forme de poudre blanche.
5. pleutre : homme sans courage et sans capacité.
6. je pare : j'évite, j'esquive.
7. J'ouvre la ligne : en escrime, la ligne est celle, directement opposée à l'adversaire, dans laquelle doivent être les épaules, le bras droit et l'épée.
8. ta broche, Laridon : Laridon est, dans la fable *L'Éducation* de La Fontaine (*Fables*, VIII, 24), un chien qui, quoique frère d'un noble chien de chasse, César, est devenu tournebroche (chien méprisable tournant dans une roue creuse pour actionner une broche), tous deux ayant été élevés séparément; la nombreuse postérité dégénérée de l'un risque de faire disparaître la haute lignée de l'autre, d'où la conclusion de la fable (v. 21 à 24) : *«On ne suit pas toujours ses aïeux ni son père : / Le peu de soin, le temps, tout fait qu'on dégénère : / Faute de cultiver la nature et ses dons, / Oh! combien de Césars deviendront Laridons!»*

Je quarte[1] *du pied, j'escarmouche*[2],
Je coupe, je feinte...

Se fendant.

Hé! là, donc!

Le vicomte chancelle; Cyrano salue.

À la fin de l'envoi•, je touche.

Acclamations. Applaudissements dans les loges. Des fleurs et des mouchoirs tombent. Les officiers• entourent et félicitent Cyrano. Ragueneau danse d'enthousiasme. Le Bret est heureux et navré. Les amis du vicomte le soutiennent et l'emmènent.

LA FOULE, *en un long cri.*

435 Ah!

UN CHEVAU-LÉGER•

Superbe!

UNE FEMME

Joli!

RAGUENEAU

Pharamineux[3]!

UN MARQUIS•

Nouveau!

LE BRET

Insensé!

Bousculade autour de Cyrano. On entend :

... Compliments... félicite... bravo...

VOIX DE FEMME

C'est un héros!...

UN MOUSQUETAIRE•, *s'avançant vivement vers Cyrano, la main tendue.*

Monsieur, voulez-vous me permettre?...
C'est tout à fait très bien, et je crois m'y connaître;
J'ai du reste exprimé ma joie en trépignant•!...

Il s'éloigne.

---

1. Je quarte : Je mets en quarte, c'est-à-dire pare un coup d'épée en tenant le poignet au dehors.
2. j'escarmouche : je combats par escarmouches, c'est-à-dire par petits engagements.
3. *Pharamineux* : Merveilleux, étonnant.

CYRANO, *à Cuigy.*

440 Comment s'appelle donc ce monsieur?

CUIGY

D'Artagnan[1].

LE BRET, *à Cyrano, lui prenant le bras.*

Çà, causons!...

CYRANO

Laisse un peu sortir cette cohue...

À Bellerose.

Je peux rester?

BELLEROSE, *respectueusement.*

Mais oui!

On entend des cris au-dehors.

JODELET, *qui a regardé.*

C'est Montfleury qu'on hue!

BELLEROSE, *solennellement.*

Sic transit[2]*!...*

Changeant de ton, au portier et au moucheur de chandelles.

Balayez. Fermez. N'éteignez pas.

Nous allons revenir, après notre repas,

445 Répéter pour demain une nouvelle farce.

Jodelet et Bellerose sortent, après de grands saluts à Cyrano.

LE PORTIER, *à Cyrano.*

Vous ne dînez donc pas?

---

1. *D'Artagnan* : Charles de Batz, seigneur d'Artagnan, gentilhomme gascon (1615-1673), loin de se réduire au jeune homme rusé immortalisé par Alexandre Dumas dans *Les Trois Mousquetaires* (1844), *Vingt ans après* (1845) et *Le Vicomte de Bragelone ou Dix ans plus tard* (1848-1850), fut un véritable serviteur de l'État, sous Louis XIII puis sous Louis XIV. Entré comme cadet aux gardes, à Paris, en 1635, il combattit, comme Cyrano, au siège d'Arras, mais ne devint mousquetaire qu'en 1644 (Rostand commet donc ici un léger anachronisme). On peut d'ailleurs s'étonner que Rostand n'ait pas davantage tiré parti de cette rencontre ; elle constitue, en revanche, la trame du film d'Abel Gance *Cyrano et d'Artagnan* (1964).

2. Sic transit : début de l'expression latine *« Sic transit gloria mundi »* (*« Ainsi passe la gloire terrestre »*), tirée de l'*Imitation de Jésus-Christ*, traité anonyme de piété chrétienne (XVe s.).

Le portier se retire.

LE BRET, *à Cyrano*

Parce que ?

CYRANO, *fièrement.*

Parce...

Changeant de ton en voyant que le portier est loin.

Que je n'ai pas d'argent !...

LE BRET, *faisant le geste de lancer son sac.*

Comment ! le sac d'écus ?...

CYRANO

Pension paternelle, en un jour, tu vécus !

LE BRET

Pour vivre tout un mois, alors ?...

CYRANO

Rien ne me reste.

LE BRET

450 Jeter ce sac, quelle sottise !

CYRANO

Mais quel geste !...

LA DISTRIBUTRICE, *toussant derrière son petit comptoir.*

Hum !...

Cyrano et Le Bret se retournent. Elle s'avance intimidée.

Monsieur... vous savoir jeûner[1]... le cœur me fend.

Montrant le buffet.

J'ai là tout ce qu'il faut...

Avec élan.

Prenez !

1. *jeûner* : ne pas se nourrir.

CYRANO, *se découvrant.*

Ma chère enfant,
Encor* que[1] mon orgueil de Gascon m'interdise
D'accepter de vos doigts la moindre friandise,
455 J'ai trop peur qu'un refus ne vous soit un chagrin,
Et j'accepterai donc...

Il va au buffet et choisit.

Oh! peu de choses!... un grain
De ce raisin...

Elle veut lui donner la grappe, il cueille un grain.

Un seul!... ce verre d'eau...

Elle veut y verser du vin, il l'arrête.

limpide!
Et la moitié d'un macaron!

Il rend l'autre moitié.

LE BRET

Mais c'est stupide!

LA DISTRIBUTRICE

Oh! quelque chose encore!

CYRANO

Oui. La main à baiser.

Il baise, comme la main d'une princesse, la main qu'elle lui tend.

LA DISTRIBUTRICE

460 Merci, Monsieur.

Révérence.

Bonsoir.

Elle sort.

1. *Encor que* : Bien que, quoique.

Questions

Compréhension

1. *Dans quelle mesure la pièce ne commence-t-elle qu'à la scène 3 ?*

2. *Comment se manifeste d'abord Cyrano ? Avec quel effet pour le spectateur ? Et quelle signification symbolique ?*

3. *Dans quelle mesure son entrée a-t-elle été préparée ? Est-elle conforme à l'attente du spectateur ?*

4. *Quelle est l'utilité dramatique* de la scène 3 ?*

5. *Que penser de l'attitude de Montfleury ? de celle des marquis ? et de celle du public ?*

6. *Selon quel plan précis (citez les vers ou les didascalies*) se déroule la scène 4 ?*

7. *Quels passages, dans les répliques de Cyrano, prouvent que celui-ci exagère consciemment et délibérément ? est-ce normal dans une comédie héroïque ?*

8. *Dans sa réponse aux précieuses (v. 251 à 254), Cyrano fait-il preuve de misogynie ? Justifiez votre réponse.*

9. *Dans son éloge du nez en général (v. 290 à 298), comment Cyrano associe-t-il le physique et le moral ? Quelles répliques témoignent de son humour ? Par quelle comparaison, désobligeante pour le fâcheux, termine-t-il cet éloge ? À quel autre vers trouve-t-on le même procédé ?*

10. *Qui prend le relais du fâcheux face à Cyrano ? Dans quelle mesure ce choix est-il ou non indifférent ?*

11. *La* « fameuse » *tirade des nez (v. 311 à 364).*
a) *Combien de tons différents énumère-t-elle ?*
b) *Que pensez-vous de l'ordre de leur succession ?*
c) *Quel est le rapport entre le titre de chaque ton et la réplique censée l'illustrer ?*
d) *Dans quelle mesure une telle tirade justifie-t-elle que le vicomte en sorte* « pétrifié » *puis* « suffoqué » ?

12. *Sur quelle opposition reposent les* « élégances » *de Cyrano (v. 368 à 382) ?*

13. *La* « ballade du duel » *(v. 394 à 434).*
a) *Quelle est son utilité dramatique* ?*
b) *Quels sont les multiples sens du refrain ?*
c) *En quoi définissent-ils particulièrement Cyrano ?*

d) *Pourquoi Le Bret est-il, au terme de cette ballade,* « heureux et navré » ?

14. *Sur quels contrastes se termine la scène 4?*

15. *Dans quelle mesure l'exposition* est-elle ou non achevée à la fin de la scène 4?*

Écriture

16. *Quels vers ici ne sont pas des alexandrins*? De quel type de vers s'agit-il?*

17. *Quelle différence relevez-vous dans la façon dont De Guiche s'adresse à Valvert, entre les v. 152 et 365? Observez, d'une part, les v. 182 à 184 et 191-192 et, d'autre part, les v. 188-189, 201 à 204 et 232 : que constatez-vous dans les échanges entre Cyrano et Montfleury?*

18. *Quels jeux de mots relevez-vous aux v. 192, 207, 225, 226, 232, 268, 271, 392 et 393?*

19. *Faites l'étude stylisitique de la tirade des nez :*
a) *Combien comptez-vous de phrases, et en combien de vers?*
b) *Quelle est la répartition des différents types de phrases selon la ponctuation?*
c) *Quels enjambements* relevez-vous? Quelles allitérations*?*
d) *Cette tirade illustre-t-elle le précepte de Cyrano, énoncé au v. 246?*

20. *Quelles figures* stylistiques Rostand emploie-t-il respectivement au v. 283-284 et 306?*

21. *Analysez la métrique* et la prosodie* des v. 167 à 173, 216 à 219 et 229 à 240.*

Mise en scène / Mise en perspective

22. *En quoi ces deux scènes sont-elles particulièrement théâtrales?*

23. *Quel est le jeu de scène précis (indiqué par les didascalies) de Cyrano dans ces deux scènes?*

24. *Dans quelle mesure ces deux scènes illustrent-elles la technique cinématographique du zoom? Est-ce le cas dans les adaptations que vous connaissez?*

SCÈNE 5. CYRANO, LE BRET, *puis* LE PORTIER

CYRANO, *à Le Bret.*
Je t'écoute causer.

Il s'installe devant le buffet et rangeant devant lui le macaron.

Dîner!

... le verre d'eau.

Boisson!

... le grain de raisin.

Dessert!

Il s'assied.

Là, je me mets à table!
– Ah!... j'avais une faim, mon cher, épouvantable!

Mangeant.

– Tu disais?

LE BRET

Que ces fats• aux grands airs belliqueux[1]
Te fausseront l'esprit si tu n'écoutes qu'eux!...
465 Va consulter des gens de bon sens, et t'informe[2]
De l'effet qu'a produit ton algarade[3].

CYRANO, *achevant son macaron.*
Énorme.

LE BRET

Le Cardinal[4]...

CYRANO, *s'épanouissant.*
Il était là, le Cardinal?

LE BRET

A dû trouver cela...

CYRANO

Mais très original.

LE BRET

Pourtant...

1. *belliqueux* : qui aiment la guerre, le combat.
2. *t'informe* : informe-toi.
3. *ton algarade* : ta sortie vive, ton insulte brusque et inattendue contre quelqu'un.
4. *Le Cardinal* : Richelieu (*cf.* les notes des v. 131 et 173).

CYRANO

C'est un auteur[1]. Il ne peut lui déplaire

470 Que l'on vienne troubler la pièce d'un confrère.

LE BRET

Tu te mets sur les bras, vraiment, trop d'ennemis !

CYRANO, *attaquant son grain de raisin.*

Combien puis-je, à peu près, ce soir, m'en être mis ?

LE BRET

Quarante-huit. Sans compter les femmes.

CYRANO

Voyons, compte !

LE BRET

Montfleury, le bourgeois•, de Guiche, le vicomte,

475 Baro, l'Académie...

CYRANO

Assez ! tu me ravis !

LE BRET

Mais où te mènera la façon dont tu vis ?
Quel système est le tien ?

CYRANO

J'errais dans un méandre[2] ;
J'avais trop de partis, trop compliqués, à prendre ;
J'ai pris...

LE BRET

Lequel ?

CYRANO

Mais le plus simple, de beaucoup.

---

1. *C'est un auteur* : la passion de Richelieu pour le théâtre n'était pas feinte ou dictée seulement par des considérations politiques (*cf.* la note du v. 49). Alexandre Dumas, dans *Les Trois Mousquetaires* (1844, chap. XXXIX, *Une vision*), met en scène D'Artagnan surprenant Richelieu en train d'écrire les vers d'une tragédie, *Mirame* (1638), attribuée à Jean Desmarets de Saint-Sorlin (« Le Livre de poche classique » n° 667, L.G.F., 1995, p. 569).
2. *méandre* : fleuve sinueux (du nom d'un fleuve de Phrygie, en Grèce, qui roulait ses eaux en serpentant beaucoup ; le terme désigne normalement la sinuosité elle-même).

480 J'ai décidé d'être admirable, en tout, pour tout!

LE BRET, *haussant les épaules.*
Soit! – Mais enfin, à moi, le motif de ta haine
Pour Montfleury, le vrai, dis-le moi!

CYRANO, *se levant.*
Ce Silène[1],
Si ventru que son doigt n'atteint pas son nombril,
Pour les femmes encor• se croit un doux péril•,
485 Et leur fait, cependant qu'en jouant il bredouille,
Des yeux de carpe avec ses gros yeux de grenouille!
Et je le hais depuis qu'il se permit, un soir,
De poser son regard sur celle... Oh! j'ai cru voir
Glisser sur une fleur une longue limace!

LE BRET, *stupéfait.*
490 Hein? Comment? Serait-il possible?...

CYRANO, *avec un rire amer.*
Que j'aimasse?

Changeant de ton et gravement.

J'aime.

LE BRET
Et peut-on savoir? Tu ne m'as jamais dit?...

CYRANO
Qui j'aime?... Réfléchis, voyons. Il m'interdit
Le rêve d'être aimé même par une laide,
Ce nez qui d'un quart d'heure en tous lieux me précède[2];
495 Alors, moi, j'aime qui?... Mais cela va de soi!
J'aime... mais c'est forcé!... la plus belle qui soit!

---

1. *Silène* : demi-dieu de la mythologie grecque, fils de Pan et d'une nymphe, père nourricier et compagnon du dieu Dionysos, il est représenté sous les traits d'un vieillard jouisseur, au nez camus et au ventre proéminent, monté sur un âne, toujours ivre, chantant et riant; génie des sources et des fleuves, il serait le père des satyres, les autres membres du cortège du dieu.
2. *Ce nez qui d'un quart d'heure en tous lieux me précède* : on trouve, presque mot pour mot, la même phrase dans la comédie de Cyrano de Bergerac *Le Pédant joué* (1654, III, 2); Genevote, sœur du gentilhomme amoureux de la fille du pédant Granger, décrit elle-même à l'intéressé : «*Pour son nez, il mérite bien une égratignure particulière. Cet authentique nez arrive partout un quart d'heure devant son maître; dix savetiers, de raisonnable rondeur, vont travailler dessous à couvert de la pluie*» (Belin, 1977, p. 202).

LE BRET

La plus belle?...

CYRANO

Tout simplement, qui soit au monde!
La plus brillante, la plus fine.

Avec accablement.

La plus blonde!

LE BRET

Eh! mon Dieu, quelle est donc cette femme?...

CYRANO

Un danger
500 Mortel sans le vouloir, exquis sans y songer,
Un piège de nature, une rose muscade[1]
Dans laquelle l'amour se tient en embuscade!
Qui connaît son sourire a connu le parfait.
Elle fait de la grâce avec rien, elle fait
505 Tenir tout le divin dans un geste quelconque,
Et tu ne saurais pas, Vénus, monter en conque[2],
Ni toi, Diane[3], marcher dans les grands bois fleuris,
Comme elle monte en chaise et marche dans Paris!

LE BRET

Sapristi! je comprends. C'est clair!

CYRANO

C'est diaphane[4].

LE BRET

510 Magdeleine Robin, ta cousine?

1. *rose muscade* : variété de rose rouge, ainsi nommée à cause de son parfum particulier, proche de celui de la muscade.
2. *Vénus, monter en conque* : l'image de Vénus, déesse romaine de l'Amour et de la Fécondité (correspondant à l'Aphrodite grecque), portée par une conque, grande coquille concave, est un lieu commun faisant allusion à sa naissance du creux d'une vague et de l'écume des flots, puis à son déplacement jusqu'à l'île de Cythère et aux rivages de Chypre. La conque ici évoquée n'est donc pas la même que celle mentionnée au v. 341.
3. *Diane* : déesse romaine de la Lune et de la Chasse (correspondant à l'Artémis grecque).
4. *diaphane* : (ici) transparent (le mot est normalement synonyme de *« translucide »*, c'est-à-dire *« qui laisse passer à travers soi les rayons lumineux sans laisser distinguer la forme des objets »*).

CYRANO
Oui. – Roxane.

LE BRET
Eh bien ! mais c'est au mieux ! Tu l'aimes ? Dis-le lui !
Tu t'es couvert de gloire à ses yeux aujourd'hui !

CYRANO
Regarde-moi, mon cher, et dis quelle espérance
Pourrait bien me laisser cette protubérance[1] !
515 Oh ! je ne me fais pas d'illusion ! – Parbleu[2],
Oui, quelquefois, je m'attendris, dans le soir bleu ;
J'entre en quelque jardin où l'heure se parfume ;
Avec mon pauvre grand diable de nez je hume[3]
L'avril ; je suis des yeux, sous un rayon d'argent,
520 Au bras d'un cavalier, quelque femme, en songeant
Que pour marcher, à petits pas dans la lune,
Aussi moi j'aimerais au bras en avoir une,
Je m'exalte, j'oublie... et j'aperçois soudain
L'ombre de mon profil sur le mur du jardin !

LE BRET, *ému.*
525 Mon ami !...

CYRANO
Mon ami, j'ai de mauvaises heures !
De me sentir si laid, parfois, tout seul...

LE BRET, *vivement, lui prenant la main.*
Tu pleures ?

CYRANO
Ah ! non, cela, jamais ! Non, ce serait trop laid,
Si le long de ce nez une larme coulait !
Je ne laisserai pas, tant que j'en serai maître,
530 La divine beauté des larmes se commettre
Avec tant de laideur grossière ! Vois-tu bien,
Les larmes, il n'est rien de plus sublime, rien,
Et je ne voudrais pas qu'excitant la risée,
Une seule, par moi, fût ridiculisée !...

1. *protubérance* : saillie, partie qui dépasse.
2. *Parbleu* : Bien sûr, évidemment.
3. *je hume* : je respire par le nez pour sentir.

LE BRET

535 Va, ne t'attriste pas ! L'amour n'est que hasard !

CYRANO, *secouant la tête.*

Non ! J'aime Cléopâtre : ai-je l'air d'un César[1] ?
J'adore Bérénice : ai-je l'aspect d'un Tite[2] ?

LE BRET

Mais ton courage ! ton esprit ! – Cette petite
Qui t'offrait là, tantôt, ce modeste repas,
540 Ses yeux, tu l'as bien vu, ne te détestaient pas !

CYRANO, *saisi.*

C'est vrai !

LE BRET

Eh bien ! alors ?... Mais Roxane, elle-même,
Toute blême a suivi ton duel !...

CYRANO

Toute blême ?

LE BRET

Son cœur et son esprit déjà sont étonnés !
Ose et lui parle, afin...

CYRANO

Qu'elle me rie au nez ?
545 Non ! – C'est la seule chose au monde que je craigne !

LE PORTIER, *introduisant quelqu'un, à Cyrano.*

Monsieur, on vous demande...

CYRANO, *voyant la duègne•.*

Ah ! mon Dieu ! Sa duègne !

---

1. *J'aime Cléopâtre : ai-je l'air d'un César* : la reine d'Égypte Cléopâtre VII (69-30 av. J.-C.) fut rétablie sur son trône en 46 av. J.-C. par le général romain Jules César dont elle devint la maîtresse et eut même un fils (Césarion ou Ptolémée XV).
2. *J'adore Bérénice : ai-je l'aspect d'un Tite* : la princesse juive Bérénice (28-79), fille du roi Hérode Agrippa Ier, fut emmenée à Rome, après la prise de Jérusalem (70), par l'empereur romain Titus (ou Tite, 40-81), lequel, de vingt ans son cadet, s'en éprit passionnément au point de vouloir l'épouser, ce à quoi il renonça devant l'opposition politique romaine, au nom de la raison d'État ; cette tragique histoire d'amour inspira, la même année (1670), à Pierre Corneille, *Tite et Bérénice*, et à Jean Racine, *Bérénice*.

Questions

Compréhension

1. *Qu'apprenons-nous de décisif ? À quels vers ?*

2. *Que révèle le vers 480 sur le caractère de Cyrano ? Ne s'agit-il que d'une boutade ? Quel autre vers ici traduit cette même quête d'absolu ?*

3. *Que nous apprennent les v. 513 à 524 sur la psychologie de Cyrano ?*

4. *En quoi consiste, selon Cyrano,* « la divine beauté des larmes », *à la lumière de sa réplique (v. 527 à 534) ?*

5. *Que pensez-vous des références à l'Antiquité (v. 536-537) ? En quoi celle à Cléopâtre est-elle paradoxalement ironique ?*

6. *Quel rôle, traditionnel au théâtre, joue ici Le Bret ? Comment jugez-vous son attitude ?*

7. *En quoi les répliques de Cyrano, aux v. 462 et 544, sont-elles ironiques ? S'agit-il, dans les deux cas, de la même ironie ? Pourquoi ?*

8. *Comment cette scène se termine-t-elle ? Quel est l'effet produit sur le spectateur ?*

9. *Dans quelle mesure cette scène est-elle l'exact contrepoint* des scènes 3 et 4 ? En quoi est-elle particulièrement émouvante ?*

10. *L'exposition* est-elle complètement achevée à la fin de cette scène ? Argumentez votre réponse.*

Écriture

11. *Quelle est l'image développée dans le v. 489 ? De quelle figure stylistique s'agit-il ?*

12. *En quoi consiste le lyrisme du portrait de l'être aimé (v. 500 à 508) ? Relevez-y images, exagérations, oppositions. N'y voyez-vous qu'une description précieuse ? Pourquoi ?*

Mise en scène / Mise en perspective

13. *Comment la mise en scène peut-elle rendre compte du caractère très émouvant de cette scène ?*

14. *Quels avantages peut offrir le cinéma pour restituer le climat d'une telle scène ?*

SCÈNE 6. CYRANO, LE BRET, LA DUÈGNE•

LA DUÈGNE, *avec un grand salut.*
De son vaillant cousin on désire savoir
Où l'on peut, en secret, le voir.

CYRANO, *bouleversé.*
Me voir?

LA DUÈGNE, *avec une révérence.*
Vous voir.
– On a des choses à vous dire.

CYRANO
Des?...

LA DUÈGNE, *nouvelle révérence.*
Des choses!

CYRANO, *chancelant.*
550 Ah! mon Dieu!

LA DUÈGNE
L'on ira, demain, aux primes roses[1]
D'aurore, – ouïr[2] la messe à Saint-Roch[3].

CYRANO, *se soutenant sur Le Bret.*
Ah! mon Dieu!

LA DUÈGNE
En sortant, où peut-on entrer, causer un peu?

---

1. *aux primes roses* : l'expression est ambiguë, dans la mesure où elle n'indique pas nettement si «*primes*» et «*roses*» sont respectivement adjectif et substantif (lecture la plus spontanée), ou si c'est l'inverse (lecture que nous pensons la plus vraisemblable); dans le premier cas, «*primes roses / D'aurore*» rappelle la formule homérique «*l'Aurore-aux-doigts-de-rose*» et signifie «*aux premières roses de l'aurore, au lever du jour*»; dans le second, «*roses / D'aurore*» est adjectif épithète de «*primes*», substantif, habituellement au singulier, désignant la première des heures canoniales (c'est-à-dire dictées par le canon, la règle) de la liturgie catholique, qui commence à six heures du matin (ce qu'on retrouve dans les formules «*chanter prime*», «*dire prime*» ou «*assister à prime*») : le contexte de la messe nous incline à privilégier cette seconde interprétation.
2. *ouïr* : écouter, assister à.
3. *Saint-Roch* : église située rue Saint-Honoré, dans l'actuel Ier arrondissement de Paris.

CYRANO, *affolé.*

Où?... Je... Mais... Ah! mon Dieu!...

LA DUÈGNE•

Dites vite.

CYRANO

Je cherche!

LA DUÈGNE

Où?...

CYRANO

Chez... chez... Ragueneau... le pâtissier...

LA DUÈGNE

Il perche[1]?

CYRANO

555 Dans la rue – Ah! mon Dieu, mon Dieu! – Saint-Honoré!

LA DUÈGNE, *remontant.*

On ira. Soyez-y. Sept heures.

CYRANO

J'y serai.

LA DUÈGNE *sort.*

SCÈNE 7. CYRANO, LE BRET, *puis* LES COMÉDIENS, LES COMÉDIENNES, CUIGY, BRISAILLE, LIGNIÈRE, LE PORTIER, LES VIOLONS•

CYRANO, *tombant dans les bras de Le Bret.*

Moi! D'elle!... Un rendez-vous!...

LE BRET

Eh bien, tu n'es plus triste?

1. *perche* : demeure, habite (très familier).

CYRANO
Ah ! pour quoi que ce soit, elle sait que j'existe !

LE BRET
Maintenant, tu vas être calme ?

CYRANO, *hors de lui.*
Maintenant...
560 Mais je vais être frénétique[1] et fulminant[2] !
Il me faut une armée entière à déconfire[3] !
J'ai dix cœurs ; j'ai vingt bras ; il ne peut me suffire
De pourfendre[4] des nains...

Il crie à tue-tête.

Il me faut des géants[5] !

Depuis un moment, sur la scène, au fond, des ombres de comédiens et de comédiennes s'agitent, chuchotent : on commence à répéter. Les violons• ont repris leur place.

UNE VOIX, *de la scène.*
Hé ! pst ! là-bas ! Silence ! on répète céans[6] !

CYRANO, *riant.*
565 Nous partons !

Il remonte : par la grande porte du fond entrent Cuigy, Brissaille, plusieurs officiers qui soutiennent Lignière complètement ivre.

CUIGY
Cyrano !

---

1. *frénétique* : comme atteint de folie.
2. *fulminant* : qui lance la foudre, qui éclate en menaces, qui accable.
3. *déconfire* : défaire, vaincre complètement.
4. *pourfendre* : fendre d'un coup de sabre de haut en bas, tuer (*cf.* le v. 119).
5. *Il me faut des géants* : les v. 560 à 564 rappellent fortement les v. 1558 à 1564 (V, 1) du *Cid* de Pierre Corneille, que prononce Rodrigue venant d'apprendre de Chimène elle-même qu'elle souhaite sa victoire contre Don Sanche, choisi pour la venger de la mort de son propre père tué par Rodrigue (« *Est-il quelque ennemi qu'à présent je ne dompte ? / Paraissez, Navarrais, Mores et Castillans, / Et tout ce que l'Espagne a nourri de vaillants ; / Unissez-vous ensemble, et faites une armée, / Pour combattre une main de la sorte animée : / Joignez tous vos efforts contre un espoir si doux ; / Pour en venir à bout, c'est trop peu que de vous* ».
6. *céans* : ici dedans.

CYRANO
Qu'est-ce ?

CUIGY
Une énorme grive[1]
Qu'on t'apporte !

CYRANO, *le reconnaissant.*
Lignière !... Hé, qu'est-ce qui t'arrive ?

CUIGY
Il te cherche !

BRISSAILLE
Il ne peut rentrer chez lui !

CYRANO
Pourquoi ?

LIGNIÈRE, *d'une voix pâteuse*[2], *lui montrant un billet tout chiffonné.*
Ce billet m'avertit... cent hommes contre moi...
À cause de... chanson... grand danger me menace...
570 Porte de Nesle... Il faut, pour rentrer, que j'y passe...
Permets-moi donc d'aller coucher sous... sous ton toit !

CYRANO
Cent hommes, m'as-tu dit ? Tu coucheras chez toi !

LIGNIÈRE, *épouvanté.*
Mais...

CYRANO, *d'une voix terrible, lui montrant la lanterne allumée que le portier balance en écoutant curieusement cette scène.*
Prends cette lanterne !...

Lignière saisit précipitamment la lanterne.

Et marche ! – Je te jure

1. *Une énorme grive* : la grive est un oiseau connu pour manger beaucoup de raisin, au temps des vendanges ; d'où l'expression *« être soûl comme une grive »*, c'est-à-dire ivre mort.
2. *pâteuse* : confuse, peu compréhensible.

Que c'est moi qui ferai ce soir ta couverture[1] !

Aux officiers.

575 Vous, suivez à distance, et vous serez témoins !

CUIGY

Mais cent hommes !...

CYRANO

Ce soir, il ne m'en faut pas moins !

Les comédiens et les comédiennes, descendus de scène, se sont rapprochés dans leurs divers costumes.

LE BRET

Mais pourquoi protéger...

CYRANO

Voilà Le Bret qui grogne !

LE BRET

Cet ivrogne banal ?...

CYRANO, *frappant sur l'épaule de Lignière.*

Parce que cet ivrogne,
Ce tonneau de muscat[2], ce fût de rossoli[3],
580 Fit quelque chose un jour de tout à fait joli :
Au sortir d'une messe ayant, selon le rite[4],
Vu celle qu'il aimait prendre de l'eau bénite,

---

1. *ta couverture* : Paul Lacroix, *alias « le bibliophile Jacob »*, éditeur, au XIXe s., des œuvres de Cyrano de Bergerac, rapporte, sur la foi d'un autre éditeur, Le Blanc, auteur d'une notice d'*Œuvres* de Cyrano (1855), ce mot de Cyrano : *« Prends une lanterne et marche derrière moi ; je veux t'aider moi-même à faire la couverture de ton lit. »* Mais ce mot n'est nullement rapporté par Le Bret, confident de Cyrano et préfacier des *États et Empires du Soleil* (1657) de son ami d'enfance : s'il mentionne bien Lignières parmi les amis de notre héros, s'il signale bien le combat à la porte de Nesle, Le Bret ne précise pas pour autant que ce combat fût mené par Cyrano pour la défense de Lignières, ni qu'il se fût agi d'un guet-apens dressé sur ordre d'un grand seigneur offensé par les écrits de Lignières (ce point semble, lui aussi, inventé par Le Blanc et Lacroix qui toutefois ne précisent pas l'identité de ce commanditaire, devenu De Guiche chez Rostand).
2. *muscat* : vin de liqueur, produit avec des raisins muscats.
3. *fût de rossoli* : tonneau de rossolis, c'est-à-dire de liqueur composée d'eau-de-vie brûlée, de pétales de rose, de fleurs d'oranger, de sucre, de cannelle.
4. *selon le rite* : selon la cérémonie du culte en usage dans une communauté religieuse (en l'occurrence, le rite catholique prévoit que les fidèles se signent avec de l'eau bénite).

Lui que l'eau fait sauver, courut au bénitier,
Se pencha sur sa conque et le but tout entier[1]!...

UNE COMÉDIENNE, *en costume de soubrette*[2].

585 Tiens! c'est gentil, cela!

CYRANO

N'est-ce pas la soubrette?

LA COMÉDIENNE, *aux autres.*

Mais pourquoi sont-ils cent contre un pauvre poète?

CYRANO

Marchons!

Aux officiers.

Et vous, messieurs, en me voyant charger,
Ne me secondez pas[3], quel que soit le danger!

UNE AUTRE COMÉDIENNE, *sautant de la scène.*

Oh! mais, moi, je vais voir!

CYRANO

Venez!

UNE AUTRE, *sautant aussi, à un vieux comédien.*

Viens-tu, Cassandre[4]?...

CYRANO

590 Venez tous, le Docteur, Isabelle, Léandre[5],
Tous! Car vous allez joindre, essaim[6] charmant et fol,

---

1. *Se pencha sur sa conque et le but tout entier* : toute cette anecdote est authentique, selon le témoignage indirect de Nicolas Boileau – mais à charge contre Lignières.
2. soubrette : servante de comédie.
3. *Ne me secondez pas* : Ne me secourez pas, ne m'assistez pas.
4. *Cassandre* : personnage de la comédie italienne, figurant un vieillard naïf et borné; mais on peut songer aussi au *Cassandrino* italien, marionnette romaine du début du XIXe s., figurant un aristocrate vieillissant et spirituel, préoccupé de son élégance et de son succès auprès des femmes.
5. *le Docteur, Isabelle, Léandre* : trois personnages traditionnels de la comédie italienne, l'un portant un demi-masque et des joues barbouillées, les deux autres constituant le couple d'amoureux.
6. *essaim* : groupe.

La farce italienne[1] à ce drame espagnol[2],
Et, sur son ronflement tintant[3] un bruit fantasque[4],
L'entourer de grelots comme un tambour de basque[5]!

TOUTES LES FEMMES, *sautant de joie.*

595 Bravo! – Vite, une mante[6]! – Un capuchon[7]!

JODELET

Allons!

CYRANO, *aux violons*•.

Vous nous jouerez un air, messieurs les violons!

Les violons se joignent au cortège qui se forme. On s'empare des chandelles allumées de la rampe et on se les distribue. Cela devient une retraite aux flambeaux[8].

Bravo! des officiers, des femmes en costume,
Et, vingt pas en avant...

Il se place comme il dit.

Moi, tout seul, sous la plume
Que la gloire elle-même à ce feutre• piqua,
600 Fier comme un Scipion triplement Nasica[9]!
C'est compris? Défendu de me prêter main-forte!

---

1. *La farce italienne* : la comédie italienne ou *« commedia dell'arte »*, caractérisée par des personnages très typés et remuants, multipliant les improvisations, et qui fut à l'honneur du XVIe au XVIIIe s., en Italie mais aussi en France, sauf entre 1697 et 1715 où ils furent bannis par Louis XIV (la formule désigne aussi un petit opéra bouffe [c'est-à-dire appartenant au genre lyrique léger] en un acte).
2. *drame espagnol* : la formule désigne le drame religieux espagnol, appelé aussi *auto sacramental*, en honneur aux XVIe et XVIIe s., dans toute l'Europe, avec notamment Felix Lope de Vega Carpio (1562-1635) et Pedro Calderon de la Barca (1600-1681). Ce théâtre fut à la mode en France surtout entre 1640 et 1660.
3. *tintant* : faisant retentir, faisant résonner. Le participe est apposé à *« vous »* (v. 591).
4. *fantasque* : bizarre, inhabituel.
5. *tambour de basque* : petit tambour à grelots, à cymbales ou à castagnettes.
6. *mante* : grand voile de crêpe noir ou sorte de petit manteau sans manche.
7. *capuchon* : large bonnet ou pèlerine (manteau) à capuchon.
8. retraite aux flambeaux : à l'origine, défilé avec flambeaux et fanfare, de la place d'armes à la caserne, exécuté par les troupes lors de certaines fêtes; d'où défilé populaire, avec torches et lampions.
9. *Scipion triplement Nasica* : les Scipions furent une très importante et influente famille romaine, aux IIIe et IIe s. av. J.-C.; l'une de ses branches avait pour surnom *Nasica*, ce qui signifie *« au nez mince et pointu »* (il y eut en fait deux Scipion Nasica [Publius Cornelius Scipio Nasica], l'un étant le grand-père de l'autre, mais seul le premier conserva, en français, le surnom de *Nasica* – l'autre étant dit *Serapio*).

On y est ?... Un, deux, trois ! Portier, ouvre la porte !

Le portier ouvre à deux battants. Un coin du vieux-Paris pittoresque[1] *et lunaire paraît.*

Ah !... Paris fuit, nocturne et quasi[2] nébuleux[3] ;
Le clair de lune coule aux pente des toits bleus ;
605 Un cadre se prépare, exquis, pour cette scène ;
Là-bas, sous des vapeurs en écharpe, la Seine,
Comme un mystérieux et magique miroir,
Tremble... Et vous allez voir ce que vous allez voir !

TOUS

À la porte de Nesle !

CYRANO, *debout sur le seuil.*

À la porte de Nesle !

Se retournant avant de sortir, à la soubrette.

610 Ne demandiez-vous pas pourquoi, mademoiselle,
Contre ce seul rimeur[4] cent hommes furent mis ?

Il tire l'épée et, tranquillement.

C'est parce qu'on savait qu'il est de mes amis !

Il sort. Le cortège – Lignière zigzaguant en tête, – puis les comédiennes aux bras des officiers, – puis les comédiens gambadant, – se met en marche dans la nuit au son des violons•, et à la lueur falote[5] *des chandelles.*

RIDEAU

1. pittoresque : au caractère marqué, original et charmant.
2. *quasi* : presque, comme.
3. *nébuleux* : constitué par des nuages ou en ayant l'aspect.
4. *rimeur* : faiseur de rimes, versificateur, poète sans talent.
5. falote : confuse, qu'on distingue mal.

Questions

Compréhension

1. *Dans la scène 6, qui le pronom indéfini « on » désigne-t-il ?*

2. *Qu'a de comique l'opposition entre la duègne et Cyrano ? Comment se manifeste-t-elle ?*

3. *Que croit Cyrano, à l'issue de l'intervention de la duègne ? Par quelle réaction traduit-il cette conviction, au début de la scène 7 ?*

4. *En quoi la scène 6 contraste-t-elle avec les scènes précédentes ? De tous les contrastes que vous relevez, lequel est le plus frappant ? Quels aspects de la personnalité de Cyrano révèlent-ils ?*

5. *La scène 6 est courte, mais est-elle sans importance ?*

6. *Dans quelle mesure les mentions ou réapparitions de Ragueneau (scène 6) et Lignière (scène 7) sont-elles à la fois vraisemblables et nécessaires à l'unité de l'action ?*

7. *Quel est le double sens du vers 574 de Cyrano à Lignière ?*

8. *Quelle caractéristique essentielle de la psychologie de Cyrano les v. 598 à 601 confirment-ils ?*

9. *Quelle disposition permanente de la sensibilité de Cyrano les v. 603 à 608 illustrent-ils ?*

10. *Est-il significatif que la scène 7 (et donc l'acte I) se termine par un retour aux comédiens ? Dans quelle mesure cette scène constitue-t-elle un résumé des thèmes et de l'action de l'acte I ?*

11. *Expliquez le titre de l'acte.*

Écriture

12. *Par quelle répétition se traduit la défaillance de Cyrano ?*

13. *Que traduisent les hyperboles* dans les v. 560 à 563 ?*

14. *Étudiez les v. 602 à 608 : analysez le rythme, les coupes*, enjambements* et diérèses*.*

15. *Dans quelle mesure le v. 612 constitue-t-il une « pointe » ?*

16. *Relevez, dans les deux scènes, les didascalies* concernant Cyrano : en quoi résument-elles son évolution psychologique ?*

17. *Dans quelle mesure les v. 591 à 594 s'appliquent-ils au premier acte de la pièce même de Rostand ?*

Cyrano, dessin à la plume d'Edmond Rostand.

Bilan

L'action

• Ce que nous savons

À Paris, en 1640, à l'Hôtel de Bourgogne, une foule hétéroclite vient assister à une représentation de La Clorise *de Baro. Après trois répliques de l'acteur Montfleury, la pièce est interrompue par Cyrano de Bergerac, soldat de la compagnie des cadets de Gascogne. Connu pour son nez proéminent, il est redouté pour la vivacité de parole et de geste qu'il déploie envers quiconque évoque seulement son nez : parmi le public, un fâcheux• anonyme et le vicomte de Valvert en font d'ailleurs les frais.*
Raisons invoquées de cette interruption : les vers de Baro sont mauvais ; Montfleury est un acteur déplorable, mais, surtout, il a osé poser les yeux sur celle dont Cyrano est amoureux, sa cousine Magdeleine Robin, alias *Roxane, blonde et belle précieuse•.*
Or celle-ci est aussi aimée d'un jeune et beau provincial, Christian de Neuvillette, qui doit, le lendemain, entrer dans les cadets : présent avant le début de la représentation, il reçoit de Roxane un regard qui l'emplit d'espoir. Il part ensuite prévenir celui avec qui il était venu – et qui lui a dévoilé l'identité de celle qu'il aime –, Lignière, poète polémiste et ivrogne, qu'il sait menacé d'un complot pour une chanson écrite contre un grand seigneur. Ce grand seigneur est peut-être le comte De Guiche, puissant neveu de Richelieu : marié mais amoureux, lui aussi, de Roxane, il désire faire épouser à celle-ci son protégé, Valvert, publiquement humilié et ridiculisé par Cyrano.
Celui-ci, convaincu, malgré les encouragements de son ami Le Bret, que son physique le condamne à l'échec, n'ose déclarer sa flamme. Or la duègne de Roxane survient, informant Cyrano que sa cousine souhaite « en secret, le voir » *: bouleversé, rempli d'espoir, Cyrano donne rendez-vous chez Ragueneau. Apprenant de quel complot est menacé Lignière, ramené ivre mort devant lui, il garantit à son ami qu'il pourra rentrer chez lui, malgré le nombre des assaillants.*
Si l'attention du public est surtout accaparée par Cyrano, souverainement omniprésent, le nœud de l'action se concentre ici (paradoxalement, puisqu'elle ne fait qu'une apparition) autour de Roxane, aimée tout à la fois, et avec une égale détermination, de trois hommes – trois autres personnages principaux – : Christian, De Guiche et Cyrano. Sans cette donnée fondamentale, l'action ne serait toujours pas nouée* – la ballade de Cyrano contre Valvert ou le complot contre Lignière ne constituent que des péripéties*.*

• **À quoi nous attendre ?**

1. *Quelle sera l'issue du combat de la porte de Nesle ?*

2. *Comment se déroulera le tête-à-tête entre Roxane et Cyrano ? Celui-ci ne risque-t-il pas d'être déçu ?*

3. *Christian parviendra-t-il à déclarer son amour à Roxane ?*

4. *Quelle sera la réaction de De Guiche après l'algarade de Cyrano avec Montfleury, puis sa ballade et son duel contre son protégé Valvert ?*

Les personnages

• **Ce que nous savons**

Tous les **personnages principaux** *ont fait leur apparition, à savoir, par ordre d'entrée en scène :*
– **Christian***, beau mais manquant d'esprit, et craignant la coquetterie de Roxane : il manifeste un réel dévouement envers Lignière ;*
– **Ragueneau***, pâtissier qui se nourrit surtout de vers et qui dresse un portrait à la fois pittoresque et chaleureux de Cyrano ;*
– **Le Bret***, véritable confident de Cyrano, dont il tente d'assouplir l'excessive rigidité et de vaincre la timidité ;*
– **Roxane***, « muette » durant tout l'acte, mais dont l'apparition suscite des « rumeurs d'admiration dans la salle », doublement précieuse : adepte de la préciosité et femme chère à trois cœurs ;*
– **De Guiche***, d'une distance tout aristocratique, conforme à son rang ;*
– **Cyrano***, qui n'est d'abord qu'« une voix », puis une canne menaçante, enfin une épée qui, joignant le geste à la parole, « à la fin de l'envoi » touche ses adversaires, formidable « acteur » de ses propres excès en public, émouvant lecteur de ses insuffisances en privé.*
Parmi les **personnages secondaires***, se détachent* **Valvert***, d'un ridicule indiscutable et qui sert de faire-valoir à la grande scène de Cyrano, et surtout* **Lignière***, d'une repoussante ivrognerie mais d'une séduisante férocité : l'un et l'autre ont en commun d'être indissociables de De Guiche, dont ils sont respectivement « l'obligé » et « la bête noire », comme ils le sont également de Roxane, dont l'un est le prétendant, et de Cyrano, dont l'autre est le protégé, et de Christian, dont l'un est le rival, et l'autre, l'ami. Secondaires sur le plan psychologique, ils jouent un rôle dramatique* important, en contribuant à nouer* l'action. N'oublions pas* **la distributrice***, certes anonyme, mais qui, cachant à peine*

qu'elle est séduite par Cyrano, prouve à celui-ci que sa laideur ne l'empêche pas de plaire.

• À quoi nous attendre ?

1. *Comment se déroulera le face-à-face Christian / Cyrano, rivaux qui, pour l'instant, s'ignorent mais qui doivent, dès le lendemain, servir dans le même régiment ?*

2. *Comment évoluera De Guiche, resté jusqu'à présent très discret, mais dont le protégé, Valvert, a été publiquement humilié par Cyrano ?*

3. *Quel caractère révélera Roxane, objet de tous les désirs ? Pourquoi a-t-elle donné rendez-vous à Cyrano ?*

4. *Lequel des deux Cyrano, du souverain manipulateur de pointes en public ou du désarmant confesseur de complexes en privé, va s'imposer ?*

Écriture

• Ce que nous savons

L'abondance et la minutie des didascalies, la multiplication des allusions, clins d'œil littéraires ou autres anachronismes historiques, prouvent que nous sommes en présence, dans ce premier acte, d'une pièce absolument exceptionnelle, dans son érudition comme dans ses contraintes de mise en scène, au point qu'il est difficile de la lire sans notes, ou de la jouer sans infidélités à toutes les précisions de Rostand.*

La variété des registres d'écriture et des niveaux de langue, des coupes métriques et des images, l'alternance des scènes de foule et des scènes d'intimité, confirment un mélange des genres, des tons et des émotions d'une virtuosité non moins exceptionnelle.

• À quoi nous attendre ?

1. *Rostand réussira-t-il à « tenir » la distance des cinq actes à ce même niveau de qualité, dans l'écriture poétique comme dramaturgique*, en ménageant à la fois le plaisir et l'intérêt du spectateur ?*

ACTE II

La rôtisserie[1] *des poètes*

La boutique de Ragueneau, rôtisseur-pâtissier, vaste ouvroir[2] *au coin de la rue Saint-Honoré et de la rue de l'Arbre-Sec*[3]*, qu'on aperçoit largement au fond, par le vitrage de la porte, grises dans les premières lueurs de l'aube.*

5 *À gauche, premier plan, comptoir surmonté d'un dais*[4] *en fer forgé, auquel sont accrochés des oies, des canards, des paons blancs*[5]*. Dans de grands vases de faïence, de hauts bouquets de fleurs naïves*[6]*, principalement des tournesols jaunes. Du même côté, second plan, immense cheminée devant laquelle, entre de monstrueux chenets*[7]*,*
10 *dont chacun supporte une petite marmite, les rôtis pleurent*[8] *dans les lèchefrites*[9]*.*

À droite, premier plan avec porte. Deuxième plan, un escalier montant à une petite salle en soupente[10]*, dont on aperçoit l'intérieur par des volets ouverts ; une table y est dressée, un menu*[11] *lustre*[12] *fla-*
15 *mand*[13] *y luit : c'est un réduit*[14] *où l'on va manger et boire. Une*

---

1. *rôtisserie* : lieu on l'on vend des viandes que l'on a fait rôtir.
2. ouvroir : lieu de travail en commun.
3. au coin de la rue Saint-Honoré et de la rue de l'Arbre-Sec : c'est-à-dire au carrefour dit Croix-du-Trahoir (dans l'actuel Ier arrondissement de Paris), près du cabaret *la Croix-du-Trahoir*, qui est mentionné au vers 850 (la rue de l'Arbre-Sec part toujours de la rue Saint-Honoré, jusqu'au quai du Louvre, à hauteur du Pont-Neuf).
4. dais : (ici) ouvrage qui s'étend comme une sorte de plafond et surplombe le comptoir.
5. paons blancs : Littré ne définit le paon blanc que comme *« oiseau du Nord »*. En tout cas, il ne s'agit pas de l'oiseau domestique au beau plumage et à la fameuse queue en forme de roue.
6. fleurs naïves : fleurs naturelles, simples, courantes.
7. chenets : paire d'ustensiles destinés à tenir le bois soulevé dans le foyer d'une cheminée.
8. pleurent : dégoulinent, perdent et répandent leur jus et leur graisse (en ce sens, emploi créé par Rostand).
9. lèchefrites : récipients destinés à recevoir la graisse et le jus qui dégouttent de la viande qu'on fait rôtir.
10. soupente : local aménagé dans la hauteur d'une pièce ou sous un escalier.
11. menu : petit.
12. lustre : chandelier à plusieurs branches, qu'on suspend au plafond.
13. flamand : de Flandre.
14. réduit : enfoncement, petite pièce dans une plus grande, local sombre et exigu.

galerie de bois, faisant suite à l'escalier, semble mener à d'autres petites salles analogues[1].
Au milieu de la rôtisserie, un cercle de fer que l'on peut faire descendre avec une corde, et auquel de grosses pièces sont accro-
20 *chées, fait un lustre de gibier*[2].
Les fours, dans l'ombre, sous l'escalier, rougeoient[3]. *Des cuivres étincellent. Des broches tournent. Des pièces montées pyramident*[4], *des jambons pendent. C'est le coup de feu*[5] *matinal. Bousculade de marmitons*[6] *effarés*[7], *d'énormes cuisiniers et de minuscules gâte-sauce*[8],
25 *foisonnement de bonnets à plume de poulet ou à aile de pintade. On apporte, sur des plaques de tôle et des clayons*[9] *d'osier, des quinconces*[10] *de brioches, des villages*[11] *de petits fours.*
Des tables sont couvertes de gâteaux et de plats. D'autres, entourées de chaises, attendent les mangeurs et les buveurs.
30 *Une plus petite, dans un coin, disparaît sous les papiers. Ragueneau y est assis au lever du rideau; il écrit.*

1. analogues : semblables, pareilles.
2. gibier : animaux pris à la chasse.
3. rougeoient : offrent des reflets rouges.
4. pyramident : s'élèvent comme une pyramide.
5. coup de feu : moment où l'on est le plus occupé en cuisine.
6. marmitons : gens chargés des plus bas emplois en cuisine.
7. effarés : visiblement et manifestement troublés.
8. gâte-sauce : mauvais cuisiniers.
9. des clayons : des petites claies (entrecroisements de lattes) rondes de pâtissier.
10. quinconces : arrangements en forme d'échiquier.
11. villages : agglomérations, assemblements (à notre connaissance, Rostand est le premier écrivain à user de ce terme en un tel emploi).

SCÈNE PREMIÈRE. RAGUENEAU, PÂTISSIERS, *puis* LISE ; RAGUENEAU, *à la petite table, écrivant d'un air inspiré, et comptant sur ses doigts.*

PREMIER PÂTISSIER, *apportant une pièce montée.*
Fruits en nougat !

DEUXIÈME PÂTISSIER, *apportant un plat.*
Flan !

TROISIÈME PÂTISSIER, *apportant un rôti paré de plumes.*
Paon !

QUATRIÈME PÂTISSIER, *apportant une plaque de gâteaux.*
Roinsoles[1] !

CINQUIÈME PÂTISSIER, *apportant une sorte de terrine.*
Bœuf en daube !

RAGUENEAU, *cessant d'écrire et levant la tête.*
Sur les cuivres, déjà, glisse l'argent de l'aube !
615 Étouffe en toi le dieu qui chante, Ragueneau !
L'heure du luth[2] viendra. – c'est l'heure du fourneau[3] !

Il se lève. – À un cuisinier.

Vous, veuillez m'allonger cette sauce[4], elle est courte !

LE CUISINIER
De combien ?

RAGUENEAU
De trois pieds[5].

LE CUISINIER
Hein ?

---

1. *Roinsoles* : Rissoles (à l'origine, viandes hachées enveloppées dans de la pâte et frites ; mais on faisait aussi des rissoles avec des œufs, des légumes, des crèmes, des fruits, ce qui est ici le cas — comme l'indique la didascalie *« une plaque de gâteaux »*).
2. *luth* : instrument de musique proche de la guitare, et symbolisant l'inspiration, le talent poétique, mais en des genres moins élevés que ceux que l'on désigne (en un sens également figuré) par la lyre — dont il est question plus loin (v. 630).
3. *fourneau* : sorte de four.
4. *m'allonger cette sauce* : m'y ajouter du bouillon ou de l'eau, pour en diminuer ainsi la force et la rendre moins *« courte »*.
5. *pieds* : un pied valant 33 cm environ, *« trois pieds »* équivalent à 1 mètre (d'où l'étonnement du cuisinier). Mais en poésie, un pied désigne aussi une syllabe d'un vers.

PREMIER PÂTISSIER
La tarte !

DEUXIÈME PÂTISSIER
La tourte[1] !

RAGUENEAU, *devant la cheminée.*
Ma Muse[2], éloigne-toi, pour que tes yeux charmants
620 N'aillent pas se rougir au feu de ces sarments[3] !

À un pâtissier, lui montrant des pains.

Vous avez mal placé la fente de ces miches :
Au milieu la césure[4], – entre les hémistiches[5] !

À un autre, lui montrant un pâté inachevé.

À ce palais de croûte, il faut, vous, mettre un toit...

À un jeune apprenti, qui, assis par terre, embroche des volailles.

Et toi, sur cette broche interminable, toi,
625 Le modeste poulet et la dinde superbe,
Alterne-les, mon fils, comme le vieux Malherbe[6]
Alternait les grands vers avec les plus petits,
Et fais tourner au feu des strophes[7] de rôtis !

UN AUTRE APPRENTI, *s'avançant avec un plateau recouvert d'une assiette.*
Maître, en pensant à vous, dans le four, j'ai fait cuire
630 Ceci, qui vous plaira, je l'espère.

Il découvre le plateau, on voit une grande lyre• de pâtisserie.

---

1. *tourte* : pièce de pâtisserie dans laquelle on met des viandes, du poisson, etc., et qu'on sert chaudes ; Littré précise que *« tourte »* se dit quelquefois abusivement pour *« tarte »* (une tourte contenant toujours une garniture salée, une tarte pouvant contenir du salé ou du sacré).
2. *Ma Muse* : Mon inspiratrice (du nom des neufs déesses qui, dans l'Antiquité, présidaient aux arts dits *libéraux* : *cf.* les notes des v. 200-201).
3. *sarments* : bois des ceps de vigne.
4. *césure* : coupe à l'intérieur d'un vers, après une syllabe accentuée.
5. *hémistiches* : moitiés d'un vers.
6. *le vieux Malherbe* : François de Malherbe (1555-1628), poète officiel sous Henri IV et Louis XIII, qui, partisan d'une poétique faite d'harmonie, de clarté et de règles rigoureusement suivies, exprimant des thèmes plus éternels que personnels, a défini les bases du classicisme. L'adjectif *« vieux »*, pour un poète disparu seulement douze ans avant 1640, ne désigne pas l'ancienneté de sa disparition, mais l'âge, exceptionnellement avancé pour l'époque (73 ans), auquel il est décédé.
7. *strophes* : ensemble cohérent (selon les mètres ou les rimes) de plusieurs vers.

RAGUENEAU, *ébloui.*
Une lyre•!

L'APPRENTI
En pâte de brioche.

RAGUENEAU, *ému.*
Avec des fruits confits!

L'APPRENTI
Et les cordes, voyez, en sucre je les fis.

RAGUENEAU, *lui donnant de l'argent.*
Va boire à ma santé!

Apercevant Lise qui entre.
Chut! ma femme! Circule,
Et cache cet argent!

À Lise, lui montrant la lyre d'un air gêné.
C'est beau?

LISE
C'est ridicule!

Elle pose sur le comptoir une pile de sacs en papier.

RAGUENEAU
635 Des sacs?... Bon. Merci.

Il les regarde.
Ciel! Mes livres vénérés[1]!
Les vers de mes amis! déchirés! démembrés!
Pour en faire des sacs à mettre des croquantes[2]!
Ah! vous renouvelez Orphée[3] et les bacchantes[4]!

---

1. *vénérés* : presque religieusement respectés.
2. *croquantes* : gâteaux d'amandes séchées au four.
3. *Orphée* : dans la mythologie grecque, aède (poète) mythique de Thrace, fils du roi Œagre et de la Muse Calliope (et, à ce titre, protégé d'Apollon), dont le chant charmait dieux et mortels, apprivoisait les fauves, et même Cerbère, le chien à trois têtes gardien des Enfers, lorsqu'il y descendit pour obtenir le retour d'Eurydice, son épouse disparue.
4. *bacchantes* : équivalent latin des ménades grecques, nymphes du cortège de Bacchus (Dionysos); selon l'une des nombreuses versions de sa légende (particulièrement obscure), Orphée mourut en étant mis en pièces par les bacchantes, pour avoir refusé de substituer le culte de Bacchus à celui d'Apollon.

LISE, *sèchement.*

Eh! n'ai-je pas le droit d'utiliser vraiment
640 Ce que laissent ici, pour unique paiement[1],
Vos méchants[2] écriveurs[3] de lignes inégales[4]!

RAGUENEAU

Fourmi!... n'insulte pas ces divines cigales!

LISE

Avant de fréquenter ces gens-là, mon ami,
Vous ne m'appeliez pas bacchante, – ni fourmi!

RAGUENEAU

645 Avec des vers, faire cela!

LISE

Pas autre chose.

RAGUENEAU

Que faites-vous alors, madame, avec la prose?

SCÈNE 2. LES MÊMES, DEUX ENFANTS, *qui viennent d'entrer dans la pâtisserie.*

RAGUENEAU

Vous désirez, petits?

1. *pour unique paiement* : l'usage de payer en vers se trouve déjà dans le roman *La Vraie Histoire comique de Francion* (1626), dit *Le Francion*, de Charles Sorel, où Hortensius, le pédant professeur du héros, imagine ce procédé; mais on le trouve aussi chez Cyrano de Bergerac, dans *L'Autre Monde ou les États et Empires de la Lune* (posthume, 1657) : «*Après ce déjeuner* [...], *l'hôte reçut un papier de mon démon. Je lui demandai si c'était une obligation pour la valeur de l'écot* [part due par chacun pour un repas dont on partage les frais]. *Il me repartit que non; qu'il ne lui devait plus rien, et que c'étaient des vers. "Comment, des vers ? lui répliquai-je, les taverniers sont donc curieux en rimes ? — C'est, me dit-il, la monnaie du pays, et la dépense que nous venons de faire céans s'est trouvée monter à un sixain que je lui viens de donner. Je ne craignais pas de demeurer court, car quand nous ferions ici ripaille pendant huit jours, nous ne saurions dépenser un sonnet, et j'en ai quatre sur moi, avec deux épigrammes, deux odes et un églogue"*» (Belin, 1977, pp. 383-384).
2. *méchants* : mauvais.
3. *écriveurs* : qui écrivent beaucoup et volontiers (familier).
4. *inégales* : en longueur (selon la variété des mètres) comme en valeur (selon la qualité des vers).

PREMIER ENFANT

Trois pâtés.

RAGUENEAU, *les servant.*

Là, bien roux...

Et bien chauds.

DEUXIÈME ENFANT

S'il vous plaît, enveloppez-les nous?

RAGUENEAU, *saisi, à part.*

Hélas! un de mes sacs!

Aux enfants.

Que je les enveloppe?...

Il prend un sac et, au moment d'y mettre les pâtés, il lit.

650 ***«Tel Ulysse, le jour qu'il quitta Pénélope[1]...»***
Pas celui-ci!...

Il le met de côté et en prend un autre. Au moment d'y mettre les pâtés, il lit.

«Le blond Phœbus[2]...» Pas celui-là!

Même jeu.

LISE, *impatientée.*

Eh bien, qu'attendez-vous?

RAGUENEAU

Voilà, voilà, voilà!

Il en prend un troisième et se résigne.

Le sonnet• à Philis[3]!... mais c'est dur tout de même!

---

1. Tel Ulysse, le jour qu'il quitta Pénélope : Ulysse et Pénélope constituent un célèbre couple des épopées homériques, l'*Iliade* et surtout *l'Odyssée* (VIIIe s. av. J.-C.); Ulysse, roi d'Ithaque, l'un des plus vaillants combattants grecs de la guerre de Troie, ne regagne son île qu'après un éprouvant périple au terme duquel il retrouve, non sans peine, sa fidèle épouse Pénélope (*Cf.* les v. 2106, 2108, 2389 et 2399-2400).
2. Phœbus : surnom latinisé (variante : *Phébus*) du dieu grec Apollon, dieu de la Lumière (du grec *Phoibos* : *«le Pur, le Clair, le Brillant»*).
3. *Philis* : cette dédicataire au nom grec porte en fait un prénom de précieuse, qui est le surnom d'une des compagnes de la bergère Astrée dans *L'Astrée* d'Urfé, déjà mentionnée (*cf.* les notes du v. 24, de la didascalie précédant le v. 176 et du v. 411).

LISE

C'est heureux qu'il se soit décidé !

Haussant les épaules.

Nicodème[1] !

Elle monte sur une chaise et se met à ranger des plats sur une crédence[2].

RAGUENEAU, *profitant de ce qu'elle tourne le dos, rappelle les enfants déjà à la porte.*

655 Pst !... Petits !... Rendez-moi le sonnet• à Philis,
Au lieu de trois pâtés je vous en donne six.

Les enfants lui rendent le sac, prennent vivement les gâteaux et sortent. Ragueneau, défripant[3] le papier, se met à lire en déclamant[4].

« Philis !... » Sur ce doux nom, une tache de beurre !...
« Philis !... »

Cyrano entre brusquement.

SCÈNE 3. RAGUENEAU, LISE, CYRANO, *puis* LE MOUSQUETAIRE•

CYRANO

Quelle heure est-il ?

RAGUENEAU, *le saluant avec empressement.*

Six heures.

CYRANO, *avec émotion.*

Dans une heure !

Il va et vient dans la boutique...

RAGUENEAU, *le suivant.*

Bravo ! J'ai vu...

CYRANO

Quoi donc !

---

1. *Nicodème* : Homme simple et borné, niais.
2. *une crédence* : un buffet, un garde-manger.
3. défripant : défroissant.
4. en déclamant : en récitant à haute voix, avec le ton et les accents qui conviennent.

RAGUENEAU
Votre combat !...

CYRANO
Lequel ?

RAGUENEAU
660 Celui de l'hôtel de Bourgogne !

CYRANO, *avec dédain•.*
Ah !... Le duel !...

RAGUENEAU, *admiratif.*
Oui, le duel en vers !...

LISE
Il en a plein la bouche !

CYRANO
Allons ! tant mieux !

RAGUENEAU, *se fendant• avec une broche qu'il a saisie.*
« À la fin de l'envoi•, je touche !...
À la fin de l'envoi, je touche !... » Que c'est beau !

Avec un enthousiasme croissant.

« À la fin de l'envoi... »

CYRANO
Quelle heure, Ragueneau ?

RAGUENEAU, *restant fendu• pour regarder l'horloge.*
665 Six heures cinq !... ***« ... je touche ! »***

Il se relève.

Oh ! faire une ballade !

LISE, *à Cyrano, qui en passant devant son comptoir lui a serré distraitement la main.*
Qu'avez-vous à la main ?

CYRANO
Rien. Une estafilade[1].

---

1. *estafilade* : grande coupure.

RAGUENEAU
Courûtes-vous quelque péril•?

CYRANO
Aucun péril.

LISE, *le menaçant du doigt.*
Je crois que vous mentez !

CYRANO
Mon nez remuerait-il ?
Il faudrait que ce fût pour un mensonge énorme !

Changeant de ton.

670 J'attends ici quelqu'un. Si ce n'est pas sous l'orme [1],
Vous nous laisserez seuls.

RAGUENEAU
C'est que je ne peux pas ;
Mes rimeurs vont venir...

LISE, *ironique.*
Pour leur premier repas !

CYRANO
Tu les éloigneras quand je te ferai signe.
L'heure ?

RAGUENEAU
Six heures dix.

CYRANO, *s'asseyant nerveusement à la table de Ragueneau et prenant du papier.*
Une plume ?...

RAGUENEAU, *lui offrant celle qu'il a à son oreille.*
De cygne.

---

1. *Si ce n'est pas sous l'orme* : S'il ne s'agit pas d'un rendez-vous volontairement manqué (familièrement, d'un «*lapin*»); Littré précise : «*L'expression "Attendez-moi sous l'orme" se dit quand on donne un rendez-vous auquel on n'a pas dessein* [intention] *de se trouver (l'origine de ce dicton vient de ce que les justices seigneuriales se tenaient généralement aux portes des châteaux et palais, sous un orme qui y était planté ; il arrivait souvent que les parties assignées manquaient aux rendez-vous et se faisaient attendre sous l'orme).*»

UN MOUSQUETAIRE•, *superbement moustachu, entre et d'une voix de stentor*[1].

675 Salut !

Lise remonte vivement vers lui.

CYRANO, *se retournant.*

Qu'est-ce ?

RAGUENEAU

Un ami de ma femme. Un guerrier
Terrible, à ce qu'il dit !...

CYRANO, *reprenant la plume et éloignant du geste Ragueneau.*

Chut !...

À lui-même.

Écrire, plier. –
Lui donner, – me sauver...

Jetant la plume.

Lâche !... Mais que je meure,
Si j'ose lui parler, lui dire un seul mot...

À Ragueneau.

L'heure ?

RAGUENEAU

Six et quart !...

CYRANO, *frappant sa poitrine.*

...un seul mot de tous ceux que j'ai là !
680 Tandis qu'en écrivant...

Il reprend la plume.

Eh bien ! écrivons-la,
Cette lettre d'amour qu'en moi-même j'ai faite
Et refaite cent fois, de sorte qu'elle est prête,
Et que mettant mon âme à côté du papier,
Je n'ai tout simplement qu'à la recopier.

Il écrit. – Derrière le virage de la porte on voit s'agiter des silhouettes maigres et hésitantes.

---

1. d'une voix de stentor : d'une voix forte et retentissante (du nom d'un guerrier grec de la guerre de Troie, dont la voix était si éclatante qu'elle faisait plus de bruit que celle de cinquante hommes).

Questions

Compréhension

1. *Combien de temps s'est-il écoulé entre la fin de l'acte I et le début de l'acte II ? Quel vers de l'acte II nous l'indique ?*

2. *Quels thèmes assurent l'unité de ces trois premières scènes ?*

3. *Quel rôtisseur-pâtissier Ragueneau est-il en réalité, dès la première didascalie* de la scène 1 ? Que représente pour lui la nourriture ? Le savions-nous déjà ? Quelle est la nouveauté ici ?*

4. *Que signifie exactement, selon vous, le v. 616 ?*

5. *Pourquoi Ragueneau est-il* « ébloui » *puis* « ému » *par la lyre (v. 630-631) ?*

6. *Qu'est-ce qui caractérise Lise ?*

7. *À quel texte le v. 642 fait-il allusion ?*

8. *Comment l'impatience de Cyrano se manifeste-t-elle ? Manque-t-il pour autant d'ironie ? Justifiez vos réponses.*

9. *Pourquoi Cyrano se sent-il manifestement plus à l'aise à l'écrit qu'à l'oral ? Quels vers le montrent ?*

Écriture

10. *Étudiez la métrique* du v. 613.*

11. *Qu'ont de poétique (ou de comique) les v. 614 à 616 ?*

12. *Entre les v. 617 et 628, relevez le vocabulaire technique de la poésie appliqué aux préparations culinaires.*

Mise en scène

13. *Commentez les didascalies* des v. 662 et 665.*

14. *Le temps mentionné aux v. 665, 674 et 679 est-il le temps* « réel » *? Qu'en concluez-vous sur le temps théâtral ?*

15. *Quel décor pourrait* « illustrer » *la boutique de Ragueneau ?*

SCÈNE 4. RAGUENEAU, LISE, LE MOUSQUETAIRE•, CYRANO, *à la petite table, écrivant,* LES POÈTES, *vêtus de noir, les bas*[1] *tombants, couverts de boue.*

LISE, *entrant, à Ragueneau.*

685 Les voici, vos crottés !

PREMIER POÈTE, *entrant, à Ragueneau.*

Confrère !...

DEUXIÈME POÈTE, *de même, lui secouant les mains.*

Cher confrère !

TROISIÈME POÈTE

Aigle des pâtissiers !

Il renifle.

Ça sent bon dans votre aire[2].

QUATRIÈME POÈTE

Ô Phœbus-Rôtisseur !

CINQUIÈME POÈTE

Apollon maître queux[3] !

RAGUENEAU, *entouré, embrassé, secoué.*

Comme on est tout de suite à son aise avec eux !

PREMIER POÈTE

Nous fûmes retardés par la foule attroupée

690 À la porte de Nesle...

DEUXIÈME POÈTE

Ouverts à coups d'épée,

Huit malandrins[4] sanglants illustraient[5] les pavés !

CYRANO, *levant une seconde la tête.*

Huit ?... Tiens, je croyais sept.

Il reprend sa lettre.

---

1. les bas : (aujourd'hui) les mi-bas (chaussettes montantes).
2. *aire* : surface plane de rocher où l'aigle fait son nid.
3. *maître queux* : cuisinier.
4. *malandrins* : pillards, brigands, vagabonds.
5. *illustraient* : (au sens propre) éclairaient.

RAGUENEAU, *à Cyrano.*
Est-ce que vous savez
Le héros du combat?

CYRANO, *négligemment.*
Moi?... Non!

LISE, *au mousquetaire*•.
Et vous?

LE MOUSQUETAIRE, *se frisant la moustache.*
Peut-être!

CYRANO, *écrivant à part, – on l'entend murmurer de temps en temps.*
Je vous aime...

PREMIER POÈTE
Un seul homme, assurait-on, sut mettre
695 Toute une bande en fuite!...

DEUXIÈME POÈTE
Oh! c'était curieux!
Des piques, des bâtons jonchaient[1] le sol!...

CYRANO, *écrivant.*
... Vos yeux...

TROISIÈME POÈTE
On trouvait des chapeaux jusqu'au quai des Orfèvres[2]!

PREMIER POÈTE
Sapristi! ce dut être un féroce...

CYRANO, *même jeu.*
... vos lèvres...

PREMIER POÈTE
Un terrible géant, l'auteur de ces exploits!

---

1. *jonchaient* : couvraient.
2. *quai des Orfèvres* : ce quai de Paris (existant toujours, entre le Pont-Neuf et le pont Saint-Michel, dans l'actuel Ier arrondissement, et célèbre aujourd'hui pour abriter les locaux de la Police judiciaire) borde l'île de la Cité, en face du quai des Grands Augustins, mais se trouve à plusieurs centaines de mètres des quais Malaquais et Conti, où se situait la Porte de Nesle (*cf.* la note du v. 160).

CYRANO, *même jeu.*

700 *... Et je m'évanouis de peur quand je vous vois.*

DEUXIEME POÈTE, *happant*[1] *un gâteau.*

Qu'as-tu rimé de neuf, Ragueneau?

CYRANO

qui vous aime...

Il s'arrête au moment de signer, et se lève, mettant sa lettre dans son pourpoint•.

Pas besoin de signer. Je la donne moi-même.

RAGUENEAU, *au deuxième poète.*

J'ai mis une recette en vers.

TROISIÈME POÈTE, *s'installant près d'un plateau de choux à la crème.*

Oyons[2] ces vers!

QUATRIÈME POÈTE, *regardant une brioche qu'il a prise.*

Cette brioche a mis son bonnet de travers.

Il la décoiffe d'un coup de dents.

PREMIER POÈTE

705 Ce pain d'épice suit le rimeur famélique[3],
De ses yeux en amande aux sourcils d'angélique[4]!

Il happe le morceau de pain d'épice.

DEUXIÈME POÈTE

Nous écoutons.

TROISIÈME POÈTE, *serrant légèrement un chou entre ses doigts.*

Le chou bave sa crème. Il rit.

DEUXIÈME POÈTE, *mordant à même la grande lyre de pâtisserie.*

Pour la première fois la Lyre me nourrit!

---

1. happant : saisissant, attrapant vivement.
2. *Oyons* : Écoutons.
3. *famélique* : qui a souvent faim, faute d'avoir de quoi manger.
4. *angélique* : bonbon fait avec les tiges encore vertes de la plante du même nom.
5. assuré : bien fixé, solidement mis.

RAGUENEAU, *qui s'est préparé à réciter, qui a toussé, assuré[5] son bonnet, pris une pose.*
Une recette en vers...

DEUXIÈME POÈTE, *au premier, lui donnant un coup de coude.*
Tu déjeunes[1] ?

PREMIER POÈTE, *au deuxième.*
Tu dînes[2] ?

RAGUENEAU

710 **Comment on fait les tartelettes amandines**[3].
Battez, pour qu'ils soient mousseux,
Quelques œufs ;
Incorporez à leur mousse
Un jus de cédrat[4] choisi ;
715 Versez-y
Un bon lait d'amande douce ;
Mettez de la pâte à flan
Dans le flanc[5]
De moules à tartelette ;
720 D'un doigt preste[6], abricotez[7]
Les côtés ;
Versez goutte à gouttelette
Votre mousse en ces puits, puis
Que ces puits
725 Passent au four, et, blondines[8],
Sortant en gais troupelets[9],
Ce sont les
Tartelettes amandines !

LES POÈTES, *la bouche pleine.*
Exquis ! Délicieux !

---

1. *déjeunes* : prends ton petit déjeuner (repas du matin).
2. *dînes* : déjeunes (repas de midi).
3. amandines : qui contiennent des amandes.
4. *cédrat* : variété de citron.
5. *le flanc* : le sein, le creux, l'intérieur.
6. *preste* : agile, rapide.
7. *abricotez* : recouvrez d'abricots entourés de sucre.
8. *blondines* : aux reflets blonds.
9. *troupelets* : petits troupeaux (néologisme créé, semble-t-il, par Rostand).

UN POÈTE, *s'étouffant.*
Homph!

Ils remontent vers le fond, en mangeant. Cyrano, qui a observé s'avance vers Ragueneau.

CYRANO
Bercés par ta voix,
730 Ne vois-tu pas comme ils s'empiffrent[1]?

RAGUENEAU, *plus bas, avec un sourire.*
Je le vois...
Sans regarder, de peur que cela ne les trouble;
Et dire ainsi mes vers me donne un plaisir double,
Puisque je satisfais un doux faible que j'ai
Tout en laissant manger ceux qui n'ont pas mangé!

CYRANO, *lui frappant sur l'épaule.*
735 Toi, tu me plais!...

Ragueneau va rejoindre ses amis. Cyrano le suit des yeux, puis un peu brusquement.

Hé là, Lise?

Lise, en conversation tendre avec le mousquetaire•, tressaille• et descend vers Cyrano.

Ce capitaine...
Vous assiège?

LISE, *offensée*[2].
Oh! mes yeux, d'une œillade[3] hautaine•
Savent vaincre quiconque attaque mes vertus.

CYRANO
Euh! pour des yeux vainqueurs, je les trouve battus.

LISE, *suffoquée*[4].
Mais...

CYRANO, *nettement.*
Ragueneau me plaît. C'est pourquoi, dame Lise,

1. *s'empiffrent* : se bourrent de nourriture.
2. offensée : blessée, vexée, fâchée.
3. *d'une œillade* : d'un coup d'œil rapidement et volontairement lancé.
4. suffoquée : interloquée, indignée au point d'en perdre la respiration.

740 Je défends que quelqu'un le ridicoculise[1].

LISE

Mais...

CYRANO, *qui a élevé la voix assez pour être entendu du galant[2].*

À bon entendeur...

Il salue le mousquetaire•, et va se mettre en observation, à la porte du fond, après avoir regardé l'horloge.

LISE, *au mousquetaire qui a simplement rendu son salut à Cyrano.*

Vraiment, vous m'étonnez!
Répondez... sur son nez...

LE MOUSQUETAIRE

Sur son nez... sur son nez...

Il s'éloigne vivement. Lise le suit.

CYRANO, *de la porte du fond, faisant signe à Ragueneau d'emmener les poètes.*

Pst!...

RAGUENEAU, *montrant aux poètes la porte de droite.*
Nous serons bien mieux par là...

CYRANO, *s'impatientant.*

Pst! pst!...

RAGUENEAU, *les entraînant.*

Pour lire
Des vers...

PREMIER POÈTE, *désespéré, la bouche pleine.*
Mais les gâteaux!...

---

1. *ridicoculise* : mot-valise (c'est-à-dire mot composé d'éléments non signifiants de plusieurs mots) rassemblant «*ridiculise*», «*cocu*» et «*Lise*».
2. du galant : de l'homme à femmes (en l'espèce, du mousquetaire).

DEUXIÈME POÈTE

Emportons-les !

Ils sortent tous derrière Ragueneau, processionnellement[1], *et après avoir fait une rafle*[2] *de plateaux.*

SCÈNE 5. CYRANO, ROXANE, LA DUÈGNE•

CYRANO

Je tire

745 Ma lettre si je sens seulement qu'il y a
Le moindre espoir !...

Roxane, masquée, suivie de la duègne, paraît derrière le vitrage. Il ouvre vivement la porte.

Entrez !...

Marchant sur la duègne.

Vous, deux mots, duègna[3] !

LA DUÈGNE

Quatre.

CYRANO

Êtes-vous gourmande ?

LA DUÈGNE

À m'en rendre malade.

CYRANO, *prenant vivement des sacs de papier sur le comptoir.*
Bon. Voici deux sonnets de monsieur Benserade[4]...

LA DUÈGNE, *piteuse*[5].

Heu !...

1. processionnellement : comme en procession, en marchant en une longue file.
2. une rafle : un vol, un enlèvement.
3. *duègna* : forme espagnole francisée *(Dueña)* de « *duègne* ».
4. Benserade : Isaac Benserade ou Bensserade (1613-1691), surnommé « *le beau Benserade* », poète mondain aujourd'hui oublié, mais très influent au XVIIe s. Protégé de Richelieu, soutenu par Mlle de Scudéry, cordialement détesté par Racine et Boileau, il se fit notamment connaître, en 1648, par son sonnet *Job*, opposé au *Sonnet d'Uranie* de Voiture, en une bataille littéraire où s'affrontèrent « jobelins » et « uranistes ». Mais il excella longtemps aussi dans l'écriture des livrets des comédies-ballets. Comptant ici pour 3 syllabes, son nom ne se prononce en fait qu'en 2 : « *Bens(e)/rade* ».
5. piteuse : honteuse et confuse.

CYRANO
... que je vous remplis de darioles[1].

LA DUÈGNE•, *changeant de figure.*
Hou!

CYRANO
750 Aimez-vous le gâteau qu'on nomme petit chou?

LA DUÈGNE, *avec dignité.*
Monsieur, j'en fais état[2], lorsqu'il est à la crème.

CYRANO
J'en plonge six pour vous dans le sein d'un poème
De Saint-Amant[3]! Et dans ces vers de Chapelain[4]
Je dépose un fragment, moins lourd, de poupelin[5].
755 – Ah! vous aimez les gâteaux frais?

LA DUÈGNE
J'en suis férue[6]!

CYRANO, *lui chargeant les bras de sacs remplis.*
Vous allez manger tous ceux-ci dans la rue.

LA DUÈGNE
Mais...

CYRANO, *la poussant dehors.*
Et ne revenez qu'après avoir fini!

Il referme la porte, redescend vers Roxane, et s'arrête, découvert[7], à une distance respectueuse.

---

1. *darioles* : pièces de pâtisserie faites de crème enfermée dans un petit rond de pâte.
2. *j'en fais état* : je les aime.
3. *Saint-Amant* : Antoine Girard de Saint-Amant (1594-1661), poète à la fois lyrique, satirique et burlesque, l'un des *Grotesques* ressuscités par Théophile Gautier (1844, chap. V).
4. *Chapelain* : Jean Chapelain (1595-1674), poète et surtout théoricien de la poésie, sorte de conseiller de Richelieu pour les Lettres, qui joua un rôle prépondérant dans la création de l'Académie française en 1634-1635 (lui aussi fut célébré dans *Les Grotesques* [chap. VIII]).
5. *poupelin* : pièce de four, pâtisserie délicate faite avec du beurre, du lait et des œufs frais, pétrie avec de la fleur de farine. On y mêle du sucre et de l'écorce de citron. Le poupelin se sert d'ordinaire avec la tourte.
6. *férue* : très éprise.
7. découvert : ayant la tête découverte, ayant ôté son feutre.

Questions

Compréhension

1. *Pourquoi les poètes sont-ils si aimables avec Ragueneau ? De celui-ci ou de ceux-là, qui se montre, en réalité, le plus poète ? Citez des vers et des didascalies* à l'appui de votre réponse. Que démontre donc ici Rostand ?*

2. *Ragueneau est-il dupe de cette situation ? Justifiez votre réponse.*

3. *Quelle fonction dramaturgique* habituelle les poètes assurent-ils ici ?*

4. *Comment comprenez-vous le v. 708 ?*

5. *Que signifie exactement, selon vous, le v. 616 ?*

6. *En quoi la recette de Ragueneau est-elle incomplète, au point de ne pas en constituer vraiment une ? Dans quelle mesure peut-on la lire comme un art poétique de Rostand ?*

7. *Que pensez-vous des réactions :*
a) de Cyrano face à Ragueneau (v. 735) ?
b) de Cyrano face à Lise (v. 735 à 741) ?
c) du mousquetaire (v. 742) ?

8. *Sur quoi repose le comique de la scène 5 ?*

9. *Pourquoi la duègne répond-elle* « Quatre » *(v. 747) ?*

Écriture

10. *Comment s'entremêlent, scène 4, récit du combat, écriture de la lettre et goinfrerie des poètes ? Dans quelle mesure ces trois éléments mêlent-ils trois genres littéraires ?*

11. *Étudiez la métrique* de la recette de Ragueneau (v. 710 à 728).*

12. *Commentez le mot-valise du v. 740.*

Les personnages

13. *Comment Cyrano met-il en scène son rendez-vous avec Roxane ? En quoi dirige-t-il ici trois expulsions successives ?*

SCÈNE 6. CYRANO, ROXANE, LA DUÈGNE•, *un instant.*

CYRANO

Que l'instant entre tous les instants soit béni
Où, cessant d'oublier qu'humblement je respire,
760 Vous venez jusqu'ici pour me dire... me dire?

ROXANE, *qui s'est démasquée.*

Mais tout d'abord merci, car ce drôle•, ce fat•
Qu'au brave jeu d'épée, hier, vous avez fait mat[1],
C'est lui qu'un grand seigneur... épris de moi...

CYRANO

De Guiche?

ROXANE, *baissant les yeux.*

Cherchait à m'imposer... comme mari...

CYRANO

Postiche[2]?

Saluant.

765 Je me suis donc battu, madame, et c'est tant mieux,
Non pour mon vilain nez, mais bien pour vos beaux yeux.

ROXANE

Puis... je voulais... Mais pour l'aveu que je viens faire
Il faut que je revoie en vous le... presque frère
Avec qui je jouais, dans le parc, près du lac!...

CYRANO

770 Oui... vous veniez tous les étés à Bergerac[3]!...

ROXANE

Les roseaux fournissaient le bois pour vos épées...

CYRANO

Et les maïs, les cheveux blonds pour vos poupées!

ROXANE

C'était le temps des jeux...

---

1. *fait mat* : vaincu (terme du jeu d'échecs, désignant la mise du roi hors de position, et donc la fin de la partie).
2. *Postiche* : Qui tient la place d'un autre.
3. *Bergerac* : chef-lieu d'arrondissement de la Dordogne – où jamais ne vécurent les modèles de Rostand (*cf. Cyrano de Bergerac*, au Lexique des personnages).

CYRANO
Des mûrons[1] aigrelets[2]...

ROXANE
Le temps où vous faisiez tout ce que je voulais!...

CYRANO
775 Roxane, en jupons courts, s'appelait Madeleine...

ROXANE
J'étais jolie, alors?

CYRANO
Vous n'étiez pas vilaine.

ROXANE
Parfois, la main en sang de quelque grimpement,
Vous accouriez! Alors, jouant à la maman,
Je disais d'une voix qui tâchait d'être dure :

Elle lui prend la main.

780 « Qu'est-ce que c'est encor que cette égratignure? »

Elle s'arrête, stupéfaite.

Oh! C'est trop fort! Et celle-ci?

Cyrano veut retirer sa main.

Non! Montrez-là!
Hein? à votre âge, encor! – Où t'es-tu fait cela?

CYRANO
En jouant, du côté de la porte de Nesle.

ROXANE, *s'asseyant à une table, et trempant son mouchoir dans un verre d'eau.*
Donnez!

CYRANO, *s'asseyant aussi.*
Si gentiment! Si gaiement maternelle!

ROXANE
785 Et, dites-moi, pendant que j'ôte un peu le sang.
Ils étaient contre vous?

CYRANO
Oh! pas tout à fait cent.

1. *mûrons* : mûres (fruits des ronces).
2. *aigrelets* : un peu aigres, d'une acidité désagréable.

ROXANE

Racontez !

CYRANO

Non. Laissez. Mais vous, dites la chose
Que vous n'osiez tantôt me dire.

ROXANE, *sans quitter sa main.*

À présent, j'ose,
Car le passé m'encouragea de son parfum.
790 Oui, j'ose maintenant. Voilà. J'aime quelqu'un.

CYRANO

Ah !...

ROXANE

Qui ne le sait pas d'ailleurs.

CYRANO

Ah !...

ROXANE

Pas encore.

CYRANO

Ah !...

ROXANE

Mais qui va bientôt le savoir, s'il l'ignore.

CYRANO

Ah !...

ROXANE

Un pauvre garçon qui jusqu'ici m'aima
Timidement, de loin, sans oser le dire...

CYRANO

Ah !...

ROXANE

795 Laissez-moi votre main, voyons, elle a la fièvre. –
Mais moi, j'ai vu trembler les aveux sur sa lèvre.

CYRANO

Ah !...

ROXANE, *achevant de lui faire un petit bandage avec son mouchoir.*

Et figurez-vous, tenez, que, justement
Oui, mon cousin, il sert dans votre régiment !

CYRANO

Ah !...

ROXANE, *riant.*

Puisqu'il est cadet• dans votre compagnie !

CYRANO

800 Ah !...

ROXANE

Il a sur son front de l'esprit, du génie ;
Il est fier, noble, jeune, intrépide[1], beau...

CYRANO, *se levant tout pâle.*

Beau !

ROXANE

Quoi ? Qu'avez-vous ?

CYRANO

Moi, rien... C'est... c'est...

Il montre sa main, avec un sourire.

C'est ce bobo.

ROXANE

Enfin, je l'aime. Il faut d'ailleurs que je vous die[2]
Que je ne l'ai jamais vu qu'à la Comédie[3]...

CYRANO

805 Vous ne vous êtes donc pas parlé ?

ROXANE

Nos yeux seuls.

CYRANO

Mais comment savez-vous, alors ?

1. *intrépide* : sans crainte face au danger.
2. *que je vous die* : que je vous dise (forme de subjonctif déjà ancienne au XVIIe s.).
3. *qu'à la Comédie* : qu'au théâtre.

ROXANE

Sous les tilleuls
De la place Royale[1], on cause... Des bavardes
M'ont renseignée...

CYRANO

Il est cadet•?

ROXANE

Cadet aux gardes.

CYRANO

Son nom?

ROXANE

Baron• Christian de Neuvillette.

CYRANO

Hein?...
810 Il n'est pas aux cadets•.

ROXANE

Si, depuis ce matin :
Capitaine Carbon de Castel-Jaloux.

CYRANO

Vite,
Vite, on lance son cœur!... Mais, ma pauvre petite...

LA DUÈGNE•, *ouvrant la porte du fond.*
J'ai fini les gâteaux, monsieur de Bergerac!

CYRANO

Eh bien! lisez les vers imprimés sur le sac!

La duègne disparaît.

815 ... Ma pauvre enfant, vous qui n'aimez que le beau langage,
Bel esprit, – si c'était un profane[2], un sauvage?

---

1. *la place Royale* : l'actuelle place des Vosges, dans le IVe arrondissement de Paris, en plein Marais, haut lieu de la vie mondaine et aristocratique, créée (de 1605 à 1612) sous le règne d'Henri IV, donc toute récente à l'époque, et qui a donné son nom à une comédie de Pierre Corneille (1634).
2. *profane* : non initié aux subtilités des Lettres.

ROXANE
Non, il a les cheveux d'un héros de d'Urfé[1] !

CYRANO
S'il était aussi maldisant[2] que bien coiffé !

ROXANE
Non, tous les mots qu'il dit sont fins, je le devine !

CYRANO
820 Oui, tous les mots sont fins quand la moustache est fine.
Mais si c'était un sot !...

ROXANE, *frappant du pied.*
Eh bien ! j'en mourrais, là !

CYRANO, *après un temps.*
Vous m'avez fait venir pour me dire cela ?
Je n'en sens pas très bien l'utilité, madame.

ROXANE
Ah, c'est que quelqu'un hier m'a mis la mort dans l'âme,
825 Et me disant que tous, vous êtes tous Gascons•
Dans votre compagnie...

CYRANO
Et que nous provoquons
Tous les blancs-becs[3] qui, par faveur, se font admettre
Parmi les purs Gascons que nous sommes, sans l'être ?
C'est ce qu'on vous a dit ?

ROXANE
Et vous pensez si j'ai
830 Tremblé pour lui !

CYRANO, *entre ses dents.*
Non sans raison !

ROXANE
Mais j'ai songé,
Lorsque invincible et grand, hier, vous nous apparûtes,

---

1. *d'Urfé* : nouvelle mention, directe cette fois, de cet auteur cher à Rostand (*cf.* les notes du v. 24, de la didascalie précédant le v. 176, du v. 411 et du v. 653).
2. *maldisant* : non pas *« médisant » (« qui aime dire du mal des autres »)*, dont le terme est pourtant l'emploi archaïque, mais *« mal disant », « mal parlant » (« qui ne s'exprime pas aisément »)*. En ce sens, il s'agit d'un néologisme de Rostand.
3. *blancs-becs* : jeunes gens sans expérience (très familier).

Châtiant[1] ce coquin, tenant tête à ces brutes;
J'ai songé : s'il voulait, lui, que tous ils craindront...

CYRANO

C'est bien, je défendrai votre petit baron•.

ROXANE

835 Oh! n'est-ce pas que vous allez me le défendre?
J'ai toujours eu pour vous une amitié si tendre!

CYRANO

Oui. Oui.

ROXANE

Vous serez son ami?

CYRANO

Je le serai.

ROXANE

Et jamais il n'aura de duel?

CYRANO

C'est juré.

ROXANE

Oh! je vous aime bien. Il faut que je m'en aille.

Elle remet vivement son masque, une dentelle sur son front, et distraitement.

840 Mais vous ne m'avez pas raconté la bataille
De cette nuit. Vraiment ce dut être inouï[2]!...
– Dites-lui qu'il m'écrive.

Elle lui envoie un petit baiser de la main.

Oh! je vous aime!

CYRANO

Oui. Oui.

ROXANE

Cent hommes contre vous? – Allons, adieu. – Nous sommes

---

1. *Châtiant* : Punissant.
2. *inouï* : extraordinaire (tel qu'on n'avait jamais auparavant ouï ou entendu parler de rien de semblable).

De grands amis !

CYRANO

Oui, oui.

ROXANE

Qu'il m'écrive ! – Cent hommes !

845 Vous me direz plus tard. Maintenant, je ne puis.
Cent hommes ! Quel courage !

CYRANO, *la saluant.*

Oh, j'ai fait mieux depuis.

Elle sort. Cyrano reste immobile, les yeux à terre. Un silence. La porte de droite s'ouvre. Ragueneau passe sa tête.

Questions

Compréhension

1. *Quelles sont les sept étapes de cette scène ? Sur quel vers et quelle didascalie la scène bascule-t-elle ?*

2. *En quoi cette scène est-elle à la fois décisive, comique et pathétique ? Quels nœuds* apporte-t-elle à l'intrigue ?*

3. *Dans quelle mesure les v. 765-766 résument-ils parfaitement le personnage de Cyrano ?*

4. *Que remarquez-vous au v. 782 ?*

5. *Combien de fois répète-t-il* « Ah !... » *? Est-ce, à chaque fois, avec le même sens ? la même intonation ?*

6. *Que révèle la réponse de Roxanne, au v. 805 ?*

7. *Comment Cyrano appelle-t-il Roxane, aux v. 812 et 823 ? Qu'en concluez-vous ?*

8. *Quel mot, dans la didascalie* précédant le v. 840, montre l'égoïsme de Roxane ? En quoi son exclamation du v. 842 est-elle cruelle ?*

9. *Que traduit, chez Cyrano, la répétition de* « Oui, oui » *? Que signifie sa dernière réplique (v. 846) ? Et la dernière didascalie* ?*

Écriture

10. *Que pensez-vous des rimes des v. 801-802 ?*

11. *Retrouvez les synérèses* et les diérèses* aux vers 762, 831, 838 et 841.*

12. *Étudiez la ponctuation des répliques de Roxane, du v. 835 au v. 846 : qu'en concluez-vous ?*

Mise en scène / Mise en perspective

13. *Quelle est la fonction du retour de la duègne ?*

14. *Quel rôle joue la main de Cyrano dans cette scène ?*

SCÈNE 7. CYRANO, RAGUENEAU, LES POÈTES, CARBON DE CASTEL-JALOUX, LES CADETS•, LA FOULE, *etc.*, *puis* DE GUICHE

RAGUENEAU

Peut-on entrer?

CYRANO, *sans bouger.*

Oui...

Ragueneau fait signe et ses amis rentrent. En même temps, à la porte du fond paraît Carbon de Castel-Jaloux, costume de capitaine aux gardes•, qui fait de grands gestes en apercevant Cyrano.

CARBON DE CASTEL-JALOUX

Le voilà!

CYRANO, *levant la tête.*

Mon capitaine!...

CARBON, *exultant.*

Notre héros! Nous savons tout! Une trentaine
De mes cadets sont là!...

CYRANO, *reculant.*

Mais...

CARBON, *voulant l'entraîner.*

Viens! on veut te voir!

CYRANO

850 Non!

CARBON

Ils boivent en face, à *La Croix du Trahoir*[1].

CYRANO

Je...

1. La Croix du Trahoir : cet authentique cabaret était en effet proche de la rôtisserie de Ragueneau.

CARBON, *remontant à la porte, et criant à la cantonade*[1], *d'une voix de tonnerre.*

Le héros refuse. Il est d'humeur bourrue[2] !

UNE VOIX, *au-dehors.*

Ah ! Saindious ![3]

Tumulte au-dehors, bruit d'épées et de bottes qui se rapprochent.

CARBON, *se frottant les mains.*

Les voici qui traversent la rue !...

LES CADETS•, *entrant dans la rôtisserie.*

Mille dious ! – Capdedious ! – Mordious !• – Pocapdedious ![4]

RAGUENEAU, *reculant épouvanté.*

Messieurs, vous êtes donc tous de Gascogne !

LES CADETS

Tous !

UN CADET, *à Cyrano.*

855 Bravo !

CYRANO

Baron• !

UN AUTRE, *lui secouant les mains.*

Vivat ![5]

CYRANO

Baron !

TROISIÈME CADET•

Que je t'embrasse !

---

1. à la cantonade : aux coulisses, à des personnages qui ne sont pas en scène.
2. *bourrue* : brusque et chagrine, guère aimable.
3. *Saindious !* : version gasconne du juron « *Sangdieu !* », que les dictionnaires ne mentionnent pas mais qu'on trouve chez Alexandre Dumas, dans *Les Trois Mousquetaires* (1844, chap. III, *L'Audience*) : « *À ces paroles, le murmure de l'extérieur devint une explosion : partout on n'entendait que jurons et blasphèmes. Les* morbleu ! *les* sangdieu ! *les* morts de tous les diables ! *se croisaient dans l'air* » (« Le Livre de poche classique » n° 667, L.G.F., 1995, p. 95).
4. *Mille dious ! – Capdedious ! – Mordious ! – Pocapdedious !* : autres jurons gascons, où « *dious* » remplace « *dieux* ».
5. *Vivat !* : Bravo ! Cette interjection s'emploie pour applaudir quelqu'un, mais aussi pour lui souhaiter longue vie et prospérité.

CYRANO

Baron•!

PLUSIEURS GASCONS•

Embrassons-le!

CYRANO, *ne sachant auquel répondre.*

Baron... baron... de grâce...

RAGUENEAU

Vous êtes tous barons, messieurs!

LES CADETS•

Tous!

RAGUENEAU

Le sont-ils?

PREMIER CADET•

On ferait une tour rien qu'avec nos tortils[1]!

LE BRET, *entrant, et courant à Cyrano.*

On te cherche! Une foule en délire conduite

860 Par ceux qui cette nuit marchèrent à ta suite...

CYRANO, *épouvanté.*

Tu ne leur as pas dit où je me trouve?...

LE BRET, *se frottant les mains.*

Si!

UN BOURGEOIS•, *entrant, suivi d'un groupe.*

Monsieur, tout le Marais[2] se fait porter ici!

Au-dehors, la rue s'est emplie de monde. Des chaises à porteurs[3], des carrosses s'arrêtent.

LE BRET, *bas, souriant à Cyrano.*

Et Roxane?

CYRANO, *vivement.*

Tais-toi!

---

1. *tortils* : cordons qui se tortillent autour des couronnes des barons.
2. *le Marais* : quartier du centre de Paris (constitué aujourd'hui du sud du IIIe et de la quasi-totalité du IVe arrondissement), surtout aristocratique au XVIIe s.
3. *Des chaises à porteurs* : Des sièges fermés et couverts où l'on se fait porter par deux hommes.

LA FOULE, *criant dehors.*
Cyrano !...

Une cohue se précipite dans la pâtisserie. Bousculade. Acclamations.

RAGUENEAU, *debout sur une table.*
Ma boutique
Est envahie ! On casse tout ! C'est magnifique !

DES GENS, *autour de Cyrano.*
865 Mon ami... mon ami...

CYRANO
Je n'avais pas hier
Tant d'amis...

LE BRET, *ravi.*
Le succès !

UN PETIT MARQUIS•, *accourant, les mains tendues.*
Si tu savais, mon cher...

CYRANO
Si tu ?... Tu ?... Qu'est-ce donc qu'ensemble nous gardâmes ?

UN AUTRE
Je veux vous présenter, Monsieur, à quelques dames
Qui là, dans mon carrosse...

CYRANO, *froidement.*
Et vous d'abord, à moi,
870 Qui vous présentera ?

LE BRET, *stupéfait.*
Mais qu'as-tu donc ?

CYRANO
Tais-toi !

UN HOMME DE LETTRES, *avec un écritoire*[1].
Puis-je avoir des détails sur ?...

CYRANO
Non.

1. *écritoire* : petit meuble portatif où l'on met tout ce qui est nécessaire à écrire.

LE BRET, *lui poussant le coude.*
C'est Théophraste
Renaudot[1] ! l'inventeur de la gazette•.

CYRANO
Baste ![2]

LE BRET
Cette feuille où l'on fait tant de choses tenir !
On dit que cette idée a beaucoup d'avenir !

LE POÈTE, *s'avançant.*
875 Monsieur...

CYRANO
Encor• !

LE POÈTE
Je veux faire un pentacrostiche[3]
Sur votre nom...

QUELQU'UN, *s'avançant encore.*
Monsieur...

CYRANO
Assez !

Mouvement. On se range. De Guiche paraît, escorté d'officiers.

---

1. *Renaudot* : Théophraste Renaudot (1586-1653), qui fonda *La Gazette* (1635), tenue pour la première forme de journal en France (ce qui, historiquement, n'est d'ailleurs pas exact : *cf.* René et Suzanne Pilorget, *France baroque, France classique, 1589-1715*, II. Dictionnaire, « Bouquins », Laffont, 1995, art. « Gazette », pp. 457 à 459), puis dirigea *Le Mercure français* (le fameux « *Mercure françois* » évoqué par Cyrano au v. 994). Aujourd'hui encore, un prestigieux prix littéraire porte le nom de ce « gazetier ».
2. *Baste !* : Il n'importe !
3. *pentacrostiche* : quintuple acrostiche, c'est-à-dire poème composé d'autant de vers que le mot pris pour sujet comporte de lettres, chaque vers commençant par chacune des lettres de ce nom (la lecture, verticalement, de la première lettre de chaque vers permettant d'identifier le nom) ; un pentacrostiche est donc une suite de vers disposés de telle sorte qu'on y trouve cinq fois le nom qui fait le sujet de l'acrostiche, en partageant toute la pièce de vers en cinq parties différentes de haut en bas. En l'occurrence, composer un acrostiche sur le nom de Cyrano consiste à écrire un poème de six vers commençant respectivement par un C, un Y, un R, etc. ; et un pentacrostiche, à écrire un poème de trente vers répartis en ce même acrostiche répété cinq fois, en cinq strophes de six vers.

Cuigy, Brissaille, les officiers• qui sont partis avec Cyrano à la fin du premier acte. Cuigy vient vivement à Cyrano.

CUIGY, *à Cyrano.*
Monsieur De Guiche

Murmure. Tout le monde se range.

Vient de la part du maréchal de Gassion[1] !

DE GUICHE, *saluant Cyrano.*
... Qui tient à vous mander[2] son admiration
Pour le nouvel exploit dont le bruit vient de courre[3].

LA FOULE

880 Bravo !...

CYRANO, *s'inclinant.*
Le maréchal s'y connaît en bravoure[4].

DE GUICHE
Il n'aurait jamais cru le fait si ces messieurs
N'avaient pu lui jurer l'avoir vu.

CUIGY
De nos yeux !

LE BRET, *bas à Cyrano, qui a l'air absent.*
Mais...

CYRANO
Tais-toi !

LE BRET
Tu parais souffrir !

CYRANO, *tressaillant• et se redressant vivement.*
Devant ce monde ?

Sa moustache se hérisse ; il poitrine[5].

---

1. *maréchal de Gassion* : Jean de Gassion (1609-1647), qui commença sa carrière – exclusivement militaire – auprès de souverains étrangers ; s'étant mis au service du roi de France à partir de 1635, ce n'est qu'après sa décisive participation à la bataille de Rocroi (1643) qu'il fut fait maréchal de France — en même temps d'ailleurs que Turenne – et même conseiller d'État. Rostand commet donc là un léger anachronisme. Selon Le Bret, Gassion aurait cherché à s'attacher Cyrano de Bergerac.
2. *mander* : faire savoir.
3. *courre* : courir (ancien infinitif).
4. *bravoure* : courage.
5. poitrine : plastronne, parade.

Moi, souffrir?... Tu vas voir!

DE GUICHE, *auquel Cuigy a parlé à l'oreille.*
Votre carrière abonde[1]
885 De beaux exploits, déjà. – Vous servez chez ces fous
De Gascons•, n'est-ce pas?

CYRANO
Aux cadets•, oui.

UN CADET, *d'une voix terrible.*
Chez nous!

DE GUICHE, *regardant les Gascons, rangés derrière Cyrano.*
Ah! ah! Tous ces messieurs à la mine hautaine•,
Ce sont donc les fameux?...

CARBON DE CASTEL-JALOUX
Cyrano!

CYRANO
Capitaine?

CARBON
Puisque ma compagnie[2] est, je crois, au complet,
890 Veuillez la présenter au comte, s'il vous plaît.

CYRANO, *faisant deux pas vers De Guiche, et montrant les cadets.*
Ce sont les cadets de Gascogne
De Carbon de Castel-Jaloux;
Bretteurs• et menteurs sans vergogne[3],
Ce sont les cadets de Gascogne!
895 Parlant blason[4], lambel[5], bastogne[6],
Tous plus nobles que des filous[7],

---

1. *abonde* : regorge, foisonne.
2. *compagnie* : troupe commandée par un capitaine.
3. *sans vergogne* : sans honte.
4. *blason* : ensemble de ce qui compose l'écu armorial (relatif aux armoiries).
5. *lambel* : brisure qui se place dans les armoiries pour indiquer les branches cadettes.
6. *bastogne* : terme inconnu des dictionnaires; sans doute s'agit-il d'une invention de Rostand, calquée sur «*baston*» ou «*bâton*», désignant, en termes de blason, le tiers d'une colonne en brisure.
7. *filous* : voleurs adroits.

Ce sont les cadets• de Gascogne
De Carbon de Castel-Jaloux
Œil d'aigle, jambe de cigogne,
900 Moustache de chat, dents de loups,
Fendant• la canaille[1] qui grogne,
Œil d'aigle, jambe de cigogne,
Ils vont, – coiffés d'un vieux vigogne[2]
Dont la plume cache les trous! –
905 Œil d'aigle, jambe de cigogne,
Moustache de chat, dents de loups!

Perce-Bedaine et Casse-Trogne
Sont leurs sobriquets[3] les plus doux.
De gloire, leur âme est ivrogne,
910 Perce-Bedaine et Casse-Trogne,
Dans tous les endroits où l'on cogne
Ils se donnent des rendez-vous...
Perce-Bedaine et Casse-Trogne
Sont leurs sobriquets les plus doux!

915 Voici les cadets de Gascogne
Qui font cocus tous les jaloux!
Ô femme, adorable carogne[4],
Voici les cadets de Gascogne!
Que le vieil époux se renfrogne[5] :
920 Sonnez, clairons! chantez, coucous!
Voici les cadets de Gascogne
Qui font cocus tous les jaloux[6]!

DE GUICHE, *nonchalamment assis dans un fauteuil que Ragueneau a vite apporté.*
Un poète est un luxe, aujourd'hui, qu'on se donne.
– Voulez-vous être à moi[7]?

CYRANO
Non, Monsieur, à personne.

---

1. *canaille* : population méprisable.
2. *vigogne* : chapeau fait de la laine très fine du vigogne, sorte de lama élevé au Pérou.
3. *sobriquets* : surnoms.
4. *carogne* : femme hargneuse, méchante.
5. *se renfrogne* : contracte et plisse le visage en signe de mécontentement.
6. Ces quatre strophes constituent très exactement des triolets (*cf.* la note du v. 81).
7. *à moi* : à mon service, placé sous ma protection.

DE GUICHE

925 Votre verve[1] amusa mon oncle Richelieu,
Hier. Je veux vous servir auprès de lui.

LE BRET, *ébloui.*

Grand Dieu !

DE GUICHE

Vous avez bien rimé cinq actes, j'imagine ?

LE BRET, *à l'oreille de Cyrano.*

Tu vas faire jouer, mon cher, ton *Agrippine*[2] !

DE GUICHE

Portez-les-lui.

CYRANO, *tenté et un peu charmé.*

Vraiment...

DE GUICHE

Il est des plus experts,

930 Il vous corrigera seulement quelques vers...

CYRANO, *dont le visage s'est immédiatement rembruni*[3].

Impossible, Monsieur ; mon sang se coagule[4]
En pensant qu'on y peut changer une virgule.

DE GUICHE

Mais quand un vers lui plaît, en revanche, mon cher,
Il le paye très cher.

CYRANO

Il le paye moins cher

935 Que moi, lorsque j'ai fait un vers, et que je l'aime,
Je me le paye, en me le chantant à moi-même !

DE GUICHE

Vous êtes fier.

---

1. *verve* : chaleur d'imagination, capacité d'invention.
2. Agrippine : *La Mort d'Agrippine*, unique tragédie en vers de Cyrano de Bergerac, jouée en fait en 1653 – nouvel anachronisme – à l'Hôtel de Bourgogne, et qui fit scandale.
3. rembruni : renfermé (redevenu brun, sombre).
4. *se coagule* : se solidifie, cesse de couler.

CYRANO
Vraiment, vous l'avez remarqué ?

UN CADET, *entrant avec, enfilés à son épée, des chapeaux aux plumets*[1] *miteux*[2], *aux coiffes trouées, défoncées.*
Regarde, Cyrano ! ce matin, sur le quai,
Le bizarre gibier à plumes que nous prîmes !
940 Les feutres• des fuyards !...

CARBON
Des dépouilles opimes[3] !

TOUT LE MONDE, *riant.*
Ah ! Ah ! Ah !

CUIGY
Celui qui posta ces gueux•, ma foi,
Doit rager aujourd'hui.

BRISSAILLE
Sait-on qui c'est ?

DE GUICHE
C'est moi.

Les rires s'arrêtent.

Je les avais chargés de châtier[4], – besogne[5]
Qu'on ne fait pas soi-même, – un rimailleur[6] ivrogne.

Silence gêné.

LE CADET•, *à mi-voix, à Cyrano, lui montrant les feutres.*
945 Que faut-il qu'on en fasse ? Ils sont gras[7]... Un salmis[8] ?

CYRANO, *prenant l'épée où ils sont enfilés, et les faisant, dans un salut, tous glisser aux pieds de De Guiche.*
Monsieur, si vous voulez les rendre à vos amis ?

1. plumets : bouquets de plumes attachés aux chapeaux.
2. miteux : dévorés par les mites, pitoyables, misérables.
3. *dépouilles opimes* : dans l'Antiquité romaine, riches dépouilles (tout ce qu'on lui retire) d'un général ennemi tué par un général romain et que celui-ci remportait.
4. *châtier* : punir.
5. *besogne* : tâche.
6. *rimailleur* : auteur de mauvais vers.
7. *gras* : à la fois sales et gras.
8. *salmis* : ragoût de pièces de gibier déjà cuites à la broche.

DE GUICHE, *se levant et d'une voix brève.*
Ma chaise et mes porteurs, tout de suite : je monte.

À Cyrano, violemment.

Vous, Monsieur !...

UNE VOIX, *dans la rue, criant.*
Les porteurs de monseigneur le comte
De Guiche !

DE GUICHE, *qui s'est dominé, avec un sourire.*
... Avez-vous lu *Don Quichot*[1] ?

CYRANO
Je l'ai lu,
950 Et me découvre au nom de cet hurluberlu[2].

DE GUICHE
Veuillez donc méditer alors...

UN PORTEUR, *paraissant au fond.*
Voici la chaise.

DE GUICHE
Sur le chapitre des moulins[3] !

CYRANO, *saluant.*
Chapitre treize[4].

DE GUICHE
Car, lorsqu'on les attaque, il arrive souvent...

CYRANO
J'attaque donc des gens qui tournent à tout vent ?

---

1. Don Quichot : *Don Quichotte* (titre abrégé de *L'Ingénieux Hidalgo Don Quichotte de la Manche*), roman de l'écrivain espagnol Miguel de Cervantès, publié en deux parties (1605 et 1615) et très vite traduit en français (1614 et 1618), avec un immense succès.
2. *hurluberlu* : étourdi. Allusion au refus de Don Quichotte de se soumettre à la réalité, au nom de son inconsolable idéalisme.
3. *chapitre des moulins* : chapitre où Don Quichotte tente en vain de lutter contre des moulins à vent.
4. *Chapitre treize* : il s'agit, en réalité, du chapitre 8, dans la première partie (Rostand a choisi «*treize*» pour les besoins de la rime).

DE GUICHE

955 Qu'un moulinet[1] de leurs grands bras chargés de toiles
Vous lance dans la boue !...

CYRANO

Ou bien dans les étoiles !

De Guiche sort. On le voit remonter en chaise.
Les seigneurs s'éloignent en chuchotant.
Le Bret les réaccompagne[2]. La foule sort.

1. *moulinet* : rapide et large mouvement de rotation (destiné à parer les coups d'un adversaire).
2. réaccompagne : raccompagne.

Questions

Compréhension

1. *Quels sont ici les contrastes scéniques essentiels avec la scène précédente ?*

2. *Quelles sont les cinq étapes de cette scène ?*

3. *Sur quels contrastes repose-t-elle, entre les v. 847 et 890 ?*

4. *Que révèlent les exclamations de Ragueneau, v. 863-864 ?*

5. *Qu'ont d'ironique les v. 874 et 937 ?*

6. *Quelle est l'importance des didascalies* des v. 883-884 ?*

7. *Quels sont les « mérites » des cadets, d'après la présentation de Cyrano (v. 891 à 922) ?*

8. *Commentez les didascalies* des v. 926, 929 et 931.*

9. *Comment comprenez-vous les v. 934 à 936 ? À quelle fable de La Fontaine peuvent-ils faire songer ?*

10. *Que produit la réponse de De Guiche, au v. 942 ? Dans quelle mesure relance-t-elle l'action ? Quelles répliques confirment le caractère aristocratique du personnage ?*

11. *Documentez-vous sur Don Quichotte : quels points communs Cyrano et lui partagent-ils ?*

12. *Quelle aptitude de Cyrano sa dernière réplique (v. 956) confirme-t-elle ? Dans l'ensemble, son attitude face au neveu de Richelieu est-elle vraisemblable ?*

Écriture

13. *Étudiez la métrique* des v. 847, 848, 864, 935 et 936 : lesquels de ces vers offrent une métrique exactement identique ?*

14. *Quel mot est ici employé à deux reprises, respectivement en diérèse* puis en synérèse* ? Relevez deux autres diérèses.*

15. *En vous appuyant sur la définition donnée à la note du v. 81, vérifiez que la présentation des cadets est bien constituée de quatre triolets. De quel mètre* s'agit-il ?*

16. *Quel oxymore* relevez-vous, v. 917 ? Que révèle-t-il du rapport des cadets avec les femmes ? En va-t-il de même pour Cyrano, qui est ici leur porte-parole ?*

SCÈNE 8. CYRANO, LE BRET, LES CADETS•, *qui se sont attablés à droite et à gauche et auxquels on sert à boire et à manger.*

CYRANO, *saluant d'un air goguenard• ceux qui sortent sans oser le saluer.*
Messieurs... Messieurs... Messieurs...

LE BRET, *désolé, redescendant, les bras au ciel.*
Ah! dans quels jolis draps...

CYRANO
Oh! toi! tu vas grogner!

LE BRET
Enfin, tu conviendras
Qu'assassiner toujours la chance passagère,
960 Devient exagéré.

CYRANO
Eh bien oui, j'exagère!

LE BRET, *triomphant.*
Ah!

CYRANO
Mais pour le principe, et pour l'exemple aussi,
Je trouve qu'il est bon d'exagérer ainsi.

LE BRET
Si tu laissais un peu ton âme mousquetaire•[1],
La fortune et la gloire...

CYRANO
Et que faudrait-il faire?
965 Chercher un protecteur puissant, prendre un patron,
Et comme un lierre obscur qui circonvient[2] un tronc
Et s'en fait un tuteur[3] en lui léchant l'écorce,
Grimper par ruse au lieu de s'élever par force?
Non, merci. Dédier, comme tous ils le font,

1. *mousquetaire* : Rostand inaugure l'emploi du mot comme adjectif.
2. *circonvient* : entoure, prend de tous côtés.
3. *tuteur* : bâton servant à soutenir ou redresser une plante faible, tordue ou mal dirigée.

970 Des vers aux financiers? se changer en bouffon
Dans l'esprit vil[1] de voir, aux lèvres d'un ministre,
Naître un sourire, enfin, qui ne soit pas sinistre?
Non, merci. Déjeuner, chaque jour, d'un crapaud?
Avoir un ventre usé par la marche? une peau
975 Qui plus vite, à l'endroit des genoux, devient sale?
Exécuter des tours de souplesse dorsale[2]?
Non, merci. D'une main flatter la chèvre au cou
Cependant que, de l'autre, on arrose le chou,
Et, donneur de séné par désir de rhubarbe[3],
980 Avoir son encensoir[4], toujours, dans quelque barbe?
Non, merci. Se pousser de giron[5] en giron,
Devenir un petit grand homme dans un rond[6],
Et naviguer, avec des madrigaux[7] pour rames,
Et dans ses voiles des soupirs de vieilles dames?
985 Non, merci. Chez le bon éditeur de Sercy[8]
Faire éditer ses vers en payant? Non, merci.
S'aller faire nommer pape par les conciles[9]
Que dans des cabarets tiennent des imbéciles?
Non, merci. Travailler à se construire un nom
990 Sur un sonnet, au lieu d'en faire d'autres? Non,
Merci. Ne découvrir du talent qu'aux mazettes[10]?
Être terrorisé par de vagues gazettes•,
Et se dire sans cesse : « Oh! pourvu que je sois

---

1. *vil* : méprisable, abject, bas.
2. *dorsale* : du dos.
3. *donneur de séné par désir de rhubarbe* : acceptant de faire des concessions mutuelles ; allusion à l'expression « *Passez-moi la rhubarbe, je vous passerai le séné* » (le séné était une plante médicinale, et la rhubarbe est une plante comestible dont on fait tartes et confitures).
4. *Avoir son encensoir* : Prendre l'habitude d'adresser des éloges excessifs (un encensoir est un vase sacré dans lequel on brûle de l'encens).
5. *giron* : sein protecteur.
6. *rond* : cercle littéraire, salon mondain (ce vers peut viser aussi bien les contemporains de Rostand que ceux de Cyrano de Bergerac).
7. *madrigaux* : courtes pièces de vers exprimant une pensée ingénieuse et galante.
8. *Sercy* : Charles de Sercy, qui fut d'ailleurs l'éditeur de Cyrano de Bergerac. Rostand a révélé que ce vers visait Lemerre, qui lui édita ses *Musardises* (1890).
9. *conciles* : réunions, assemblées des évêques de l'Église catholique.
10. *mazettes* : méchants petits chevaux; personnes inhabiles à quelque jeu qui demande de la combinaison ou de l'adresse.

Dans les petits papiers du *Mercure François*[1] ? »
995 Non, merci. Calculer, avoir peur, être blême•,
Aimer mieux faire une visite[2] qu'un poème,
Rédiger des placets[3], se faire présenter ?
Non, merci ! non, merci ! non, merci ! Mais... chanter,
Rêver, rire, passer, être seul, être libre,
1000 Avoir l'œil qui regarde bien, la voix qui vibre,
Mettre, quand il vous plaît, son feutre• de travers,
Pour un oui, pour un non, se battre, – ou faire un vers !
Travailler sans souci de gloire ou de fortune,
À tel voyage, auquel on pense, dans la lune !
1005 N'écrire jamais rien qui de soi ne sortît,
Et, modeste d'ailleurs, se dire : mon petit,
Sois satisfait des fleurs, des fruits, même des feuilles,
Si c'est dans ton jardin à toi que tu les cueilles !
Puis, s'il advient d'un peu triompher, par hasard,
1010 Ne pas être obligé d'en rien rendre à César[4],
Vis-à-vis de soi-même en garder le mérite,
Bref, dédaignant[5] d'être le lierre parasite[6],
Lors même qu'on[7] n'est pas le chêne ou le tilleul,
Ne pas monter bien haut, peut-être, mais tout seul !

LE BRET

1015 Tout seul, soit ! mais non pas contre tous ! Comment diable
As-tu donc contracté[8] la manie[9] effroyable
De te faire toujours, partout, des ennemis ?

1. Mercure François : *Le Mercure français*, « journal » pas même annuel, fondé en 1611, dirigé par Jean Richer, puis par le père Joseph, enfin (de 1638 à 1648) par Théophraste Renaudot (*cf.* la note du v. 872). Peut-être Rostand confond-il volontairement *Le Mercure françois* (revue d'histoire devenue *Histoire de notre temps*), *Le Mercure galant* (revue littéraire devenue, au XVIIIe s., *Le Mercure de France*) et une revue symboliste de la fin du XIXe s., *Mercure de France*.

2. *une visite* : comme celles qu'est tenu de faire aux académiciens tout candidat à l'Académie française.

3. *des placets* : des demandes écrites de faveur ou d'intervention.

4. *rendre à César* : rappel de la formule de l'Évangile selon saint Luc (XX, 20-26, *in* Bible, Nouveau Testament : « *Eh bien, rendez à César ce qui est à César, et à Dieu ce qui est à Dieu* »), réaffirmant la séparation des pouvoirs politique et religieux, mais rappel détourné, dans la mesure où, ici, « *César* » désigne surtout le pouvoir dont pourrait dépendre un poète en quête de protecteur.

5. *dédaignant* : refusant.

6. *parasite* : qui se développe aux dépens de son environnement.

7. *Lors même qu'on* : Alors même qu'on, même si on.

8. *contracté* : pris.

9. *la manie* : l'habitude obsessionnelle.

CYRANO

À force de vous voir vous faire des amis,
Et rire à ces amis dont vous avez des foules,
1020 D'une bouche empruntée au derrière des poules!
J'aime raréfier sur mes pas les saluts,
Et m'écrie avec joie : un ennemi de plus!

LE BRET

Quelle aberration[1]?

CYRANO

Eh bien, oui c'est mon vice.
Déplaire est mon plaisir. J'aime qu'on me haïsse.
1025 Mon cher, si tu savais comme l'on marche mieux
Sous la pistolétade[2] excitante des yeux!
Comme, sur les pourpoints•, font d'amusantes taches
Le fiel[3] des envieux et la bave des lâches!
Vous, la molle amitié dont vous vous entourez,
1030 Ressemble à ces grands cols d'Italie, ajourés[4]
Et flottants, dans lesquels votre cou s'effémine :
On y est plus à l'aise... et de moins haute mine,
Car le front n'ayant pas de maintien ni de loi,
S'abandonne à pencher dans tous les sens. Mais moi,
1035 La Haine, chaque jour, me tuyaute et m'apprête[5]
La fraise[6] dont l'empois[7] force à lever la tête;
Chaque ennemi de plus est un nouveau godron[8]
Qui m'ajoute une gêne, et m'ajoute un rayon :
Car, pareille en tous points à la fraise espagnole,
1040 La Haine est un carcan[9], mais c'est une auréole[10]!

LE BRET, *après un silence, passant son bras sous le sien.*
Fais tout haut l'orgueilleux et l'amer, mais, tout bas,
Dis-moi tout simplement qu'elle ne t'aime pas!

---

1. *aberration* : folie, absurdité.
2. *pistolétade* : fusillade (néologisme créé par Rostand).
3. *Le fiel* : L'amertume mêlée de mauvaise humeur et de méchanceté.
4. *ajourés* : entrouverts, ornés d'une ouverture décorative.
5. *m'apprête* : me maintient plus fermement.
6. *fraise* : collerette plissée et empesée qui se portait au XVIe et au début du XVIIe s (*cf.* illustrations, pp. 36, 38).
7. *empois* : colle à base d'amidon.
8. *godron* : pli en rond qu'on faisait sur des manchettes empesées et sur des fraises.
9. *carcan* : collier de fer qui serre le cou.
10. *auréole* : couronne de gloire.

CYRANO, *vivement.*

Tais-toi !

Depuis un moment, Christian est entré, s'est mêlé aux cadets•; ceux-ci ne lui adressent pas la parole ; il a fini par s'asseoir seul à une petite table, où Lise le sert.

Cyrano (Jean Piat) et les Cadets de Gascogne à la Comédie-Française, 1964.

Questions

Compréhension

1. *Quels sont les deux pivots de cette scène ? S'agit-il du même sujet et du même ton dans les deux cas ?*

2. *Comment s'articule la tirade des* « Non, merci » ?

3. *Quel portrait de l'homme de lettres Cyrano y dresse-t-il ? Que dénonce-t-il précisément ? Quelle perception Rostand donne-t-il de la vie littéraire du* XVIIe *s. ?*

4. *Quels principes, quels élans Cyrano défend-il (v. 998 à 1014) ?*

5. *Le* « vice » *de Cyrano (v. 1023 à 1040) : comment s'articule cette tirade ? À quelle autre tirade (de l'acte I) fait-elle écho ?*

6. *Expliquez le vers 1040. Comment Cyrano le justifie-t-il préalablement (v. 1018 à 1022) ?*

7. *Quel(s) rôle(s) joue ici Le Bret ? Dans quelle mesure sa réplique finale (v. 1041-1042) dévoile-t-elle la vérité de Cyrano ? Qu'est-ce qui nous le confirme ?*

8. *Dans quelle autre scène Cyrano réplique-t-il* « Tais-toi ! » *? Pourquoi cet appel au silence ?*

Écriture

9. *Par quelle métaphore* Cyrano ouvre-t-il et conclut-il sa tirade des* « Non, merci » *?*

10. *Que remarquez-vous sur la place des* « Non, merci » *?*

11. *Quelle figure retrouve-t-on aux v. 982, 996 et 1024 ?*

12. *Quelles sont les deux métaphores* qui s'opposent dans les v. 1025 à 1040 ?*

Mise en scène / Mise en perspective

13. *Quel parallèle y a-t-il entre cette scène et la scène 6 de l'acte I ?*

14. *Comment expliquez-vous que certaines adaptations suppriment une partie de cette scène (notamment les v. 1023 à 1040) ?*

SCÈNE 9. CYRANO, LE BRET, LES CADETS•, CHRISTIAN DE NEUVILLETTE[1]

UN CADET, *assis à une table du fond, le verre à la main.*

Hé ! Cyrano !

Cyrano se retourne.

Le récit ?

CYRANO

Tout à l'heure !

Il remonte au bras de Le Bret. Ils causent bas.

LE CADET, *se levant et descendant.*

Le récit du combat ! Ce sera la meilleure

1045 Leçon

Il s'arrête devant la table où est Christian.

Pour ce timide apprentif[2] !

CHRISTIAN, *levant la tête.*

Apprentif ?

UN AUTRE CADET

Oui, septentrional[3] maladif !

CHRISTIAN

Maladif ?

PREMIER CADET, *goguenard•.*

Monsieur de Neuvillette, apprenez quelque chose :
C'est qu'il est un objet, chez nous, dont on ne cause
Pas plus que de cordon dans l'hôtel d'un pendu !

CHRISTIAN

1050 Qu'est-ce ?

1. Bizarrement, le personnage de Christian est ici mentionné intégralement (prénom et nom), contrairement à ses autres mentions dans les didascalies de la pièce (I, 2 ; II, 10 et 11 ; III, 4, 5, 6, 7, 8, 9, 10, 11 et 14 ; IV, 1, 8, 9).
2. *apprentif* : apprenti, novice.
3. septentrional : natif du Nord.

UN AUTRE CADET•, *d'une voix terrible.*

Regardez-moi !

Il pose trois fois, mystérieusement, son doigt sur son nez.

M'avez-vous entendu[1] ?

CHRISTIAN

Ah ! c'est le...

UN AUTRE

Chut !... jamais ce mot ne se profère[2] !

Il montre Cyrano qui cause au fond avec Le Bret.

Ou c'est à lui, là-bas, que l'on aurait affaire !

UN AUTRE, *qui, pendant qu'il était tourné vers les premiers, est venu sans bruit s'asseoir sur la table, dans son dos.*

Deux nasillards[3] par lui furent exterminés[4]
Parce qu'il lui déplut qu'ils parlassent du nez !

UN AUTRE, *d'une voix caverneuse, surgissant de sous la table où il s'est glissé à quatre pattes.*

1055 On ne peut faire, sans défuncter[5] avant l'âge,
La moindre allusion au fatal cartilage[6] !

UN AUTRE, *lui posant la main sur l'épaule.*

Un mot suffit ! Que dis-je, un mot ? Un geste, un seul !
Et tirer son mouchoir, c'est tirer son linceul[7] !

Silence. Tous autour de lui, les bras croisés, le regardent. Il se lève et va à Carbon de Castel-Jaloux qui, causant avec un officier•, a l'air de ne rien voir.

CHRISTIAN

Capitaine !

CARBON, *se retournant et le toisant.*

Monsieur !

1. *entendu* : compris.
2. *ne se profère* : ne se prononce à haute et intelligible voix.
3. *nasillards* : personnes qui nasillent, qui parlent du nez.
4. *exterminés* : supprimés, éliminés, tués.
5. *défuncter* : mourir (néologisme créé par Rostand).
6. *cartilage* : aile du nez.
7. *linceul* : sorte de drap dont on enveloppe un mort.

CHRISTIAN

Que fait-on quand on trouve

1060 Des Méridionaux[1] trop vantards?...

CARBON

On leur prouve

Qu'on peut être du Nord, et courageux.

Il lui tourne le dos.

CHRISTIAN

Merci.

PREMIER CADET•, *à Cyrano.*

Maintenant, ton récit!

TOUS

Son récit!

CYRANO, *redescend vers eux.*

Mon récit?...

Tous rapprochent leurs escabeaux, se groupe autour de lui, tendent le col. Christian s'est mis à cheval sur une chaise.

Eh bien! donc je marchais tout seul, à leur rencontre.
La lune, dans le ciel, luisait comme une montre,
1065 Quand soudain, je ne sais quel soigneux horloger
S'étant mis à passer un coton nuager[2]
Sur le boîtier d'argent de cette montre ronde,
Il se fit une nuit la plus noire du monde,
Et les quais n'étant pas du tout illuminés,
1070 Mordious•! on n'y voyait pas plus loin...

CHRISTIAN

Que son nez.

Silence. Tout le monde se lève lentement. On regarde Cyrano avec terreur. Celui-ci s'est interrompu. Stupéfait. Attente.

CYRANO

Qu'est-ce que c'est que cet homme-là!

UN CADET, *à mi-voix.*

C'est un homme

---

1. *Méridionaux* : natifs du Midi.
2. *nuager* : nuagé, qui offre des dessins représentant des nuages.

Arrivé ce matin.

CYRANO, *faisant un pas vers Christian.*
Ce matin?

CARBON, *à mi-voix.*
Il se nomme
Le baron• de Neuvil...

CYRANO, *vivement, s'arrêtant.*
Ah! c'est bien...

Il pâlit, rougit, a encore un mouvement pour se jeter sur Christian.

Je...

Puis il se domine, et dit d'une voix sourde.

Très bien...

Il reprend.

Je disais donc...

Avec un éclat de rage dans la voix.

Mordious!...•

Il continue d'un ton naturel.

Que l'on n'y voyait rien

Stupeur. On se rassied en se regardant.

1075 Et je marchais, songeant que pour un gueux• fort• mince
J'allais mécontenter quelque grand, quelque prince,
Qui m'aurait sûrement...

CHRISTIAN
Dans le nez...

Tout le monde se lève, Christian se balance sur sa chaise.

CYRANO, *d'une voix étranglée.*
Une dent...
Qui m'aurait une dent... et qu'en somme, imprudent,
J'allais fourrer...

CHRISTIAN
Le nez...

CYRANO
Le doigt... entre l'écorce
1080 Et l'arbre, car ce grand pouvait être de force

À me faire donner...

CHRISTIAN
Sur le nez...

CYRANO, *essuyant la sueur à son front.*
Sur les doigts.
Mais j'ajoutai : Marche, Gascon•, fais ce que dois[1] !
Va, Cyrano ! Et ce disant, je me hasarde,
Quand, dans l'ombre, quelqu'un me porte...

CHRISTIAN
Une nasarde[2].

CYRANO
1085 Je la pare[3], et soudain me trouve...

CHRISTIAN
Nez à nez...

CYRANO, *bondissant vers lui.*
Ventre-saint-gris[4] !

Tous les Gascons se précipitent pour voir; arrivé sur Christian, il se maîtrise et continue.

... Avec cent braillards avinés[5]
Qui puaient...

CHRISTIAN
À plein nez...

CYRANO, *blême• et souriant.*
L'oignon et la litharge[6] !
Je bondis, front baissé...

CHRISTIAN
Nez au vent !

---

1. *ce que dois* : ce que tu dois.
2. *nasarde* : chiquenaude, coup sur le nez.
3. *Je la pare* : Je l'esquive, je l'évite.
4. *Ventre-saint-gris* : sorte de juron familier d'Henri IV.
5. *braillards avinés* : hommes qui crient et sont ivres morts.
6. *litharge* : ancien nom du protoxyde de plomb, employé pour adoucir les vins trop aigres.

CYRANO

Et je charge !
J'en estomaque[1] deux ! J'en empale[2] un tout vif !
1090 Quelqu'un m'ajuste : Paf ! et je riposte...

CHRISTIAN

Pif !

CYRANO, *éclatant.*

Tonnerre ! Sortez tous !

Tous les cadets• se précipitent vers les portes.

PREMIER CADET

C'est le réveil du tigre !

CYRANO

Tous ! Et laissez-moi seul avec cet homme !

DEUXIÈME CADET

Bigre !
On va le retrouver en hachis !

RAGUENEAU

En hachis ?

UN AUTRE CADET

Dans un de vos pâtés !

RAGUENEAU

Je sens que je blanchis,
1095 Et que je m'amollis comme une serviette !

CARBON

Sortons !

UN AUTRE

Il n'en va pas laisser une miette !

UN AUTRE

Ce qui va se passer ici, j'en meurs d'effroi !

---

1. *estomaque* : offense, surprends, étonne ; sans doute Rostand emploie-t-il ici le mot au sens propre (*« frappe à l'estomac »*).
2. *empale* : pique, embroche, transperce.

UN AUTRE, *refermant la porte de droite.*
Quelque chose d'épouvantable !

Ils sont tous sortis, – soit par le fond, soit par les côtés; quelques-uns ont disparu par l'escalier. Cyrano et Christian restent face à face, et se regardent un moment.

SCÈNE 10. CYRANO, CHRISTIAN

CYRANO
Embrasse-moi !

CHRISTIAN
Monsieur...

CYRANO
Brave.

CHRISTIAN
Ah çà ! mais !...

CYRANO
Très brave. Je préfère.

CHRISTIAN
1100 Me direz-vous ?...

CYRANO
Embrasse-moi. Je suis son frère.

CHRISTIAN
De qui ?

CYRANO
Mais d'elle !

CHRISTIAN
Hein ?

CYRANO
Mais de Roxane !

CHRISTIAN, *courant à lui.*
Ciel !
Vous, son frère ?

CYRANO
Ou tout comme : un cousin fraternel.

CHRISTIAN
Elle vous a?...

CYRANO
Tout dit!

CHRISTIAN
M'aime-t-elle?

CYRANO
Peut-être!

CHRISTIAN, *lui prenant les mains.*
Comme je suis heureux, Monsieur, de vous connaître!

CYRANO
1105 Voilà ce qui s'appelle un sentiment soudain.

CHRISTIAN
Pardonnez-moi...

CYRANO, *le regardant, et lui mettant la main sur l'épaule.*
C'est vrai qu'il est beau, le gredin•!

CHRISTIAN
Si vous saviez, Monsieur, comme je vous admire!

CYRANO
Mais tous ces nez que vous m'avez...

CHRISTIAN
Je les retire!

CYRANO
Roxane attend ce soir une lettre...

CHRISTIAN
Hélas!

CYRANO
Quoi?

CHRISTIAN

1110 C'est me perdre que de cesser de rester coi[1] !

CYRANO

Comment ?

CHRISTIAN

Las[2] ! je suis sot à m'en tuer de honte.

CYRANO

Mais non, tu ne l'es pas, puisque tu t'en rends compte.
D'ailleurs, tu ne m'as pas attaqué comme un sot.

CHRISTIAN

Bah ! on trouve des mots quand on monte à l'assaut !
1115 Oui, j'ai certain esprit facile et militaire,
Mais je ne sais, devant les femmes, que me taire.
Oh ! leurs yeux, quand je passe, ont pour moi des bontés...

CYRANO

Leurs cœurs n'en ont-ils plus quand vous vous arrêtez ?

CHRISTIAN

Non ! car je suis de ceux, – je le sais... et je tremble ! –
1120 Qui ne savent parler d'amour...

CYRANO

Tiens !... Il me semble
Que si l'on eût pris soin de me mieux modeler[3],
J'aurais été de ceux qui savent en parler.

CHRISTIAN

Oh ! pouvoir exprimer les choses avec grâce !

CYRANO

Être un joli petit mousquetaire• qui passe !

CHRISTIAN

1125 Roxane est précieuse• et sûrement je vais
Désillusionner[4] Roxane !

---

1. *rester coi* : rester muet, ne pas parler (féminin : « *coite* »).
2. *Las* : Hélas.
3. *modeler* : façonner, constituer physiquement.
4. *Désillusionner* : Faire perdre ses illusions à, décevoir.

CYRANO, *regardant Christian.*
Si j'avais
Pour exprimer mon âme un pareil interprète !

CHRISTIAN, *avec désespoir.*
Il me faudrait de l'éloquence !

CYRANO, *brusquement.*
Je t'en prête !
Toi, du charme physique et vainqueur, prête-m'en :
1130 Et faisons à nous deux un héros de roman !

CHRISTIAN
Quoi ?

CYRANO
Te sens-tu de force à répéter les choses
Que chaque jour je t'apprendrai ?...

CHRISTIAN
Tu me proposes...

CYRANO
Roxane n'aura pas de désillusions !
Dis, veux-tu qu'à nous deux nous la séduisions ?
1135 Veux-tu sentir passer, de mon pourpoint• de buffle
Dans ton pourpoint brodé, l'âme que je t'insuffle[1] !

CHRISTIAN
Mais, Cyrano !...

CYRANO
Christian, veux-tu ?

CHRISTIAN
Tu me fais peur !

CYRANO
Puisque tu crains, tout seul, de refroidir son cœur,
Veux-tu que nous fassions – et bientôt tu l'embrases ! –
1140 Collaborer un peu tes lèvres et mes phrases ?

CHRISTIAN
Tes yeux brillent !...

1. *t'insuffle* : te communique par le souffle.

CYRANO
Veux-tu?...

CHRISTIAN
Quoi! Cela te ferait
Tant de plaisir?

CYRANO, *avec enivrement*[1].
Cela...

Se reprenant, et en artiste.

Cela m'amuserait!
C'est une expérience à tenter un poète.
Veux-tu me compléter et que je te complète?
1145 Tu marcheras, j'irai dans l'ombre à ton côté :
Je serai ton esprit, tu seras ma beauté.

CHRISTIAN
Mais la lettre qu'il faut, au plus tôt, lui remettre!
Je ne pourrai jamais...

CYRANO, *sortant de son pourpoint• la lettre qu'il a écrite.*
Tiens, la voilà, la lettre!

CHRISTIAN
Comment?

CYRANO
Hormis[2] l'adresse, il n'y manque plus rien.

CHRISTIAN
1150 Je...

CYRANO
Tu peux l'envoyer. Sois tranquille. Elle est bien.

CHRISTIAN
Vous aviez?...

---

1. enivrement : ivresse, griserie, transport.
2. *Hormis* : Sauf, excepté.

CYRANO

Nous avons toujours, nous, dans nos poches,
Des épîtres[1] à des Chloris[2]... de nos caboches[3],
Car nous sommes ceux-là qui pour amante n'ont
Que du rêve soufflé dans la bulle d'un nom!...
1155 Prends, et tu changeras en vérités ces feintes[4];
Je lançais au hasard ces aveux et ces plaintes :
Tu verras se poser tous ces oiseaux errants.
Tu verras que je fus dans cette lettre – prends! –
D'autant plus éloquent que j'étais moins sincère!
1160 Prends donc, et finissons!

CHRISTIAN

N'est-il pas nécessaire
De changer quelques mots? Écrite en divaguant,
Ira-t-elle à Roxane?

CYRANO

Elle ira comme un gant!

CHRISTIAN

Mais...

CYRANO

La crédulité[5] de l'amour-propre est telle,
Que Roxane croira que c'est écrit pour elle!

CHRISTIAN

1165 Ah! mon ami!

Il se jette dans les bras de Cyrano. Ils restent embrassés[6].

SCÈNE 11. CYRANO, CHRISTIAN, LES GASCONS•, LE MOUSQUETAIRE•, LISE.

UN CADET•, *entrouvrant la porte.*

Plus rien... Un silence de mort...
Je n'ose regarder...

1. *épîtres* : lettres.
2. *Chloris* : surnom poétique et précieux de la femme aimée.
3. *caboches* : têtes.
4. *feintes* : fictions, inventions, mensonges.
5. *crédulité* : confiance excessive.
6. *embrassés* : les bras dans les bras.

Il passe la tête.

Hein?

TOUS LES CADETS•, *entrant et voyant Cyrano et Christian qui s'embrassent.*

Ah!... Oh!...

UN CADET

C'est trop fort!

Consternation.

LE MOUSQUETAIRE•, *goguenard•.*

Ouais?...

CARBON

Notre démon[1] est doux comme un apôtre[2]!
Quand sur une narine on le frappe, il tend l'autre?

LE MOUSQUETAIRE

On peut donc lui parler de son nez, maintenant?

Appelant Lise, d'un air triomphant.

1170 Eh! Lise! Tu vas voir!

Humant l'air avec affectation[3].

Oh!... Oh!... c'est surprenant!
Quelle odeur!...

Allant à Cyrano, dont il regarde le nez avec impertinence.

Mais monsieur doit l'avoir reniflée?
Qu'est-ce que cela sent ici?

CYRANO, *le souffletant[4].*

La giroflée[5]!

Joie. Les cadets ont retrouvé Cyrano: ils font des culbutes.

RIDEAU

---

1. *démon* : diable.
2. *apôtre* : l'un des douze disciples et compagnons du Christ.
3. avec affectation : avec ostentation, de manière très visible.
4. le souffletant : le giflant.
5. *giroflée* : plante à fleurs jaunes ou rousses très odorantes, mais, surtout, marque des cinq doigts laissée par une gifle.

Questions

Compréhension

1. *Dans quelle mesure ces trois scènes forment-elles un tout ? Qu'ont-elles de décisif ?*

2. *Quelles sont les quatre étapes de la scène 9 ?*

3. *Qu'ont de comique les mises en garde répétées des cadets à Christian (v. 1047 à 1058) et leurs sombres prédictions (v. 1091 à 1098) ? Que soulignent-elles,* a posteriori, *chez Christian ?*

4. *Que révèle, sur les Gascons, la réponse de Carbon à Christian (v. 1060-1061) ?*

5. *Analysez l'échange entre Cyrano et Christian (v. 1070 à 1090). Que révèle-t-il du caractère de chacun ?*

6. *Quel effet la première réplique de la scène 10 crée-t-elle ? Comparez avec le début de la scène 11.*

7. *Que propose exactement Cyrano à Christian ? En quoi cette proposition est-elle liée à la double exclamation des v. 1123-1124 ? En quoi est-elle tragique ?*

8. *Pourquoi est-il important que cette proposition vienne de Cyrano ? Pourquoi Christian ne l'accepte-t-il pas tout de suite ? Pourquoi et comment s'y résout-il ?*

9. *Que révèlent les didascalies* du v. 1142 ? À partir de ce vers, quels principes personnels Cyrano ne respecte-t-il plus ? Dans quels vers ment-il délibérément ? Où avait-il commencé à le faire ?*

10. *Quelle image Carbon parodie-t-il au v. 1168 ?*

11. *Pourquoi y a-t-il* « consternation » *(entre les v. 1166 et 1167) puis* « joie » *(après le v. 1172) des cadets ? Quel trait de caractère le mousquetaire confirme-t-il à la scène 11 ?*

12. *Justifiez le titre de l'acte.*

Écriture

13. *Dans la scène 9, entre les v. 1070 et 1090, en quoi consiste la virtuosité de Rostand ?*

14. *Dans la scène 10, étudiez les alternances de tutoiement et de vouvoiement.*

15. *Quelle figure trouve-t-on au v. 1110? Que signifie ce vers?*

16. *Quel rythme les interventions de Christian impriment-elles à la scène 10?*

Mise en scène / Mise en perspective

17. *Sur quelles oppositions scéniques repose la réussite de la scène 9? Quel rôle y jouent les didascalies*?*

18. *Quelle est la fonction dramatique* du récit de Cyrano?*

Cyrano (Jean Piat) et Christian (Jacques Toja).
Mise en scène de Jacques Charon, Comédie-Française, 1964.

Bilan

L'action

• **Ce que nous savons**

Le lendemain de la « représentation à l'Hôtel de Bourgogne », *Cyrano arrive un peu en avance à la boutique de Ragueneau, lieu de son rendez-vous avec Roxane, pour y rédiger une* « lettre d'amour » *qu'il compte lui remettre. Mais, en un tête-à-tête cruel et émouvant, Cyrano apprend la vraie raison de ce rendez-vous : Roxane aime Christian, aperçu la veille, le temps d'un coup de foudre, et qui entre le jour même dans la compagnie des cadets. Or les cadets, tous gascons, mènent la vie dure à qui ne l'est pas, tel Christian : aussi Roxane demande-t-elle à son cousin de le protéger ; Cyrano, effondré mais digne, le lui promet.*

Surviennent Carbon et ses cadets, et une foule d'admirateurs venus féliciter Cyrano de son triomphe contre la centaine d'assaillants postés à la Porte de Nesle pour supprimer Lignière. De Guiche lui-même, commanditaire du complot, complimente Cyrano qui, à la demande de Carbon, lui présente la compagnie des cadets. Mais, alors qu'il se voit proposer la protection du comte et le parrainage littéraire de Richelieu, Cyrano s'y refuse avec insolence, provoquant le départ d'un De Guiche humilié.

Seul avec son ami Le Bret qui s'efforce de le convaincre des nécessités du réalisme face aux puissants, Cyrano s'insurge contre les compromissions de la vie littéraire et clame son exigence d'indépendance, en même temps que son plaisir à être haï des autres : prétextes, aux yeux de Le Bret, qui décèle que Cyrano est surtout cruellement déçu dans ses amours ...

Arrive Christian qui, bien que prévenu que le nez ne doit pas être nommé devant Cyrano, multiplie les provocations verbales et « nasales » *face à ce dernier faisant le récit de son combat nocturne. Contre toute attente, alors que, excédé, il a fait évacuer la salle, Cyrano tombe dans les bras de Christian, à qui il propose, un* « marché » *en réponse à son manque d'éloquence. C'est au prix de mensonges lourds de menaces pour l'avenir :* « Je serai ton esprit, tu seras ma beauté. » *Le pacte destiné à conquérir leur blonde précieuse et scellé par la remise, à Christian, de la lettre que Cyrano avait écrite à Roxane sans la lui remettre.*

Ce n'est qu'à l'issue de cet acte que l'exposition est vraiment achevée : le spectateur, désormais pleinement informé, peut comprendre la suite de l'action. Tout comme à l'acte I, l'attention du public reste accaparée surtout par Cyrano, présent des scènes 3 à 11 ; mais c'est maintenant le duo Christian-Cyrano qui suscite l'intérêt, face à Roxane la précieuse et au redoutable De Guiche.*

• À quoi nous attendre ?

1. *Quelle sera l'issue du pacte entre Cyrano et Christian ? Le duo Christian-Cyrano parviendra-t-il à déclarer son amour à Roxane, au-delà de cette première lettre ?*
2. *Comment Roxane réagira-t-elle face à la lettre de Christian-Cyrano ? Découvrira-t-elle l'imposture ?*
3. *Quelles représailles choisira De Guiche, après les réparties insolentes et humiliantes de Cyrano ?*

Les personnages

• Ce que nous savons

Cet acte est celui de la **confirmation** *de ce que nous savions ou pressentions de chacun des* **personnages principaux** *(toujours par ordre d'entrée en scène) :*
– **Ragueneau** *confirme, en action, qu'il se nourrit surtout de vers (alors qu'il nourrit les soi-disant poètes) ; homme public, il est le double «positif» de Cyrano : généreux sans agressivité, compréhensif sans illusion, admiratif sans jalousie ;*
– **Cyrano** *confirme le dualisme qui l'anime et que révélait la fin de l'acte I : homme privé digne et émouvant, désarmant et désarmé face à l'amour ; homme public agressif et fier, haïssable et haï face au regard des autres. Mais, surtout, en proposant son pacte à Christian, il contrevient, pour la première fois, à la franchise dont il se prétendait* «empanaché» *: même si c'est pour la bonne cause, ce mensonge amoureux ne peut aboutir qu'à une mésalliance des cœurs et une déchirure des existences.*
– **Roxane** *est la grande* «attraction» *de cet acte : n'ayant fait qu'une apparition muette à l'acte I, elle entre vraiment en action ici, en une seule mais décisive scène, où son égoïsme d'amoureuse fait le malheur de Cyrano ;*
– **De Guiche** *confirme sa distance tout aristocratique, en même temps qu'une certaine habileté : s'il se joint aux compliments adressés à Cyrano, ce n'est pas en son nom propre, mais en celui d'autrui ; sa réaction à l'humiliation publique que lui inflige Cyrano, en refusant sa protection, est conforme à son rang : ce n'est plus le protecteur de Valvert (comme à l'acte I), qui est atteint, mais le protégé – puisque le neveu – de Richelieu ;*
– **Le Bret** *confirme son rôle de confident, presque de psychanalyste, de Cyrano : les* «Tais-toi !» *que lui réplique son ami blessé et dépité confirment qu'il a vu juste et qu'il a tout compris ;*
– **Christian** *confirme son courage et son sens de l'honneur (en osant braver Cyrano), en même temps que ses complexes* «intellectuels» *; et, s'il accepte le pacte de Cyrano, ce n'est ni sans*

lucidité ni sans réticence : toutefois, lui aussi prend le parti du mensonge amoureux, en ne refusant pas la lettre de son « double ».

Parmi les **personnages secondaires**, *se détachent* **la duègne**, *dont les gourmandes apparitions préparent et détendent la scène essentielle de l'acte, et* **les poètes**, *véritables parasites, miroir inversé d'un Ragueneau fou de poésie mais dont ils n'aiment, eux, que la cuisine. N'oublions pas* **Lise** *et* **son mousquetaire**, *couple adultère presque public, en quête de plaisir sans amour, en cet acte débordant d'amour contenu par la peur (de décevoir, chez Christian), par la douleur (de n'être pas aimé, chez Cyrano), par le mensonge (du duo Christian-Cyrano). Quant à Carbon et ses cadets, certes pittoresques ici, leur heure véritable viendra, à l'acte IV.*

Dénominateur commun à l'évolution psychologique des personnages, cet acte est l'acte du lyrisme en échec, de la parole amoureuse (lue, dite ou écrite) à la fois nécessaire et impossible : Ragueneau, incapable de vivre sans poésie, Cyrano, incapable de dire son amour ni de le transmettre quand il l'écrit pourtant si facilement, et Christian, incapable ni de le dire ni de l'écrire ...

Cet acte confirme que l'amour vrai, celui, comme pour Roxane, des « yeux seuls », *est d'abord, au sens propre,* « inexprimable ». *Mais la vraie préciosité eut historiquement le mérite de souligner que l'amour ne peut se faire que s'il se dit : en une clarté et une facilité douloureuses pour Cyrano, réduit à passer des* « Ah !– » *aux* « Oui, oui » *puis aux révélateurs* « Tais-toi ! » *(cet acte est celui où Cyrano, malgré sa présentation des cadets et ses deux grandes tirades, est le moins éloquent car le plus amoureux), Roxane, la précieuse, est précisément la seule en cet acte à pouvoir dire son amour ; mais à charge, pour le duo Christian-Cyrano, d'en faire autant, donc d'en dire autant.*

Tel sera l'enjeu de l'acte III, celui de l'amour réconcilié avec l'éloquence, de l'amour enfin « exprimé » *: celui du lyrisme triomphant.*

• À quoi nous attendre ?

1. *Comment se comportera psychologiquement et moralement le duo Christian-Cyrano ? Comment se déroulera le face-à-face Christian-Cyrano / Roxane ?*

2. *Comment réagira De Guiche à ce nouvel affront ?*

Écriture

• Ce que nous savons

Cet acte confirme les partis pris de Rostand : abondance et minutie des didascalies, variété des registres d'écriture et des niveaux*

de langue, des coupes métriques et des images, alternance des scènes de foule et des scènes d'intimité, mélange des genres, des tons et des émotions. L'érudition (avec ses éventuels clins d'œil et anachronismes) n'y est guère moindre qu'à l'acte I.*
Le résultat est d'une virtuosité exceptionnelle, depuis le « ridicoculise » *du v. 740 jusqu'aux variations sur le* « nez » *des v. 1070 à 1090, en passant par la recette de Ragueneau ou la présentation des cadets – qui réintroduisent l'octosyllabe* au cœur des alexandrins*.*

• À quoi nous attendre?

1. *Rostand réussira-t-il à « tenir » le même niveau de qualité, dans l'écriture poétique comme dramaturgique, en ménageant à la fois le plaisir et l'intérêt du spectateur?*

2. *L'acte III s'annonce lyrique. Comment Rostand trouvera-t-il un moyen d'y exprimer sa verve comique?*

ACTE III

Le baiser de Roxane

Une petite place dans l'ancien Marais[1]*. Vieilles maisons. Perspectives de ruelles. À droite, la maison de Roxane et le mur de son jardin que débordent de larges feuillages. Au-dessus de la porte, fenêtre et balcon. Un bac devant le seuil.*
5 *Du lierre grimpe au mur, du jasmin*[2] *enguirlande*[3] *le balcon, frissonne et retombe.*
Par le banc et les pierres en saillie[4] *du mur, on peut facilement grimper au balcon.*
En face, une ancienne maison de même style, brique et pierre, avec
10 *une porte d'entrée. Le heurtoir*[5] *de cette porte est emmailloté de linge comme un pouce malade.*
Au lever de rideau, la duègne• *est assise sur le banc. La fenêtre est grande ouverte sur le balcon de Roxane.*
Près de la duègne se tient debout Ragueneau, vêtu d'une sorte de
15 *livrée*[6] *: il termine un récit, en s'essuyant les yeux.*

SCÈNE PREMIÈRE. RAGUENEAU, LA DUÈGNE, *puis* ROXANE, CYRANO *et* LES DEUX PAGES•

RAGUENEAU

... Et puis, elle est partie avec un mousquetaire•!
Seul, ruiné, je me pends. J'avais quitté la terre.
1175 Monsieur de Bergerac entre, et, me dépendant[7],
Me vient à sa cousine offrir comme intendant[8].

---

1. Marais : quartier aristocratique de Paris au XVIIe siècle (actuellement IIIe et IVe arrondissements de Paris).
2. jasmin : arbuste à fleurs odorantes blanches ou jaunes, parfois roses.
3. enguirlande : entoure à la manière d'une guirlande.
4. en saillie : débordant, se détachant.
5. heurtoir : marteau adapté à la porte d'une maison pour frapper (l'équivalent de nos sonnettes ou Interphones actuels).
6. livrée : costume de domestique.
7. *me dépendant* : me détachant de ma corde de pendu.
8. *intendant* : domestique chargé de diriger et d'administrer la maison d'une personne riche.

LA DUÈGNE•

Mais comment expliquer cette ruine où vous êtes ?

RAGUENEAU

Lise aimait les guerriers, et j'aimais les poètes !
Mars[1] mangeait les gâteaux que laissait Apollon[2] :
1180 – Alors, vous comprenez, cela ne fut pas long !

LA DUÈGNE, *se levant et appelant vers la fenêtre ouverte.*

Roxane, êtes-vous prête ?... On nous attend !

LA VOIX DE ROXANE, *par la fenêtre.*

Je passe
Une mante[3] !

LA DUÈGNE, *à Ragueneau, lui montrant la porte d'en face.*

C'est là qu'on nous attend, en face.
Chez Clomire[4]. Elle tient bureau[5], dans son réduit[6].
On y lit un discours sur le Tendre[7], aujourd'hui.

RAGUENEAU

1185 Sur le Tendre ?

LA DUÈGNE, *minaudant*[8].

Mais oui !

Criant vers la fenêtre.

---

1. *Mars* : dieu romain de la Guerre (correspondant au dieu grec Arès).
2. *Apollon* : dieu grec du Jour et du Soleil, protecteur des arts, notamment de la poésie et de la musique.
3. *mante* : ample cape portée par les femmes.
4. *Clomire* : d'après le *Dictionnaire des Prétieuses* de Somaize (1661), « *Clomire* » était le nom de précieuse de Mlle Clisson, mais celle-ci habitait l'île de la Cité ; en revanche, une certaine « *Cléomire* » habitait bien le Marais : il s'agissait de la fameuse marquise de Rambouillet (1588-1665), *alias* « *Arthénice* » précédemment, qui tint salon dans son Hôtel de Rambouillet, véritable « temple » de la future préciosité entre 1630 et 1645.
5. *bureau* : réunion littéraire.
6. *réduit* : lieu où s'assemblaient plusieurs personnes pour se divertir et s'entretenir.
7. *le Tendre* : le pays du Tendre, pays allégorique où l'on ne s'occupait que d'amour ; allusion à la fameuse carte du Tendre, symbolisme géographique traduisant l'évolution des sentiments amoureux selon les règles de la préciosité ; Rostand commet ici un nouvel anachronisme, puisque ce n'est qu'en 1654 que cette carte, imaginée lors d'un badinage de salon par Pellisson et Mlle de Scudéry, fut publiée par celle-ci dans *La Clélie* – raison aussi pour laquelle la préciosité elle-même ne date que de 1654.
8. minaudant : faisant des mines, des manières pour se rendre agréable.

Roxane, il faut descendre,
Ou nous allons manquer le discours sur le Tendre !

LA VOIX DE ROXANE

Je viens !

On entend un bruit d'instruments à cordes qui se rapproche.

LA VOIX DE CYRANO, *chantant dans la coulisse.*

La ! la ! la ! la !

LA DUÈGNE•, *surprise.*

On nous joue un morceau ?

CYRANO, *suivi de deux pages• porteurs de théorbes•.*

Je vous dis que la croche est triple[1], triple sot !

PREMIER PAGE, *ironique.*

Vous savez donc, Monsieur, si les croches sont triples ?

CYRANO

1190 Je suis musicien, comme tous les disciples[2]
De Gassendi[3] !

LE PAGE, *jouant et chantant.*

La ! la !

CYRANO, *lui arrachant sa théorbe et continuant la phrase musicale.*

Je peux continuer !

La ! la ! la ! la !

ROXANE, *paraissant sur le balcon.*

C'est vous ?

---

1. *la croche est triple* : c'est l'une des valeurs possibles de cette note ainsi nommée parce que sa queue porte un crochet (une croche dure le huitième d'une ronde ; chaque crochet supplémentaire indiquant une durée qui est la moitié de la durée précédente, une triple croche dure donc un trente-deuxième de ronde ; autrement dit, il y a 32 triples croches dans 1 ronde — laquelle vaut 2 blanches ou 4 noires ou 8 croches ou 16 doubles croches).
2. *disciples* : élèves.
3. *Gassendi* : Pierre Gassend, dit Gassendi (1592-1655), mathématicien, physicien, astronome et philosophe français, qui enseigna au Collège de France et fut en relation avec les grands savants de son temps (une célèbre polémique l'opposa à Descartes). Il tenta de concilier l'atomisme du philosophe grec Épicure (341-270 av. J.-C.) et le christianisme (alors que l'épicurisme était athée), et exerça une forte influence sur Cyrano de Bergerac, qui suivit probablement son enseignement. Gassendi aurait expliqué la hauteur des sons, d'où cette réplique de Cyrano.

CYRANO, *chantant sur l'air qu'il continue.*
Moi qui viens saluer
Vos lis[1], et présenter mes respects à vos ro...ses!

ROXANE

Je descends!

Elle quitte le balcon.

LA DUÈGNE•, *montrant les pages•.*
Qu'est-ce donc que ces deux virtuoses?

CYRANO

1195 C'est un pari que j'ai gagné sur d'Assoucy[2].
Nous discutions un point de grammaire. – Non! – Si! –
Quand soudain me montrant ces deux grands escogriffes[3]
Habiles à gratter les cordes de leurs griffes,
Et dont il fait toujours son escorte, il me dit :
1200 «Je te parie un jour de musique!» Il perdit.
Jusqu'à ce que Phœbus recommence son orbe[4],
J'ai donc sur mes talons ces joueurs de théorbe•,
De tout ce que je fais, harmonieux témoins!
Ce fut d'abord charmant, et ce l'est déjà moins.

Aux musiciens.

1205 Hep!... Allez de ma part jouer une pavane[5]
À Montfleury!

Les pages remontent pour sortir. – À la duègne.

Je viens demander à Roxane
Ainsi que• chaque soir...

Aux pages qui sortent.

Jouez longtemps, – et faux!

À la duègne.

---

1. *lis* : fleurs blanches, symboles de virginité et de pureté (la fleur de lis fut l'emblème du royaume de France, de Saint Louis jusqu'à la Révolution française).
2. *d'Assoucy* : *cf.* la note du v. 69.
3. *escogriffes* : hommes de grande taille et mal bâtis.
4. *Jusqu'à ce que Phœbus recommence son orbe* : Jusqu'à ce que le Soleil renouvelle son tour, son cercle, se lève de nouveau; sur Phœbus, *cf.* la note du v. 651.
5. *pavane* : dense lente, d'allure majestueuse et de rythme binaire.

... Si l'ami de son âme est toujours sans défauts?[1]

ROXANE, *sortant de la maison.*
Ah! qu'il est beau, qu'il a d'esprit et que je l'aime!

CYRANO, *souriant.*
1210 Christian a tant d'esprit?

ROXANE
Mon cher, plus que vous-même!

CYRANO
J'y consens[2].

ROXANE
Il ne peut exister à mon goût
Plus fin diseur de ces jolis riens qui sont tout.
Parfois, il est distrait, ses Muses[3] sont absentes;
Puis, tout à coup, il dit des choses ravissantes!

CYRANO, *incrédule•.*
1215 Non?

ROXANE
C'est trop fort! Voilà comme les hommes sont :
Il n'aura pas d'esprit puisqu'il est beau garçon!

CYRANO
Il sait parler du cœur d'une façon experte[4]?

ROXANE
Mais il n'en parle pas, Monsieur, il en disserte[5]!

CYRANO
Il écrit?

---

1. *Si l'ami de son âme est toujours sans défauts?* : l'édition originale comporte bien, au lieu d'un simple point, ce point d'interrogation, pourtant incorrect grammaticalement, puisque toute subordonnée interrogative indirecte est, précisément, dépourvue de point d'interrogation (lequel est réservé à l'interrogation directe). *Cf.* le v. 2044.
2. *J'y consens* : Je l'accepte, je l'admets.
3. *ses Muses* : sa Muse, son inspiratrice (sur les deux usages du terme, *cf.* les notes des v. 201 et 619).
4. *experte* : savante, compétente.
5. *disserte* : discourt méthodiquement et savamment.

ROXANE

Mieux encore ! Écoutez donc un peu :

Déclamant[1].

1220 ***« Plus tu me prends de cœur, plus j'en ai !... »***

Triomphante, à Cyrano.

Eh ! bien !

CYRANO

Peuh !...

ROXANE

Et ceci : ***« Pour souffrir, puisqu'il m'en faut un autre,***
Si vous gardez mon cœur, envoyez-moi le vôtre ! »

CYRANO

Tantôt il en a trop et tantôt pas assez,
Qu'est-ce au juste qu'il veut, de cœur ?...

ROXANE, *frappant du pied.*

Vous m'agacez !

1225 C'est la jalousie...

CYRANO, *tressaillant*•.

Hein !

ROXANE

... d'auteur qui vous dévore !
– Et ceci, n'est-il pas du dernier tendre[2] encore ?
« Croyez que devers[3] vous mon cœur ne fait qu'un cri,
Et que si les baisers s'envoyaient par écrit,
Madame, vous liriez ma lettre avec les lèvres !... »

CYRANO, *souriant malgré lui de satisfaction.*

1230 Ha ! ha ! ces lignes-là sont... hé ! hé !

Se reprenant et avec dédain•.

Mais bien mièvres[4] !

ROXANE

Et ceci...

---

1. Déclamant : Récitant à haute voix, avec le ton et les accents qui conviennent.
2. *du dernier tendre* : le plus tendre qui soit.
3. *devers* : devant.
4. *mièvres* : puériles, affectées et fades.

CYRANO, *ravi.*
Vous savez donc ses lettres par cœur?

ROXANE
Toutes!

CYRANO, *frisant sa moustache.*
Il n'y a pas à dire : c'est flatteur!

ROXANE
C'est un maître!

CYRANO, *modeste.*
Oh!... un maître!...

ROXANE, *péremptoire*[1].
Un maître!...

CYRANO, *saluant.*
Soit!...
[un maître!

LA DUÈGNE•, *qui était remontée, redescendant vivement.*
Monsieur De Guiche!

À Cyrano, le poussant vers la maison.

Entrez!... car il vaut mieux, peut-être,
1235 Qu'il ne vous trouve pas ici; cela pourrait
Le mettre sur la piste...

ROXANE, *à Cyrano.*
Oui, de mon cher secret!
Il m'aime, il est puissant, il ne faut pas qu'il sache!
Il peut dans mes amours donner un coup de hache!

CYRANO, *entrant dans la maison.*
Bien! bien! bien!

De Guiche paraît.

1. péremptoire : affirmative, définitive, catégorique.

SCÈNE 2. ROXANE, DE GUICHE, LA DUÈGNE•, *à l'écart.*

ROXANE, *à De Guiche, lui faisant une révérence.*
Je sortais.

DE GUICHE
Je viens prendre congé.

ROXANE
1240 Vous partez ?

DE GUICHE
Pour la guerre.

ROXANE
Ah !

DE GUICHE
Ce soir même.

ROXANE
Ah !

DE GUICHE
J'ai

DE GUICHE
Des ordres. On assiège Arras[1].

ROXANE
Ah !... on assiège ?...

DE GUICHE
Oui... Mon départ a l'air de vous laisser de neige[2].

ROXANE, *poliment.*
Oh !...

---

1. *Arras* : actuel chef-lieu du département du Pas-de-Calais, à moins de 200 km au Nord de Paris ; capitale du comté d'Artois à partir de 1237, conquise par les Espagnols en 1492, elle ne fut effectivement reprise qu'en 1640, après un siège particulièrement long, mené par les maréchaux de La Meilleraye, de Châtillon et de Brézé, et fut définitivement cédée à la France en 1659 (traité des Pyrénées). *Cf.* la note 2 du v. 1734.
2. *de neige* : de glace, indifférente.

DE GUICHE
Moi, je suis navré[1]. Vous reverrai-je?... Quand?
– Vous savez que je suis nommé mestre de camp[2]?

ROXANE, *indifférente.*
1245 Bravo.

DE GUICHE
Du régiment des gardes•.

ROXANE, *saisie.*
Ah! des gardes?

DE GUICHE
Où sert votre cousin, l'homme aux phrases vantardes[3].
Je saurai me venger de lui, là-bas.

ROXANE, *suffoquée*[4].
Comment!
Les gardes vont là-bas?

DE GUICHE, *riant.*
Tiens! c'est mon régiment!

ROXANE, *tombant assise sur le banc, – à part.*
Christian!

DE GUICHE
Qu'avez-vous?

ROXANE, *toute émue.*
Ce... départ... me désespère!
1250 Quand on tient à quelqu'un, le savoir à la guerre!

DE GUICHE, *surpris et charmé.*
Pour la première fois me dire un mot si doux,
Le jour de mon départ!

---

1. *navré* : blessé (sens étymologique) et désolé.
2. *mestre de camp* : maître de camp, commandant d'un régiment d'infanterie et de cavalerie. Grade très important, puisque la hiérarchie militaire est, de bas en haut : capitaine (grade de Carbon de Castel-Jaloux), commandant, major, mestre de camp, colonel et maréchal de camp (équivalent de notre général de brigade).
3. *vantardes* : prétentieuses, qui marquent la satisfaction de soi.
4. suffoquée : violemment émue, au point d'en perdre la respiration.

ROXANE, *changeant de ton et s'éventant*[1].

Alors, vous allez vous
Venger de mon cousin?...

DE GUICHE, *souriant.*

On est pour lui?

ROXANE

Non, contre!

DE GUICHE

Vous le voyez?

ROXANE

Très peu.

DE GUICHE

Partout on le rencontre
1255 Avec un des Cadets•...

Il cherche le nom.

Ce Neu... villen... viller...

ROXANE

Un grand?

DE GUICHE

Blond.

ROXANE

Roux.

DE GUICHE

Beau!

ROXANE

Peuh!

DE GUICHE

Mais bête.

ROXANE

Il en a l'air!

Changeant de ton.

1. s'éventant : se rafraîchissant en agitant l'air autour de soi.

... Votre vengeance envers Cyrano, – c'est peut-être
De l'exposer au feu, qu'il adore ?... Elle est piètre[1] !
Je sais bien, moi, ce qui serait sanglant !

DE GUICHE

C'est ?...

ROXANE

1260 Mais si le régiment, en partant, le laissait
Avec ses chers Cadets•, pendant toute la guerre,
À Paris, bras croisés ! C'est la seule manière,
Un homme comme lui, de le faire enrager :
Vous voulez le punir ? privez-le de danger.

DE GUICHE

1265 Une femme ! une femme ! il n'y a qu'une femme
Pour inventer ce tour[2] !

ROXANE

Il se rongera l'âme,
Et ses amis les poings, de n'être pas au feu :
Et vous serez vengé !

DE GUICHE, *se rapprochant.*

Vous m'aimez donc un peu !

Elle sourit.

Je veux voir dans ce fait d'épouser ma rancune[3]
1270 Une preuve d'amour, Roxane !

ROXANE

C'en est une.

DE GUICHE, *montrant plusieurs plis cachetés*[4].

J'ai les ordres sur moi qui vont être transmis
À chaque compagnie, à l'instant même, hormis[5]...

Il en détache un.

Celui-ci ! C'est celui des Cadets.

Il le met dans sa poche.

1. *piètre* : pauvre, misérable, très médiocre.
2. *ce tour* : cette ruse.
3. *d'épouser ma rancune* : de partager mon ressentiment, mon désir de vengeance.
4. plis cachetés : lettres refermées par un cachet de cire.
5. *hormis* : sauf, excepté.

Je le garde.

Riant.

Ah! ah! ah! Cyrano!... Son humeur bataillarde[1]!...
1275 – Vous jouez donc des tours aux gens, vous?...

ROXANE, *le regardant.*

Quelquefois.

DE GUICHE, *tout près d'elle.*

Vous m'affolez! Ce soir – écoutez – oui, je dois
Être parti. Mais fuir quand je vous sens émue!...
Écoutez. Il y a, près d'ici, dans la rue
D'Orléans[2], un couvent[3] fondé par le syndic[4]
1280 Des capucins•, le Père Athanase. Un laïc[5]
N'y peut entrer. Mais les bons Pères, je m'en charge!
Ils peuvent me cacher dans leur manche : elle est large.
Ce sont les capucins qui servent Richelieu
Chez lui; redoutant l'oncle, ils craignent le neveu.
1285 On me croira parti. Je viendrai sous le masque.
Laissez-moi retarder d'un jour, chère fantasque[6]!

ROXANE, *vivement.*

Mais si cela s'apprend, votre gloire[7]...

DE GUICHE

Bah!

ROXANE

Mais

Le siège, Arras...

DE GUICHE

Tant pis! Permettez!

ROXANE

Non!

1. *bataillarde* : batailleuse, qui aime à batailler, à se battre.
2. dans la rue d'Orléans : aucune rue de l'actuel Marais ne porte ce nom; il existe encore une galerie d'Orléans, dans les jardins du Palais-Royal (Ier arrondissement de Paris) et un quai d'Orléans sur l'île Saint Louis (IVe arrondissement).
3. *couvent* : lieu où des religieux vivent en communauté.
4. *syndic* : celui qui est chargé de défendre les intérêts communs d'un groupe.
5. *laïc* : qui n'est ni religieux ni ecclésiastique.
6. *fantasque* : personne imprévisible, sujette à des fantaisies, à des caprices.
7. *gloire* : honneur, réputation (sens du terme dans les pièces de Pierre Corneille).

DE GUICHE

Permets !

ROXANE, *tendrement.*

Je dois vous le défendre !

DE GUICHE

Ah !

ROXANE

Partez !

À part.

Christian reste.

Haut.

1290 Je vous veux héroïque. – Antoine[1] !

DE GUICHE

Mot céleste[2] !

Vous aimez donc celui ?...

ROXANE

Pour lequel j'ai frémi.

DE GUICHE, *transporté[3] de joie.*

Ah ! je pars !

Il lui baise la main.

Êtes-vous contente ?

ROXANE

Oui, mon ami !

LA DUÈGNE•, *lui faisant dans le dos une révérence comique.*

Oui, mon ami !

ROXANE, *à la duègne.*

Taisons[4] ce que je viens de faire :

Cyrano m'en voudrait de lui voler sa guerre !

Elle appelle vers la maison.

1295 Cousin !

1. *Antoine* : authentique prénom de De Guiche.
2. *céleste* : divin, merveilleux.
3. transporté : rempli et débordant.
4. *Taisons* : Cachons, ne parlons pas de.

Questions

Compréhension

1. *Que pensez-vous de la didascalie* générale de l'acte ?*

2. *Comment se comporte Cyrano dans son nouveau rôle ? Quel est en lui le changement le plus spectaculaire par rapport à sa précédente confrontation avec Roxane (II, 6) ?*

3. *À quels indices devinez-vous que Roxane a reçu d'autres lettres que celle remise par Cyrano à Christian à la fin de l'acte II ?*

4. *À quel vers de l'acte II fait suite, d'une certaine manière, le premier vers de l'acte III (v. 1179) ?*

5. *Comment comprenez-vous le v. 1179 ?*

6. *Pourquoi la scène risque-t-elle de basculer, au v. 1225 ?*

7. *Quelles sont les étapes de la scène 2 ? Que tente Roxane face à De Guiche ? Qu'apprend-on sur son caractère ?*

8. *Qu'a d'ironique le v. 1275 ?*

9. *Expliquez le v. 1282.*

10. *Que remarquez-vous au v. 1288 ? Et au v. 1290 ? Qu'en concluez-vous sur De Guiche et Roxane ?*

Écriture

11. *Commentez les v. 1255 et 1256.*

12. *À quel mouvement littéraire du XVIIe siècle les vers du duo Christian-Cyrano (v. 1220 à 1229) vous font-ils penser ?*

13. *Étudiez la métrique* du v. 1209 : de quel type d'alexandrin* s'agit-il ?*

Mise en scène / Mise en perspective

14. *Dans ces deux scènes, que savons-nous qu'ignore Roxane ? qu'ignore de Guiche ?*

15. *À quelles répliques de l'acte I peuvent faire écho les* « Ah ! » *de Roxane (v. 1241-1242) ?*

SCÈNE 3. ROXANE, LA DUÈGNE•, CYRANO

ROXANE

Nous allons chez Clomire.

Elle désigne la porte d'en face.

Alcandre y doit

Parler, et Lysimon[1] !

LA DUÈGNE, *mettant son petit doigt dans son oreille.*

Oui ! mais mon petit doigt

Dit qu'on va les manquer !

CYRANO, *à Roxane.*

Ne manquez pas ces singes[2].

Ils sont arrivés devant la porte de Clomire.

LA DUÈGNE, *avec ravissement.*

Oh ! voyez ! le heurtoir est entouré de linges !...

Au heurtoir.

On vous a bâillonné[3] pour que votre métal

1300 Ne troublât pas les beaux discours, – petit brutal !

Elle le soulève avec des soins infinis et frappe doucement.

---

1. *Alcandre, Lysimon* : noms de bergers de pastorales.
2. *ces singes* : cette insulte désigne Alcandre et Lysimon. Mais sans doute Rostand fait-il aussi allusion ici à un épisode authentique de la vie de Cyrano de Bergerac : le singe de Brioché, récit rapporté par P. Lacroix, éditeur (1858) de ses *Œuvres diverses*. Brioché dirigeait un théâtre de marionnettes aux alentours du Pont-Neuf, à Paris, et avait affublé son singe savant d'un large nez recourbé de perroquet, mais aussi de quantité de détails vestimentaires (*« un pourpoint à six basques », « une fraise à la Scaramouche », « un vieux vigogne, dont un plumet cachait les trous »*, ainsi qu'une sorte d'épée) dont Rostand s'est manifestement souvenu et inspiré pour sa pièce (*cf.* respectivement les v. 108, 113 et 903-904). Cyrano vint à passer et, face à ce presque double, provoqua l'hilarité moqueuse de l'assistance, constituée surtout de laquais, dont une intervention directement hostile : *« Est-ce là votre nez de tous les jours ? Quel diable de nez ! Prenez donc la peine de reculer, il m'empêche de voir ! »* Cyrano réagit en chassant tous ses agresseurs, l'épée à la main ; ce que voyant, le singe de Brioché s'avança, lui aussi le fer à la main, pour une sorte de combat d'escrime : *« Bergerac, dans l'agitation où il se trouvait, crut que le singe était un laquais et l'embrocha tout vif. Ô ! quelle désolation pour Brioché ! »* Si notre hypothèse est exacte, la réplique de Cyrano doit donc bien s'entendre selon les deux sens du verbe *« manquer » (« arriver après le début de »* et *« rater comme cible, ne pas atteindre »*).
3. *bâillonné* : recouvert d'un bâillon, bandeau ou tampon qu'on met sur la bouche de quelqu'un pour l'empêcher de parler (ici, pour amortir et réduire le bruit du heurtoir contre la porte).

ROXANE, *voyant qu'on ouvre.*

Entrons!

Du seuil, à Cyrano.

Si Christian vient, comme je le présume,
Qu'il m'attende!

CYRANO, *vivement, comme elle va disparaître.*

Ah!...

Elle se retourne.

Sur quoi, selon votre coutume[1],
Comptez-vous aujourd'hui l'interroger?

ROXANE

Sur...

CYRANO, *vivement.*

Sur?

ROXANE

Mais vous serez muet, là-dessus?

CYRANO

Comme un mur.

ROXANE

1305 Sur rien! Je vais lui dire : Allez! Partez sans bride!
Improvisez. Parlez d'amour. Soyez splendide.

CYRANO, *souriant.*

Bon.

ROXANE

Chut!...

CYRANO

Chut!...

ROXANE

Pas un mot!...

Elle rentre et referme la porte.

CYRANO, *la saluant, la porte une fois fermée.*

En vous remerciant!

---

1. *coutume* : (ici) habitude et convention (ce dont vous êtes convenus).

La porte se rouvre et Roxane passe la tête.

ROXANE

Il se préparerait !...

CYRANO

Diable, non !...

TOUS LES DEUX, *ensemble.*

Chut !...

La porte se ferme.

CYRANO, *appelant.*

Christian !

SCÈNE 4. CYRANO, CHRISTIAN

CYRANO, *vite à Christian.*

Je sais tout ce qu'il faut. Prépare ta mémoire.
1310 Voici l'occasion de se couvrir de gloire.
Ne perdons pas de temps. Ne prends pas l'air grognon[1].
Vite, rentrons chez toi, je vais t'apprendre...

CHRISTIAN

Non !

CYRANO

Hein ?

CHRISTIAN

Non ! J'attends Roxane ici.

CYRANO

De quel vertige
Es-tu frappé ? Viens vite apprendre...

CHRISTIAN

Non, te dis-je !
1315 Je suis las[2] d'emprunter mes lettres, mes discours,

1. *grognon* : mécontent, boudeur.
2. *Je suis las* : Je suis lassé, fatigué, j'en ai assez.

Et de jouer ce rôle, et de trembler toujours!
C'était bon au début! Mais je sens qu'elle m'aime!
Merci. Je n'ai plus peur. Je vais parler moi-même.

CYRANO

Ouais!

CHRISTIAN

Et qui te dit que je ne saurai pas?
1320 Je ne suis pas si bête, à la fin! Tu verras!
Mais, mon cher, tes leçons m'ont été profitables.
Je saurai parler seul! Et, de par tous les diables,
Je saurai bien toujours la prendre dans mes bras!

Apercevant Roxane, qui ressort de chez Clomire.

C'est elle! Cyrano, non, ne me quitte pas!

CYRANO, *le saluant.*

1325 Parlez tout seul, Monsieur.

Il disparaît derrière le mur du jardin.

SCÈNE 5. CHRISTIAN, ROXANE, QUELQUES PRÉCIEUX• ET PRÉCIEUSES•, ET LA DUÈGNE•, *un instant.*

ROXANE, *sortant de la maison de Clomire avec une compagne qu'elle quitte : révérences et saluts.*

Barthénoïde! – Alcandre! –
Grémione!...

LA DUÈGNE, *désespérée.*

On a manqué le discours sur le Tendre!

Elle rentre chez Roxane.

ROXANE, *saluant encore.*

Urimédonte[1]... Adieu!...

Tous saluent Roxane, se resaluent entre eux, se séparent et s'éloignent par différentes rues. Roxane voit Christian.

1. *Barthénoïde, Alcandre, Grémione, Urimédonte* : noms de précieuses (déjà rencontrés pour Barthénoïde et Urimédonte : I, 2, v. 56).

C'est vous !

Elle va à lui.

Le soir descend.
Attendez. Ils sont loin. L'air est doux. Nul passant.
Asseyons-nous. Parlez. J'écoute.

CHRISTIAN, *s'assied près d'elle, sur le banc. Un silence.*
Je vous aime.

ROXANE, *fermant les yeux.*
1330 Oui, parlez-moi d'amour[1].

CHRISTIAN
Je t'aime.

ROXANE
C'est le thème.
Brodez[2], brodez.

CHRISTIAN
Je vous...

ROXANE
Brodez !

CHRISTIAN
Je t'aime tant.

ROXANE
Sans doute•. Et puis ?

CHRISTIAN
Et puis... je serais si content
Si vous m'aimiez ! – Dis-moi, Roxane, que tu m'aimes !

1. *parlez-moi d'amour* : cette formule, qui nous est d'autant plus familière qu'elle constitue le titre d'une très célèbre chanson de Jean Lenoir (1930), interprétée par Lucienne Boyer (« *Parlez-moi d'amour, / Redites-moi des choses tendres* »), doit, dans le contexte de la préciosité, s'entendre en un sens plus intellectuel et philosophique ; en authentique précieuse, Roxane n'attend pas de Christian qu'il lui *dise* des mots d'amour, mais, comme elle l'a souligné elle-même à Cyrano (*cf.* v. 1218), qu'il « *disserte* » sur l'amour.
2. *Brodez* : Développez et amplifiez, en ajoutant des ornements plus ou moins compliqués (comme ceux d'une broderie à la main).

ROXANE, *avec une moue*[1].
Vous m'offrez du brouet[2] quand j'espérais des crèmes !
1335 Dites un peu comment vous m'aimez ?

CHRISTIAN
Mais... beaucoup.

ROXANE
Oh !... Délabyrinthez[3] vos sentiments !

CHRISTIAN, *qui s'est rapproché et dévore des yeux la nuque blonde.*
Ton cou !
Je voudrais l'embrasser !...

ROXANE
Christian !

CHRISTIAN
Je t'aime !

ROXANE, *voulant se lever.*
Encore !

CHRISTIAN, *vivement, la retenant.*
Non, je ne t'aime pas !

ROXANE, *se rasseyant.*
C'est heureux !

CHRISTIAN
Je t'adore !

ROXANE, *se levant et s'éloignant.*
Oh !

CHRISTIAN
Oui... je deviens sot !

1. moue : grimace de mécontentement.
2. *brouet* : aliment grossier, presque liquide.
3. *Délabyrinthez* : non pas « *Quittez le labyrinthe de* », mais « *Détaillez et déroulez avec autant de complications et de raffinements que dans un labyrinthe* » (néologisme créé par Rostand).

ROXANE, *sèchement*[1].
Et cela me déplaît !
1340 Comme il me déplairait que vous devinssiez laid.

CHRISTIAN
Mais...

ROXANE
Allez rassembler votre éloquence[2] en fuite !

CHRISTIAN
Je...

ROXANE
Vous m'aimez, je sais. Adieu.
Elle va vers la maison.

CHRISTIAN
Pas tout de suite !
Je vous dirai...

ROXANE, *poussant la porte pour entrer.*
Que vous m'adorez... oui, je sais.
Non ! non ! Allez-vous-en !

CHRISTIAN
Mais je...
Elle lui ferme la porte au nez.

CYRANO, *qui depuis un moment est rentré sans être vu.*
C'est un succès.

SCÈNE 6. CHRISTIAN, CYRANO, LES PAGES•, *un instant.*

CHRISTIAN
1345 Au secours !

CYRANO
Non, Monsieur.

1. sèchement : rudement, sans gentillesse.
2. *éloquence* : aptitude à s'exprimer brillamment.

CHRISTIAN

Je meurs si je ne rentre
En grâce[1], à l'instant même...

CYRANO

Et comment puis-je, diantre[2] !
Vous faire à l'instant même, apprendre ?...

CHRISTIAN, *lui saisissant le bras.*

Oh ! là, tiens, vois !

La fenêtre du balcon s'est éclairée.

CYRANO, *ému.*

Sa fenêtre !

CHRISTIAN, *criant.*

Je vais mourir !

CYRANO

Baissez la voix !

CHRISTIAN, *tout bas.*

Mourir !...

CYRANO

La nuit est noire...

CHRISTIAN

Eh bien ?

CYRANO

C'est réparable !
1350 Vous ne méritez pas... Mets-toi là, misérable !
Là, devant le balcon ! Je me mettrai dessous,
Et je te soufflerai tes mots.

CHRISTIAN

Mais...

CYRANO

Taisez-vous !

1. *si je ne rentre / En grâce* : si je ne rétablis favorablement ma situation auprès de Roxane, si je n'obtiens de nouveau ses faveurs.
2. *diantre* : diable (juron).

LES PAGES•, *reparaissant au fond, à Cyrano.*
Hep !

CYRANO
Chut !...

Il leur fait signe de parler bas.

PREMIER PAGE, *à mi-voix.*
Nous venons de donner la sérénade[1]
À Montfleury• !...

CYRANO, *bas, vite.*
Allez vous mettre en embuscade[2],
1355 L'un à ce coin de rue, et l'autre à celui-ci ;
Et si quelque passant gênant vient par ici,
Jouez un air !

DEUXIÈME PAGE
Quel air, monsieur le gassendiste[3] ?

CYRANO
Joyeux pour une femme, et, pour un homme, triste !

Les pages disparaissent, un à chaque coin de rue. – À Christian.

Appelle-la !

CHRISTIAN
Roxane !

CYRANO, *ramassant des cailloux qu'il jette dans les vitres.*
Attends ! Quelques cailloux.

---

1. *sérénade* : au sens propre, concert de voix et d'instruments donné la nuit, en plein air, sous les fenêtres de quelqu'un, pour lui rendre hommage ; au sens figuré, vifs reproches adressés à quelqu'un en élevant la voix.
2. *en embuscade* : cachés de manière à surveiller et surprendre.
3. *gassendiste* : partisan, disciple de Gassendi (*cf.* la note du v. 1191).

Questions

Compréhension

1. *En quoi les scènes 3 à 6 forment-elles un tout ? Quel titre pourriez-vous donner à l'ensemble ?*

2. *Quelle est l'importance dramaturgique* de la scène 4 ?*

3. *En quoi l'attitude de Christian est-elle psychologiquement vraisemblable ? Que pensez-vous de celle de Cyrano ?*

4. *Quelles confirmations apporte la scène 5, respectivement sur Christian et Roxane ?*

5. *Quel est l'intérêt psychologique du v. 1340 ?*

6. *Expliquez l'intervention de Cyrano (v. 1344) ?*

7. *Dans quelle mesure la scène 6 constitue-t-elle le verso de la scène 4 ? Quelles en sont les principales différences ?*

Écriture

8. *Quelle est la caractéristique essentielle de l'écriture de ces quatre scènes ? Quelle en est influence sur le rythme ?*

9. *Relevez l'expression de la préciosité dans les scènes 3 à 6.*

10. *Étudiez la métrique* des v. 1306 et 1307.*

11. *Quelle figure relevez-vous au v. 1338 (premier hémistiche*) ?*

12. *Que remarquez-vous dans les répliques de Cyrano aux v. 1325, 1345, 1347, 1348 et 1350 ? Quel jeu exactement inverse relevez-vous dans les répliques de Christian à la fin de la scène 5 ? Expliquez.*

Mise en scène

13. *D'où viennent les pages ? Quel est leur rôle ?*

14. *Porte, banc, balcon : en quoi ces objets fixes sont-ils indispensables au mouvement de ces scènes ? En quoi les pages font-ils la synthèse entre fixité et mouvement ?*

15. *Comment expliquez-vous les trois didascalies* relatives à Cyrano (v. 1302, 1303 et 1307) ?*

SCÈNE 7. ROXANE, CHRISTIAN, CYRANO, *d'abord caché sous le balcon.*

ROXANE, *entrouvrant sa fenêtre.*

1360 Qui donc m'appelle?

CHRISTIAN

Moi.

ROXANE

Qui moi?

CHRISTIAN

Christian.

ROXANE, *avec dédain*•.

C'est vous?

CHRISTIAN

Je voudrais vous parler.

CYRANO, *sous le balcon, à Christian.*

Bien. Bien. Presque à voix basse.

ROXANE

Non! Vous parlez trop mal. Allez-vous-en!

CHRISTIAN

De grâce!

ROXANE

Non! Vous ne m'aimez plus!

CHRISTIAN, *à qui Cyrano souffle ses mots.*

M'accuser, – justes dieux!

De n'aimer plus... quand... j'aime plus!

ROXANE, *qui allait refermer sa fenêtre, s'arrêtant.*

Tiens, mais c'est mieux!

CHRISTIAN, *même jeu.*

1365 L'amour grandit bercé dans mon âme inquiète.

Que ce... cruel marmot[1] prit pour... barcelonnette[2]!

1. *marmot* : petit garçon (l'expression *« cruel marmot »* désigne Éros ou Cupidon, le dieu de l'Amour, que la mythologie gréco-romaine figure sous les traits d'un jeune enfant armé d'un arc dont il décoche, les yeux bandés, donc aveuglément, ses flèches, et qui, de sa torche, enflamme les cœurs : *cf.*, plus loin, le v. 1417); mais le terme *« marmot »* désigne aussi une figurine grotesque qui servait de heurtoir.

2. *barcelonnette* : berceau suspendu.

ROXANE, *s'avançant sur le balcon.*
C'est mieux ! Mais puisqu'il est cruel, vous fûtes sot
De ne pas, cet amour, l'étouffer au berceau !

CHRISTIAN, *même jeu.*
Aussi l'ai-je tenté, mais... tentative nulle :
1370 Ce... nouveau-né, Madame, est un petit... Hercule[1].

ROXANE
C'est mieux !

CHRISTIAN, *même jeu.*
De sorte qu'il... strangula[2] comme rien[3]...
Les deux serpents[4]... Orgueil et... Doute.

ROXANE, *s'accoudant au balcon.*
Ah ! c'est très bien.
Mais pourquoi parlez-vous de façon peu hâtive[5] ?
Auriez-vous donc la goutte à l'imaginative[6] ?

CYRANO, *tirant Christian sous le balcon et se glissant à sa place.*
1375 Chut ! Cela devient trop difficile !

ROXANE
Aujourd'hui...
Vos mots sont hésitants. Pourquoi ?

CYRANO, *parlant à mi-voix, comme Christian.*
C'est qu'il fait nuit,
Dans cette ombre, à tâtons, ils cherchent votre oreille.

---

1. *Hercule* : héros (c'est-à-dire demi-dieu : né d'une divinité et d'un[e] mortel[le]) mythologique, équivalent romain d'Héraklès, fils du dieu Jupiter (ou Zeus) et de la mortelle Alcmène, épouse d'Amphitryon, qui personnifie la Force (qu'il déploya lors de nombreux exploits, notamment les fameux douze travaux que lui imposa Eurysthée, roi de Tirynthe). La métaphore assimilant l'amour à un nouveau-né devenu vite adulte et fort est extrêmement banale ; on la retrouve chez Marivaux, dans *Le Jeu de l'Amour et du Hasard* (II, 3), en un savoureux dialogue entre Lisette et Arlequin.
2. *strangula* : étrangla.
3. *comme rien* : très facilement.
4. *Les deux serpents* : Junon (ou Héra), l'épouse – extrêmement jalouse – de Jupiter, envoya à Hercule, nouveau-né issu d'une infidélité de son époux, deux serpents destinés à le dévorer dans son berceau, mais Hercule les étouffa (épisode auquel fait aussi allusion le v. 1368).
5. *peu hâtive* : peu rapide.
6. *l'imaginative* : la faculté imaginative, l'imagination. Le sens de ce vers est donc : *« Auriez-vous donc l'imagination malade ou en panne ? »*

ROXANE
Les miens n'éprouvent pas difficulté pareille.

CYRANO
Ils trouvent tout de suite? Oh! cela va de soi,
1380 Puisque c'est dans mon cœur, eux, que je les reçoi[1];
Or, moi, j'ai le cœur grand, vous, l'oreille petite.
D'ailleurs vos mots à vous descendent : ils vont vite,
Les miens montent, Madame : il leur faut plus de temps!

ROXANE
Mais ils montent bien mieux depuis quelques instants.

CYRANO
1385 De cette gymnastique, ils ont pris l'habitude!

ROXANE
Je vous parle, en effet, d'une vraie altitude!

CYRANO
Certe[2], et vous me tueriez si de cette hauteur
Vous me laissiez tomber un mot dur sur le cœur!

ROXANE, *avec un mouvement.*
Je descends!

CYRANO, *vivement.*
Non!

ROXANE, *lui montrant le banc qui est sous le balcon.*
Grimpez sur le banc, alors, vite!

CYRANO, *reculant avec effroi dans la nuit.*
1390 Non!

ROXANE
Comment... non?

CYRANO, *que l'émotion gagne de plus en plus.*
Laissez un peu que l'on profite...
De cette occasion qui s'offre... de pouvoir

1. *reçoi* : reçois; il s'agit d'une licence poétique, les règles métriques recommandant (rime dite « pour l'œil ») de ne pas faire rimer deux mots portant, l'un (« *soi* »), la marque du singulier, l'autre (« *reçois* »), celle du pluriel (*cf.* aussi les v. 1610, 1684 et 1834).
2. *Certe* : Certes (licence poétique qui permet d'élider la seconde syllabe du mot avec le monosyllabe suivant). Au v. 1455, on trouve « *Certes* », comptant pour deux syllabes.

Se parler doucement sans se voir.

ROXANE

Sans se voir?

CYRANO

Mais oui, c'est adorable. On se devine à peine.
Vous voyez la noirceur d'un long manteau qui traîne,
1395 J'aperçois la blancheur d'une robe d'été :
Moi je ne suis qu'une ombre, et vous qu'une clarté!
Vous ignorez pour moi ce que sont ces minutes!
Si quelquefois je fus éloquent[1]...

ROXANE

Vous le fûtes!

CYRANO

Mon langage jamais jusqu'ici n'est sorti
1400 De mon vrai cœur...

ROXANE

Pourquoi?

CYRANO

Parce que... jusqu'ici
Je parlais à travers...

ROXANE

Quoi?

CYRANO

... le vertige où tremble
Quiconque est sous vos yeux!... Mais, ce soir, il me semble...
Que je vais vous parler pour la première fois!

ROXANE

C'est vrai que vous avez une tout autre voix.

CYRANO, *se rapprochant avec fièvre.*

1405 Oui, tout autre, car dans la nuit qui me protège
J'ose être enfin moi-même, et j'ose...

Il s'arrête et, avec égarement.

1. *éloquent* : apte à m'exprimer brillamment.

Où en étais-je ?
Je ne sais... tout ceci, – pardonnez mon émoi, –
C'est si délicieux... c'est si nouveau pour moi !

ROXANE

Si nouveau ?

CYRANO, *bouleversé, et essayant toujours de rattraper ses mots.*

Si nouveau..., mais oui... d'être sincère :
1410 La peur d'être raillé[1], toujours au cœur me serre...

ROXANE

Raillé de quoi ?

CYRANO

Mais de... d'un élan !... Oui, mon cœur,
Toujours, de mon esprit s'habille, par pudeur :
Je pars pour décrocher l'étoile, et je m'arrête
Par peur du ridicule, à cueillir la fleurette[2] !

ROXANE

1415 La fleurette a du bon.

CYRANO

Ce soir, dédaignons-la[3] !

ROXANE

Vous ne m'aviez jamais parlé comme cela !

CYRANO

Ah ! si, loin des carquois[4], des torches et des flèches,
On se sauvait un peu vers des choses... plus fraîches !

1. *d'être raillé* : d'être moqué, d'être tourné en ridicule.
2. *fleurette* : petite fleur. L'expression « *cueillir la fleurette* » décalque et décale la formule usuelle « *conter fleurette* », désignant le fait de tenir des propos galants, d'adresser des paroles tendres et amoureuses.
3. *dédaignons-la* : refusons-la, laissons-la.
4. *carquois* : étui sans couvercle, renfermant les flèches (et parfois l'arc lui-même) d'un archer. Sur les carquois, les torches et les flèches, attributs d'Éros-Cupidon, *cf.* la note du v. 1366, et ces deux vers de La Fontaine (*Fables*, XII, 14, *L'Amour et la Folie*, v. 1-2) : « *Tout est mystère dans l'amour, / Ses flèches, son carquois, son flambeau, son enfance.* »

Au lieu de boire goutte à goutte, en un mignon
1420 Dé à coudre d'or fin, l'eau fade du Lignon[1],
Si l'on tentait de voir comment l'âme s'abreuve[2]
En buvant largement à même le grand fleuve !

ROXANE

Mais l'esprit ?...

CYRANO

J'en ai fait pour vous faire rester
D'abord, mais maintenant ce serait insulter
1425 Cette nuit, ces parfums, cette heure, la Nature,
Que de parler comme un billet doux[3] de Voiture[4] !
Laissons, d'un seul regard de ses astres, le ciel
Nous désarmer de tout notre artificiel :
Je crains tant que parmi notre alchimie[5] exquise[6]
1430 Le vrai du sentiment ne se volatilise[7],
Que l'âme ne se vide à ces passe-temps vains[8],
Et que le fin du fin ne soit la fin des fins !

ROXANE

Mais l'esprit ?...

CYRANO

Je le hais dans l'amour ! C'est un crime,
Lorsqu'on aime, de trop prolonger cette escrime !
1435 Le moment vient d'ailleurs inévitablement,
– Et je plains ceux pour qui ne vient pas ce moment !
Où nous sentons qu'en nous une[9] amour noble existe
Que chaque joli mot que nous disons rend triste !

---

1. *Lignon* : rivière du Massif Central, affluent de la Loire, qui fut popularisée par *L'Astrée* d'Honoré d'Urfé (*cf.* les notes du v. 24, de la didascalie précédant le v. 176, du v. 411 et du v. 653), puisque c'est dans le Lignon que se jette Céladon.
2. *s'abreuve* : s'imbibe, s'arrose profondément.
3. *un billet doux* : une lettre d'amour (généralement écrite sur un papier de petites dimensions, pour qu'on puisse la glisser discrètement).
4. *Voiture* : Vincent Voiture (1597-1648), auteur de lettres et de poèmes qui lui assurèrent une immense renommée, au-delà de l'Hôtel de Rambouillet, dont il était un habitué (*cf.* la note du v. 748).
5. *alchimie* : (ici) entente, constitution, assemblage (à partir d'éléments divers).
6. *exquise* : délicieuse, raffinée, délicate.
7. *ne se volatilise* : ne s'évapore, ne disparaisse.
8. *passe-temps vains* : occupations sans intérêt.
9. *une* : ce n'est qu'au début du XVIIIe s. que le masculin s'imposa, sur le modèle du latin *amor* – le féminin persistant au pluriel (*cf.* « *les amours mortes* »).

ROXANE

Eh bien ! si ce moment est venu pour nous deux,
1440 Quels mots me direz-vous ?

CYRANO

Tous ceux, tous ceux, tous ceux
Qui me viendront, je vais vous les jeter, en touffe,
Sans les mettre en bouquets : je vous aime, j'étouffe,
Je t'aime, je suis fou, je n'en peux plus, c'est trop ;
Ton nom est dans mon cœur comme dans un grelot [1],
1445 Et comme tout le temps, Roxane, je frissonne,
Tout le temps, le grelot s'agite, et le nom sonne [2] !
De toi, je me souviens de tout [3], j'ai tout aimé :
Je sais que l'an dernier, un jour, le douze mai,
Pour sortir le matin tu changeas de coiffure !
1450 J'ai tellement pris pour clarté ta chevelure
Que, comme lorsqu'on a trop fixé le soleil,
On voit sur toute chose ensuite un rond vermeil [4],
Sur tout, quand j'ai quitté les feux dont tu m'inondes,
Mon regard ébloui pose des taches blondes !

ROXANE, *d'une voix troublée.*

1455 Oui, c'est bien de l'amour...

CYRANO

Certes, ce sentiment
Qui m'envahit, terrible et jaloux, c'est vraiment
De l'amour, il en a toute la fureur [5] triste !
De l'amour, – et pourtant il n'est pas égoïste !

---

1. *un grelot* : une boule de métal creuse, percée de trous et renfermant un morceau de métal qui la fait résonner dès qu'on l'agite.
2. *le grelot s'agite, et le nom sonne* : Rostand se souvient sans doute ici de *Ruy Blas* (1838) de Victor Hugo : « *Moi, pauvre grelot vide où manque ce qui sonne* » (I, 3, v. 442).
3. *De toi, je me souviens de tout* : même aptitude à ne rien oublier de l'être aimé, chez Buckingham s'adressant à la reine de France, dans *Les Trois Mousquetaires* (1844) d'Alexandre Dumas (chap. XII, *Georges* [sic] *Villiers, duc de Buckingham*) : « *Voulez-vous que je vous dise comment vous étiez vêtue la première fois que je vous vis ?* » (« Le Livre de Poche classique » n° 667, L.G.F., 1995, p. 224).
4. *vermeil* : couleur pouvant désigner un rouge vif et léger ou un or chaud.
5. *fureur* : folie (sens étymologique du latin *furor*). Sans doute Rostand se souvient-il ici d'un vers de la tragédie *Phèdre* (1677) de Jean Racine, où Phèdre, à sa suivante Œnone lui demandant si elle aime, répond : « *De l'amour j'ai toutes les fureurs* » (I, 3, v. 259).

Ah! que pour ton bonheur je donnerais le mien,
1460 Quand même tu devrais[1] n'en savoir jamais rien,
S'il se pouvait, parfois, que de loin, j'entendisse
Rire un peu le bonheur né de mon sacrifice!
– Chaque regard de toi suscite une vertu
Nouvelle, une vaillance[2] en moi! Commences-tu
1465 À comprendre, à présent? Voyons, te rends-tu compte?
Sens-tu mon âme, un peu, dans cette ombre, qui monte?
Oh! mais vraiment, ce soir, c'est trop beau, c'est trop doux!
Je vous dis tout cela, vous m'écoutez, moi, vous!
C'est trop! Dans mon espoir même le moins modeste[3],
1470 Je n'ai jamais espéré tant! Il ne me reste
Qu'à mourir maintenant! C'est à cause des mots
Que je dis qu'elle tremble entre les bleus rameaux[4]!
Car vous tremblez, comme une feuille entre les feuilles!
Car tu trembles! car j'ai senti, que tu le veuilles
1475 Ou non, le tremblement adoré de ta main
Descendre tout le long des branches du jasmin!

Il baise éperdument l'extrémité d'une branche pendante.

ROXANE

Oui, je tremble, et je pleure, et je t'aime, et suis tienne!
Et tu m'as enivrée[5]!

CYRANO

Alors, que la mort vienne!
Cette ivresse, c'est moi, moi, qui l'ai su causer!
1480 Je ne demande plus qu'une chose...

CHRISTIAN, *sous le balcon.*

Un baiser!

ROXANE, *se rejetant en arrière.*

Hein?

CYRANO

Oh!

ROXANE

Vous demandez?

---

1. *Quand même tu devrais* : Même si tu devais.
2. *une vaillance* : un noble courage.
3. *même le moins modeste* : Rostand se souvient de l'aveu de Ruy Blas, dans *Ruy Blas* (1838) de Victor Hugo (III, 3, v. 1215 à 1220).
4. *rameaux* : tiges secondaires, petites branches.
5. *enivrée* : conquise par l'ivresse de tes sentiments.

CYRANO
Oui... je...

À Christian, bas.

Tu vas trop vite.

CHRISTIAN
Puisqu'elle est si troublée, il faut que j'en profite!

CYRANO, *à Roxane.*
Oui, je... j'ai demandé, c'est vrai... mais justes cieux!
Je comprends que je fus bien trop audacieux[1].

ROXANE, *un peu déçue.*
1485 Vous n'insistez pas plus que cela?

CYRANO
Si! j'insiste...
Sans insister!... Oui, oui! votre pudeur s'attriste!
Eh bien! mais, ce baiser... ne me l'accordez pas!

CHRISTIAN, *à Cyrano, le tirant par son manteau.*
Pourquoi?

CYRANO
Tais-toi, Christian!

ROXANE, *se penchant.*
Que dites-vous tout bas?

CYRANO
Mais d'être allé trop loin, moi-même je me gronde!
1490 Je me disais : tais-toi, Christian!...

Les théorbes• se mettent à jouer.

Une seconde!...

On vient!

Roxane referme la fenêtre. Cyrano écoute les théorbes, dont l'un joue un air folâtre[2] et l'autre un air lugubre[3].

Air triste? Air gai?... Quel est donc leur dessein[4]?

1. *audacieux* : hardi, qui n'a peur de rien.
2. folâtre : gai, enjoué.
3. lugubre : qui exprime douleur et tristesse.
4. *dessein* : but, intention.

Est-ce un homme? Une femme? – Ah! c'est un capucin•!

Entre un capucin qui va de maison en maison, une lanterne à la main, regardant les portes.

SCÈNE 8. CYRANO, CHRISTIAN, UN CAPUCIN

CYRANO, *au capucin.*

Quel est ce jeu renouvelé de Diogène[1]?

LE CAPUCIN

Je cherche la maison de madame...

CHRISTIAN

Il nous gêne!

LE CAPUCIN

1495 Magdeleine Robin...

CHRISTIAN

Que veut-il?

CYRANO, *lui montrant une rue montante.*

Par ici!

Tout droit, toujours tout droit...

LE CAPUCIN

Je vais pour vous – merci! –

Dire mon chapelet[2] jusqu'au grain majuscule[3].

---

1. *Diogène* : Diogène le Cynique (413-327 av. J.-C.), philosophe grec pour qui la sagesse consistait à vivre conformément à la nature, en méprisant richesses et conventions sociales (ce que Diogène faisait en marchant toujours pieds nus, en dormant sous les portiques des temples et en vivant dans un tonneau – comme en répondant au roi Alexandre le Grand qui lui demandait ce qu'il désirait : «*Que tu t'ôtes de mon soleil*»). La réplique de Cyrano au capucin fait allusion à une très célèbre anecdote illustrant le mépris de Diogène pour le genre humain ; à ceux qui le rencontrèrent, un jour, se promenant à Athènes, en plein midi, une lanterne à la main, il expliqua : «*Je cherche un homme.*»
2. *chapelet* : collier de grains enfilés que l'on fait passer successivement entre ses doigts en récitant certaines prières (le chapelet existe notamment dans les religions catholique, brahmanique, bouddhiste, musulmane) ; l'expression «*dire son chapelet*» désigne le fait de réciter ses prières en faisant passer dans ses doigts les grains d'un chapelet.
3. *grain majuscule* : l'un des cinq gros grains séparant les cinq dizaines de petits grains qui, avec une chaîne se terminant par une croix, composent le chapelet catholique (sur chaque petit grain, on récite le «*Je vous salue, Marie*» ; sur chaque gros grain, le «*Notre Père*» ; sur la croix, le «*Je crois en Dieu*»).

Il sort.

CYRANO

Bonne chance ! Mes vœux suivent votre cuculle[1] !

Il redescend vers Christian.

SCÈNE 9. CYRANO, CHRISTIAN

CHRISTIAN

Obtiens-moi ce baiser !

CYRANO

Non !

CHRISTIAN

Tôt ou tard...

CYRANO

C'est vrai !

1500 Il viendra, ce moment de vertige enivré
Où vos bouches iront l'une vers l'autre, à cause
De ta moustache blonde et de sa lèvre rose !

À lui-même.

J'aime mieux que ce soit à cause de...

Bruits des volets qui se rouvrent. Christian se cache sous le balcon.

SCÈNE 10. CYRANO, CHRISTIAN, ROXANE

ROXANE, *s'avançant sur le balcon.*

C'est vous ?

Nous parlions de... de... d'un...

CYRANO

Baiser. Le mot est doux !

1505 Je ne vois pas pourquoi votre lèvre ne l'ose ;

1. *cuculle* : espèce de cape de voyageur, qu'on appelait aussi *coule*, ou *goule*, ou *gule*, dont le nom a passé depuis aux moines pour signifier leur froc (partie de l'habit de moine, qui couvre la tête et tombe sur la poitrine et les épaules) et leur chape (grand manteau d'église, qui s'agrafe par-devant).

S'il la brûle déjà, que sera-ce la chose ?
Ne vous en faites pas un épouvantement[1] :
N'avez-vous pas tantôt[2], presque insensiblement,
Quitté le badinage[3] et glissé sans alarmes
1510 Du sourire au soupir, et du soupir aux larmes !
Glissez encore un peu d'insensible façon :
Des larmes au baiser il n'y a qu'un frisson !

ROXANE

Taisez-vous !

CYRANO

Un baiser, mais à tout prendre, qu'est-ce ?
Un serment fait d'un peu plus près, une promesse
1515 Plus précise, un aveu qui veut se confirmer,
Un point rose qu'on met sur l'i du verbe aimer ;
C'est un secret qui prend la bouche pour oreille,
Un instant d'infini qui fait un bruit d'abeille,
Une communion ayant un goût de fleur,
1520 Une façon d'un peu se respirer le cœur,
Et d'un peu se goûter, au bord des lèvres, l'âme !

ROXANE

Taisez-vous !

CYRANO

Un baiser, c'est si noble, Madame,
Que la reine de France[4], au plus heureux des lords[5],
En a laissé prendre un[6], la reine même !

ROXANE

Alors !

---

1. *épouvantement* : motif d'épouvante, de terreur profonde et soudaine.
2. *tantôt* : presque à l'instant, tout récemment.
3. *le badinage* : la conversation où l'on se plaît à plaisanter.
4. *la reine de France* : Anne d'Autriche (1601-1666), qui a épousé Louis XIII en 1615. Ennemie de Richelieu, elle est, avec celui-ci et le duc de Buckingham, la figure politique centrale du roman d'Alexandre Dumas, *Les Trois Mousquetaires* (1844), déjà signalé (*cf.* les notes des v. 173, 440, 469, 852, 1447).
5. *des lords* : des seigneurs (« *lord* » est un titre de noblesse britannique, attribué aux pairs [vicomtes, comtes, barons, marquis et ducs]) ; l'expression « *au plus heureux des lords* » désigne Buckingham, cité v. 1525.
6. *En a laissé prendre un* : l'épisode de ce « baiser » (d'ailleurs réduit à un baise-main) se situe au chapitre XII des *Trois Mousquetaires* (*Op. cit.*, p. 230 pour le « baiser ». *Cf.* la note du v. 1447.

CYRANO, *s'exaltant.*

1525 J'eus comme Buckingham[1] des souffrances muettes,
J'adore comme lui la reine que vous êtes,
Comme lui je suis triste et fidèle...

ROXANE

Et tu es
Beau comme lui!

CYRANO, *à part, dégrisé*[2].

C'est vrai, je suis beau, j'oubliais!

ROXANE

Eh bien! montez cueillir cette fleur sans pareille...

CYRANO, *poussant Christian vers le balcon.*

1530 Monte!

ROXANE

Ce goût de cœur...

CYRANO

Monte!

ROXANE

Ce bruit d'abeille...

CYRANO

Monte!

CHRISTIAN, *hésitant.*

Mais il me semble, à présent, que c'est mal!

ROXANE

Cet instant d'infini!...

---

1. *Buckingham* : George (et non pas *Georges*, comme l'écrit Alexandre Dumas en titre du chapitre XII des *Trois Mousquetaires*) Villiers, 1er duc de Buckingham (1592-1628), favori du roi d'Angleterre Jacques Ier (Jacques VI d'Écosse), puis de son fils Charles Ier, « régna » sur tout le royaume, avec d'autant plus de facilité qu'il était sans scrupules (il s'enrichit scandaleusement) et qu'on le disait pourvu de tous les dons, y compris physiques. Il fut assassiné par un fanatique anglais, Felton, alors qu'il s'apprêtait à secourir les protestants français assiégés par Richelieu dans La Rochelle. Sa tentative de liaison avec Anne d'Autriche défraya la chronique de l'époque.
2. dégrisé : qui n'est plus enivré.

CYRANO, *le poussant.*
Monte donc, animal !

Christian s'élance, et par le banc, le feuillage, les piliers, atteint les balustres[1] *qu'il enjambe.*

CHRISTIAN
Ah ! Roxane !

Il l'enlace et se penche sur ses lèvres.

CYRANO
Aïe ! au cœur, quel pincement bizarre !
– Baiser, festin d'amour dont je suis le Lazare[2] !
1535 Il me vient de cette ombre une miette de toi, –
Mais oui, je sens un peu mon cœur qui te reçoit,
Puisque sur cette lèvre où Roxane se leurre[3]
Elle baise les mots que j'ai dits tout à l'heure !

On entend les théorbes•.

Un air triste, un air gai : le capucin• !

Il feint de• courir comme s'il arrivait de loin, et d'une voix claire.

Holà !

ROXANE
1540 Qu'est-ce ?

CYRANO
Moi. Je passais... Christian est encor• là ?

CHRISTIAN, *très étonné.*
Tiens, Cyrano !

ROXANE
Bonjour, cousin !

CYRANO
Bonjour, cousine !

---

1. balustres : petits piliers dont l'assemblement par une tablette forme une balustrade.
2. *festin d'amour dont je suis le Lazare* : dans l'Évangile selon saint Luc (XVI, 20-21, *in* Bible, Nouveau Testament), Lazare est le pauvre qui se serait bien contenté des miettes du festin du mauvais riche.
3. *se leurre* : se trompe, se laisse prendre à un piège.

ROXANE

Je descends !

Elle disparaît dans la maison. Au fond rentre le capucin•.

CHRISTIAN, *l'apercevant.*

Oh ! encor !

Christian (Bernard Bollet), Cyrano (Jacques Weber), Roxane (Charlotte de Turckheim). Mise en scène de Jérôme Savary, Mogador, 1983.

Questions

Compréhension

1. *En quoi ces quatre scènes, inégales dans leur longueur comme dans leur ton, forment-elles néanmoins un tout ?*

2. *Dans quelle mesure la scène 7 est-elle, à tous égards, centrale ?*

3. *Détaillez les cinq étapes de la scène 7. Quel en est l'apogée ? Sur quels indices fondez-vous votre réponse ?*

4. *Entre les v. 1363 et 1372, de quelle qualité fait preuve, dans ses répliques, le duo Christian-Cyrano, justifiant les compliments répétés de Roxane ? En quels vers cette même qualité est-elle ensuite nommée, à deux reprises, par Roxane ?*

5. *Dans quelles répliques Cyrano ne parle-t-il plus du tout au nom de Christian mais en son seul nom ?*

6. *Quelle est la cible de Cyrano entre les v. 1417 et 1432 ? À quoi oppose-t-il l'esprit dans l'amour ? En quoi est-ce tragiquement contradictoire de sa part ?*

7. *Comment comprenez-vous l'association, par Cyrano, de l'amour avec la tristesse (v. 1438, 1457) et la mort (v. 1471, 1478) ? Dans quels vers la retrouve-t-on, scène 10 ?*

8. *Quelle clé le v. 1479 nous livre-t-il ? En quoi cette exclamation de Cyrano est-elle néanmoins incomplètement exacte ? Dans quelle mesure les v. 1537-1538 la corrigent-ils ?*

9. *Que confirme Christian par son intervention, à la scène 7 ? Que révèle-t-il, en revanche, par son hésitation, à la scène 10 ?*

10. *En quoi les scènes 8 et 9 sont-elles à la fois vraisemblables, utiles, et indispensables ?*

11. *Quels sont, à la scène 11, les changements les plus spectaculaires, en Cyrano comme en Roxane ? Comment les expliquez-vous ?*

12. *En quoi l'interruption de la fin de la scène 10 diffère-t-elle de celles des scènes 8 et 9 ? Que laisse-t-elle augurer ?*

13. *Que pensez-vous des définitions du baiser, par Cyrano (v. 1504 à 1521) ?*

14. *Commentez les répliques de Cyrano, aux v. 1528 et 1539. Quels sont leurs effets ?*

Écriture

15. *Dans les scènes 7 et 10, relevez tous les termes appartenant au champ lexical de l'ascension et à celui de la dissimulation : qu'en concluez-vous ?*

16. *Quels jeux de mots relevez-vous aux v. 1364 et 1432 ?*

17. *Quels changements notez-vous entre les v. 1443 et 1478 ?*

18. *Quels vers vous paraissent les plus lyriques et les mieux réussis dans la déclaration d'amour de Cyrano ? Que pensez-vous des v. 1500 à 1502 ? Comment finiriez-vous le v. 1503 ?*

19. *À quels vers de Cyrano, dans la scène 10, font écho les répliques de Roxane, v. 1530 à 1532 ? Quelle figure ces répliques forment-elles avec ces vers ?*

Mise en scène / Mise en perspective

20. *Quels éléments contribuent à faire de cet ensemble un sommet de théâtralité ? En quoi consiste, selon vous, la grande réussite de ces scènes ?*

21. *Quelle autre pièce (étrangère) a immortalisé le balcon comme décor de la déclaration d'amour ?*

SCÈNE 11. CYRANO, CHRISTIAN, ROXANE, LE CAPUCIN•, RAGUENEAU

LE CAPUCIN

C'est ici, – je m'obstine –

Magdeleine Robin !

CYRANO

Vous aviez dit : *Ro-lin.*

LE CAPUCIN

Non : ***Bin.*** B, i, n ***bin !***

ROXANE, *paraissant sur le seuil de la maison, suivie de Ragueneau, qui porte une lanterne, et de Christian.*

Qu'est-ce ?

LE CAPUCIN

Une lettre.

CHRISTIAN

Hein ?

LE CAPUCIN, *à Roxane.*

1545 Oh ! il ne peut s'agir que d'une sainte chose !

C'est un digne[1] seigneur qui...

ROXANE, *à Christian.*

C'est De Guiche !

CHRISTIAN

Il ose ?

ROXANE

Oh ! mais il ne va pas m'importuner toujours !

Décachetant[2] *la lettre.*

Je t'aime, et si...

À la lueur de la lanterne de Ragueneau, elle lit, à l'écart, à voix basse.

« Mademoiselle,

1. *digne* : respectable.
2. Décachetant : Ouvrant, retirant le cachet qui maintient fermée.

Les tambours
Battent : mon régiment boucle sa soubreveste[1] *;*
1550 *Il part ; moi, l'on me croit déjà parti : je reste.*
Je vous désobéis. Je suis dans ce couvent.
Je vais venir, et vous le mande[2] *auparavant*
Par un religieux simple comme une chèvre
Qui ne peut rien comprendre à ceci. Votre lèvre
1555 *M'a trop souri tantôt : j'ai voulu la revoir.*
Éloignez un chacun[3]*, et daignez recevoir*
L'audacieux déjà pardonné, je l'espère,
Qui signe votre très... et cætera[4]*...* »

Au capucin•.

Mon père[5],
Voici ce que me dit cette lettre. Écoutez.

Tous se rapprochent, elle lit à haute voix.

1560 « *Mademoiselle,*
Il faut souscrire[6] *aux volontés*
Du Cardinal, si dur que cela vous puisse être.
C'est la raison pourquoi[7] *j'ai fait le choix, pour remettre*
Ces lignes en vos mains charmantes, d'un très saint,
D'un très intelligent et discret capucin :
1565 *Nous voulons qu'il vous donne, et dans votre demeure,*
La bénédiction

Elle tourne la page.

nuptiale[8]*, sur l'heure*[9]*.*
Christian doit en secret devenir votre époux ;

1. soubreveste : en général, vêtement sans manches, se portant sous la cuirasse, par-dessus les autres vêtements ; en particulier, justaucorps sans manches des mousquetaires de la Garde.
2. le mande : l'annonce, le fais savoir.
3. un chacun : chacun, tout le monde.
4. *et cætera* : expression latine signifiant « *et toutes les autres choses, et tout le reste* », abrégée en français sous la forme « *etc.* ». Comme en français, d'ailleurs, l'expression est ici comptabilisée, pour la métrique, en quatre syllabes.
5. *Mon père* : dans la religion chrétienne, apostrophe habituelle d'un fidèle (pratiquant de la religion) à un religieux ; à l'inverse, un religieux s'adresse à un fidèle en lui disant : « *Mon fils* » (*cf.* v. 1691).
6. souscrire : obéir, donner son adhésion, son accord.
7. C'est la raison pourquoi : C'est la raison pour laquelle, c'est pourquoi.
8. La bénédiction nuptiale : Le mariage religieux (sacrement ou acte sacré béni par Dieu).
9. sur l'heure : immédiatement, sur-le-champ.

Je vous l'envoie. Il vous déplaît. Résignez-vous[1].
Songez bien que le Ciel bénira votre zèle[2],
1570 *Et tenez pour*[3] *tout assuré, mademoiselle,*
Le respect de celui qui fut et qui sera
Toujours votre très humble et très... et cætera. »

LE CAPUCIN•, *rayonnant.*
Digne seigneur!... Je l'avais dit. J'étais sans crainte!
Il ne pouvait s'agir que d'une chose sainte!

ROXANE, *bas à Christian.*
1575 N'est-ce pas que je lis très bien les lettres?

CHRISTIAN
Hum!

ROXANE, *haut, avec désespoir.*
Ah! c'est affreux!

LE CAPUCIN, *qui a dirigé sur Cyrano la clarté de sa lanterne.*
C'est vous?

CHRISTIAN
C'est moi!

LE CAPUCIN, *tournant la lumière vers lui, et, comme si un doute lui venait, en voyant sa beauté.*
Mais...

ROXANE, *vivement.*
Post-scriptum[4]*:*
« Donnez pour le couvent cent vingt pistoles[5]. »

LE CAPUCIN
Digne,
Digne seigneur!

---

1. Résignez-vous : Faites-vous une raison.
2. zèle : (ici) empressement à obéir, bonne volonté.
3. tenez pour : considérez comme.
4. Post-scriptum : expression latine signifiant « *écrit après* », abrégée en français sous la forme « *P.-S.* » et utilisée, comme son nom l'indique, pour ajouter un développement à la fin d'une lettre déjà signée.
5. cent vingt pistoles : l'équivalent de mille deux cents livres, somme très importante. On se souvient que le prix de la place de théâtre, au début de l'acte I, était de « *quinze sols* », soit quinze vingtièmes de livre (*cf.* la note du v. 1).

À Roxane.

Résignez-vous !

ROXANE, *en martyre*[1].

Je me résigne !

Pendant que Ragueneau ouvre la porte au capucin• que Christian invite à entrer, elle dit bas à Cyrano :

Vous, retenez ici De Guiche ! Il va venir !
1580 Qu'il n'entre pas tant que...

CYRANO

Compris !

Au capucin.

Pour les bénir
Il vous faut ?

LE CAPUCIN

Un quart d'heure.

CYRANO, *les poussant tous vers la maison.*

Allez ! moi, je demeure !

ROXANE, *à Christian.*

Viens !

Ils entrent.

SCÈNE 12. CYRANO, *seul.*

CYRANO

Comment faire perdre à De Guiche un quart d'heure ?

Il se précipite sur le banc, grimpe au mur, vers le balcon.

Là !... Grimpons !... J'ai mon plan !

Les théorbes• se mettent à jouer une phrase lugubre.

---

1. en martyre : comme une femme mise au supplice, à la torture (il s'agit ici du féminin de l'adjectif *« martyr »*, désignant une personne martyrisée, et non pas du substantif *« martyre »*, désignant le supplice).

Ho ! c'est un homme !

Le trémolo[1] *devient sinistre.*

Ho ! ho !

Cette fois, c'en est un !

Il est sur le balcon, il rabaisse son feutre• sur ses yeux, ôte son épée, se drape dans sa cape, puis se penche et regarde au-dehors.

Non, ce n'est pas trop haut !

Il enjambe les balustres et attirant à lui la longue branche d'un des arbres qui débordent le mur du jardin, il s'y accroche des deux mains, prêt à se laisser tomber.

1585 Je vais légèrement troubler cette atmosphère !

SCÈNE 13. Cyrano, De Guiche

De Guiche, *qui entre, masqué, tâtonnant dans la nuit.*
Qu'est-ce que ce maudit capucin• peut bien faire ?

Cyrano
Diable ! et ma voix ?... S'il la reconnaissait ?

Lâchant d'une main, il a l'air de tourner une invisible clef.

Cric ! crac !

Solennellement[2].

Cyrano, reprenez l'accent de Bergerac !

De Guiche, *regardant la maison.*
Oui, c'est là. J'y vois mal. Ce masque m'importune[3].

Il va pour entrer. Cyrano saute du balcon en se tenant à la branche, qui plie et le dépose entre la porte et De Guiche ; il feint de• tomber lourdement, comme si c'était de très haut, et s'aplatit par terre, où il reste immobile, comme étourdi. De Guiche fait un bond en arrière.

---

1. trémolo : effet propre aux instruments à cordes (ici, les théorbes), consistant en une suite de tirés et de poussés tellement rapides que les sons ne présentent plus aucune solution (ou rupture) de continuité.
2. solennellement : gravement, majestueusement.
3. *m'importune* : me gêne.

1590 Hein? Quoi?

Quand il lève les yeux, la branche s'est redressée : il ne voit que le ciel; il ne comprend pas.

D'où tombe donc cet homme?

CYRANO, *se mettant sur son séant*[1], *et avec l'accent de Gascogne.*

De la lune!

DE GUICHE

De la?...

CYRANO

Quelle heure est-il?

DE GUICHE

N'a-t-il plus sa raison?

CYRANO

Quelle heure? Quel pays? Quel jour? Quelle saison?

DE GUICHE

Mais...

CYRANO

Je suis étourdi!

DE GUICHE

Monsieur...

CYRANO

Comme une bombe

Je tombe de la lune!

DE GUICHE, *impatienté*[2].

Ah çà! Monsieur!

CYRANO, *se relevant, d'une voix terrible.*

J'en tombe!

1. son séant : son derrière.
2. impatienté : qui perd patience, agacé.

DE GUICHE, *reculant.*

1595 Soit ! soit ! vous en tombez !... c'est peut-être un dément[1] !

CYRANO, *marchant sur lui.*

Et je n'en tombe pas métaphoriquement[2] !...

DE GUICHE

Mais...

CYRANO

Il y a cent ans, ou bien une minute,
– J'ignore tout à fait ce que dura ma chute ! –
J'étais dans cette boule à couleur de safran[3] ! –

DE GUICHE, *haussant les épaules.*

1600 Oui... laissez-moi passer !

CYRANO, *s'interposant.*

Où suis-je ? Soyez franc !
Ne me déguisez rien[4] ! En quel lieu, dans quel site,
Viens-je de choir[5], Monsieur, comme un aérolithe[6] ?

DE GUICHE

Morbleu[7] !...

CYRANO

Tout en cheyant[8] je n'ai pu faire choix
De mon point d'arrivée, – et j'ignore où je chois[9] !
1605 Est-ce dans une lune ou bien dans une terre,
Que vient de m'entraîner le poids de mon postère[10] ?

---

1. *un dément* : un fou.
2. *métaphoriquement* : en employant une métaphore, une image, au sens figuré.
3. *cette boule à couleur de safran* : l'expression désigne la Lune et se trouve textuellement dans les *États et Empires de la Lune* de Cyrano de Bergerac (Belin, 1977, p. 359), que Rostand suit de très près dans toute cette fin de scène 13. Le safran est l'autre nom du crocus, plante dont les stigmates produisent un colorant aromatique de couleur jaune, utilisé en cuisine.
4. *Ne me déguisez rien* : Ne me cachez rien.
5. *choir* : tomber.
6. *aérolithe* : morceau d'astre tombé du ciel sur la Terre (synonyme de « *météorite* »).
7. *Morbleu* : juron signifiant l'impatience et la colère.
8. *cheyant* : tombant.
9. *chois* : tombe.
10. *mon postère* : mon postérieur, mon derrière (le terme est déjà en usage dans la langue burlesque du XVIIe s.).

DE GUICHE
Mais je vous dis, Monsieur...

CYRANO, *avec un cri de terreur qui fait reculer De Guiche.*
Ha! grand Dieu!... je crois voir
Qu'on a dans ce pays le visage tout noir!

DE GUICHE, *portant la main à son visage.*
Comment?

CYRANO, *avec une peur emphatique*[1].
Suis-je en Alger? Êtes-vous indigène[2]?...

DE GUICHE, *qui a senti son masque.*
1610 Ce masque!...

CYRANO, *feignant de• se rassurer un peu.*
Je suis donc dans Venise, ou dans Gêne[3]?

DE GUICHE, *voulant passer.*
Une dame m'attend!...

CYRANO, *complètement rassuré.*
Je suis donc à Paris.

DE GUICHE, *souriant malgré lui.*
Le drôle• est assez drôle!

CYRANO
Ah! vous riez?

DE GUICHE
Je ris,
Mais veux passer!

CYRANO, *rayonnant.*
C'est à Paris que je retombe!

Tout à fait à son aise, riant, s'époussetant[4], *saluant.*

---

1. *emphatique* : exprimée avec exagération.
2. *indigène* : originaire de ce pays étranger (par opposition aux populations d'origine européenne).
3. *Gêne* : rime « pour l'œil » : *cf.* la note du v. 1380 et les v. 1684 et 1834).
4. s'époussetant : se nettoyant.

J'arrive – excusez-moi – par la dernière trombe[1].
1615 Je suis un peu couvert d'éther[2]. J'ai voyagé.
J'ai les yeux tout remplis de poudre d'astres. J'ai
Aux éperons[3], encor•, quelques poils de planète !

Cueillant quelque chose sur sa manche.

Tenez, sur mon pourpoint•, un cheveu de comète[4] !...

Il souffle comme pour le faire envoler.

DE GUICHE, *hors de lui.*

Monsieur !...

CYRANO, *au moment où il va passer, tend sa jambe comme pour y trouver quelque chose et l'arrête.*

Dans mon mollet je rapporte une dent
1620 De la Grande Ourse[5], – et comme, en frôlant le Trident[6],
Je voulais éviter une de ses trois lances,
Je suis allé tomber assis dans les Balances[7],
Dont l'aiguille, à présent, là-haut, marque mon poids !

Empêchant vivement De Guiche de passer et le prenant à un bouton du pourpoint.

Si vous serriez mon nez, Monsieur, entre vos doigts,
1625 Il jaillirait du lait !

DE GUICHE

Hein ? du lait ?

CYRANO

De la Voie

---

1. *trombe* : masse nuageuse ou liquide de très petit diamètre, soulevée en colonne et animée d'un mouvement rapide de rotation.
2. *d'éther* : de matière céleste interstellaire.
3. *éperons* : tiges métalliques fixées aux talons des cavaliers et dont l'une des extrémités se termine par une molette, petit disque denté et mobile.
4. *comète* : astre nébuleux décrivant autour du Soleil une ellipse très allongée, et presque toujours prolongé par un appendice lumineux appelé *« queue »* — d'où proviendrait, en l'occurrence, le *« cheveu de comète »* que Cyrano prétend avoir sur son pourpoint.
5. *la Grande Ourse* : célèbre constellation boréale circumpolaire, surnommée notamment, en raison de sa forme, *« le grand chariot »*.
6. *le Trident* : constellation dont le nom (comme le confirme le v. suivant) désigne une fourche à trois dents, servant d'harpon.
7. *les Balances* : constellation zodiacale de l'hémisphère austral, dénommée *Libra* (*« balance »* en latin) — et qui constitue le septième signe du zodiaque.

Lactée[1] !...

DE GUICHE

Oh ! par l'enfer !

CYRANO

C'est le ciel qui m'envoie !

Se croisant les bras.

Non ! croiriez-vous, je viens de le voir en tombant,
Que Sirius[2], la nuit, s'affuble[3] d'un turban ?

Confidentiel.

L'autre Ourse[4] est trop petite encor• pour qu'elle morde !

Riant.

1630 J'ai traversé la Lyre[5] en cassant une corde !

Superbe.

Mais je compte en un livre écrire tout ceci,
Et les étoiles d'or qu'en mon manteau roussi[6]
Je viens de rapporter à mes périls• et risques,
Quand on l'imprimera, serviront d'astérisques[7] !

DE GUICHE

1635 À la parfin[8]..., je veux...

CYRANO

Vous, je vous vois venir !

DE GUICHE

Monsieur !

CYRANO

Vous voudriez de ma bouche tenir[9]
Comment la lune est faite, et si quelqu'un habite

---

1. *la Voie / Lactée* : bande blanche, floue, à contours irréguliers, qui fait le tour complet de la voûte céleste et qu'on aperçoit dans le ciel pendant les nuits dégagées.
2. *Sirius* : nom donné à l'étoile alpha Grand Chien, constellation de l'hémisphère austral, au bord de la Voie lactée, étoile la plus brillante du ciel.
3. *s'affuble* : s'habille bizarrement, étrangement.
4. *L'autre Ourse* : la Petite Ourse, surnommée notamment *« le petit chariot »*.
5. *la Lyre* : petite constellation boréale, située entre Hercule et le Cygne, où s'observe notamment *Véga*, étoile particulièrement brillante.
6. *roussi* : devenu roux sous l'effet de la chaleur et du feu.
7. *d'astérisques* : de signes typographiques en forme d'étoile (*), destinés à signaler un renvoi.
8. *À la parfin* : À la fin.
9. *de ma bouche tenir* : savoir par moi, que je vous apprenne.

Dans la rotondité[1] de cette cucurbite[2] ?

DE GUICHE, *criant.*

Mais non ! je veux...

CYRANO

Savoir comment j'y suis monté ?

1640 Ce fut par un moyen que j'avais inventé.

DE GUICHE, *découragé.*

C'est un fou !

CYRANO, *dédaigneux*[3].

Je n'ai pas refait l'aigle stupide
De Regiomontanus[4], ni le pigeon timide
D'Archytas[5] !...

DE GUICHE

C'est un fou, – mais c'est un fou savant.

CYRANO

Non, je n'imitai rien de ce qu'on fit avant !

De Guiche a réussi à passer et il marche vers la porte de Roxane. Cyrano le suit, prêt à l'empoigner[6].

---

1. *rotondité* : partie et forme ronde.
2. *cucurbite* : courge (du latin *cucurbita*) ; le terme était déjà en usage au XVIIe s. mais désignait des récipients et ustensiles de chimie (aujourd'hui, désigne la partie inférieure de la chaudière d'un alambic).
3. *dédaigneux* : méprisant.
4. *Regiomontanus* : surnom latin signifiant *« habitant de la montagne royale »*, traduction à peu près littérale de l'allemand *Königsberg (« montagne du roi »)*, ville natale de l'astronome et physicien Johann Müller (1436-1476), grand savant qui fut le premier à considérer les comètes non comme des météores mais comme des astres ayant un mouvement déterminé, à user des tangentes et à employer le terme *« sinus »* ; il aurait offert à l'archiduc d'Autriche Maximilien Ier de Habsbourg (1459-1519) un aigle automate, mais d'autres commentateurs pensent qu'il s'agit là d'une invention de Rostand.
5. *Archytas* : Archytas de Tarente (430-360 av. J.-C.), philosophe et savant pythagoricien (adepte de la doctrine de Pythagore [VIe s. av. J.-C.], qui considérait comme essentiel le rôle des nombres dans la nature), ami du philosophe grec Platon (428-348 av. J.-C.), fut à la fois mathématicien, astronome, homme d'État et général. Inventeur de la vis et de la poulie, il créa aussi une sorte de colombe volante, ancêtre du cerf-volant.
6. l'empoigner : prendre et serrer avec la main, saisir brusquement et fortement.

1645 J'inventai six moyens de violer l'azur vierge[1] !

DE GUICHE, *se retournant.*

Six ?

CYRANO, *avec volubilité*[2].

Je pouvais, mettant mon corps nu comme un cierge,
Le caparaçonner[3] de fioles[4] de cristal
Toutes pleines des pleurs d'un ciel matutinal[5],
Et ma personne, alors, au soleil exposée,
1650 L'astre l'aurait humée en humant la rosée[6] !

DE GUICHE, *surpris et faisant un pas vers Cyrano.*

Tiens ! Oui, cela fait un !

CYRANO, *reculant pour l'entraîner de l'autre côté.*

Et je pouvais encor•
Faire engouffrer du vent, pour prendre mon essor,
En raréfiant[7] l'air dans un coffre de cèdre[8]
Par des miroirs ardents, mis en icosaèdre[9] !

DE GUICHE *fait encore un pas.*

1655 Deux !

CYRANO, *reculant toujours.*

Ou bien, machiniste autant qu'artificier,
Sur une sauterelle aux détentes d'acier,

---

1. *de violer l'azur vierge* : de pénétrer le ciel, de voler. Les « *six moyens* » en question ont tous été authentiquement inventés par Cyrano de Bergerac, soit dans les *États et Empires de la Lune* (moyens 1, 3, 4, 5 et 6), soit dans les *États et Empires du Soleil* (moyens 2 et 3 – en partie). Cf. *Œuvres complètes*, Belin, 1977, respectivement pp. 360 (moyen 1), 443-444 (moyen 2), 365-366 et 425(moyen 3), 369 (moyen 4), 365-366 (moyen 5), et 371-372 (moyen 6).
2. avec volubilité : en parlant abondamment et rapidement.
3. *caparaçonner* : couvrir comme d'un caparaçon, housse d'ornement dont on revêtait les chevaux, lors de cérémonies.
4. *fioles* : petits flacons de verre à col étroit.
5. *matutinal* : du matin.
6. *rosée* : vapeur qui se dépose, le matin et le soir, en gouttelettes très fines sur les végétaux et sur certains corps exposés à l'air libre.
7. *raréfiant* : faisant devenir rare, diminuant.
8. *cèdre* : bois du cèdre, symbole de majesté et de force.
9. *icosaèdre* : solide à vingt faces planes (un icosaèdre est régulier lorsqu'il a pour faces vingt triangles équilatéraux égaux).

Me faire, par des feux successifs de salpêtre[1],
Lancer dans les prés bleus où les astres vont paître!

DE GUICHE, *le suivant sans s'en douter, et comptant sur ses doigts.*

Trois!

CYRANO

Puisque la fumée a tendance à monter,
1660 En souffler dans un globe assez pour m'emporter!

DE GUICHE, *même jeu, de plus en plus étonné.*

Quatre!

CYRANO

Puisque Phœbé[2], quand son arc[3] est le moindre,
Aime sucer, ô bœufs, votre moelle... m'en oindre[4]!

DE GUICHE, *stupéfait.*

Cinq!

CYRANO, *qui en parlant l'a amené jusqu'à l'autre côté de la place, près d'un banc.*

Enfin, me plaçant sur un plateau de fer,
Prendre un morceau d'aimant et le lancer en l'air!
1665 Ça, c'est un bon moyen : le fer se précipite,
Aussitôt que l'aimant s'envole, à sa poursuite;
On relance l'aimant bien vite, et cadédis[5]!
On peut monter ainsi indéfiniment[6].

DE GUICHE

Six!

– Mais voilà six moyens excellents!... Quel système
1670 Choisîtes-vous des six, Monsieur?

CYRANO

Un septième!

---

1. *salpêtre* : nitrate de potassium, qui fut longtemps la matière première indispensable à la fabrication de la poudre.
2. *Phœbé* : la Lune.
3. *arc* : quartier. La formule «*quand son arc est le moindre*» signifie donc «*quand elle est vers la fin de son dernier quartier*».
4. *m'en oindre* : m'en frotter, m'en enduire.
5. cadédis : juron gascon, abréviation de «*cap dé Dious*» («*tête de Dieu*»).
6. *indéfiniment* : sans cesse, toujours.

DE GUICHE

Par exemple ! Et lequel !

CYRANO

Je vous le donne en cent[1] !

DE GUICHE

C'est que ce mâtin-là[2] devient intéressant !

CYRANO, *faisant le bruit des vagues avec de grands gestes mystérieux.*

Houüh ! houüh !

DE GUICHE

Eh bien !

CYRANO

Vous devinez ?

DE GUICHE

Non !

CYRANO

La marée !

À l'heure où l'onde par la lune est attirée,
1675 Je me mis sur le sable – après un bain de mer –
Et la tête partant la première, mon cher,
– Car les cheveux, surtout, gardent l'eau dans leur frange ! –
Je m'enlevai dans l'air, droit, tout droit, comme un ange.
Je montais, je montais, doucement, sans efforts,
1680 Quand je sentis un choc !... Alors[3]...

DE GUICHE, *entraîné par la curiosité et s'asseyant sur le banc.*

Alors ?

CYRANO

Alors...

Reprenant sa voix naturelle.

Le quart d'heure est passé, Monsieur, je vous délivre :

1. *Je vous le donne en cent* : Devinez-le (nous dirions plutôt : « *Je vous le donne en mille* »).
2. *ce mâtin-là* : ce drôle, cet individu vif et malicieux.
3. *Alors* : aucune trace, dans les œuvres de Cyrano de Bergerac, de ce septième moyen, probable invention de Rostand.

Le mariage est fait.

DE GUICHE, *se relevant d'un bond.*

Çà, voyons, je suis ivre!...

Cette voix?

La porte de la maison s'ouvre, des laquais• paraissent portant des candélabres[1] *allumés. Lumière. Cyrano ôte son chapeau au bord abaissé.*

Et ce nez!... Cyrano?

CYRANO, *saluant.*

Cyrano.

– Ils viennent à l'instant d'échanger leur anneau[2].

DE GUICHE

1685 Qui cela?

Il se retourne. – Tableau. Derrière les laquais, Roxane et Christian se tiennent par la main. Le capucin• les suit en souriant. Ragueneau élève aussi un flambeau. La duègne• ferme la marche, ahurie, en petit saut-de-lit[3].

Ciel!

SCÈNE 14. LES MÊMES, ROXANE, CHRISTIAN, LE CAPUCIN, RAGUENEAU, LAQUAIS, LA DUÈGNE

DE GUICHE, *à Roxane.*

Vous!

Reconnaissant Christian avec stupeur.

Lui?

Saluant Roxane avec admiration.

Vous êtes des plus fines[4]!

À Cyrano.

Mes compliments, Monsieur l'inventeur des machines :

---

1. *candélabres* : grands chandeliers à plusieurs branches.
2. *leur anneau* : on devrait trouver «*leurs anneaux*», chacun des époux portant un anneau; mais il s'agit d'une rime «pour l'œil» (*cf.* la note du v. 1380).
3. saut-de-lit : peignoir léger dont on s'enveloppe au lever.
4. *des plus fines* : parmi les plus rusées, les plus habiles.

Votre récit eût fait s'arrêter au portail
Du paradis[1], un saint ! Notez-en le détail,
Car vraiment cela peut resservir dans un livre !

CYRANO, *s'inclinant.*

1690 Monsieur, c'est un conseil que je m'engage à suivre.

LE CAPUCIN•, *montrant les amants à De Guiche, et hochant avec satisfaction sa grande barbe blanche.*

Un beau couple, mon fils[2], réuni là par vous !

DE GUICHE, *le regardant d'un œil glacé*[3].

Oui.

À Roxane.

Veuillez dire adieu, Madame, à votre époux.

ROXANE

Comment ?

DE GUICHE, *à Christian.*

Le régiment déjà se met en route.

Joignez-le[4] !

ROXANE

Pour aller à la guerre ?

DE GUICHE

Sans doute•.

ROXANE

1695 Mais, Monsieur, les cadets• n'y vont pas !

DE GUICHE

Ils iront.

Tirant le papier qu'il avait mis dans sa poche.

Voici l'ordre.

À Christian.

---

1. *Du paradis* : Du lieu qui, dans la religion chrétienne, rassemble les bienheureux, ceux qui ont été rachetés et sauvés par Dieu après leur mort.
2. *mon fils* : dans la religion chrétienne, apostrophe habituelle d'un religieux à un fidèle (pratiquant de la religion).
3. glacé : aussi froid et indifférent que possible.
4. *Joignez-le* : Rejoignez-le.

Courez le porter, vous, baron•.

ROXANE, *se jetant dans les bras de Christian.*
Christian !

DE GUICHE, *ricanant, à Cyrano.*
La nuit de noce est encore lointaine !

CYRANO, *à part.*
Dire qu'il croit me faire énormément de peine !

CHRISTIAN, *à Roxane.*
Oh ! tes lèvres encore !

CYRANO
Allons, voyons, assez !

CHRISTIAN, *continuant à embrasser Roxane.*
1700 C'est dur de la quitter... Tu ne sais pas...

CYRANO, *cherchant à l'entraîner.*
Je sais.

On entend au loin des tambours qui battent une marche.

DE GUICHE, *qui est remonté au fond.*
Le régiment qui part !

ROXANE, *à Cyrano, en retenant Christian qu'il essaie toujours d'entraîner.*
Oh !... je vous le confie !
Promettez-moi que rien ne va mettre sa vie
En danger !

CYRANO
J'essaierai... mais ne peux cependant
Promettre...

ROXANE, *même jeu.*
Promettez qu'il sera très prudent !

CYRANO
1705 Oui, je tâcherai, mais...

ROXANE, *même jeu.*
Qu'à ce siège terrible
Il n'aura jamais froid !

CYRANO
Je ferai mon possible.
Mais...

ROXANE, *même jeu.*
Qu'il sera fidèle !

CYRANO
Eh oui ! sans doute•, mais...

ROXANE, *même jeu.*
Qu'il m'écrira souvent !

CYRANO, *s'arrêtant.*
Ça, je vous le promets !

RIDEAU

Questions

Compréhension

1. *Quelle fin ces trois scènes assurent-elles à l'acte ?*

2. *Dans la scène 11, de quelles « qualités » Roxane fait-elle preuve, notamment au v. 1577 ? Ce mariage précipité vous paraît-il invraisemblable ?*

3. *Quelle information apporte le v. 1553 ? En quoi est-elle importante ?*

4. *À la seconde lecture, comment comprendre la réplique de Cyrano, v. 1581 ?*

5. *Dans quelle mesure les scènes 12 et 13 inversent-elles, à tous égards, les scènes 7 à 10 ? Quel thème reste néanmoins commun aux unes et aux autres ?*

6. *Quels sont les tournants de la scène 13 ? À partir de quel vers et de quelles didascalies* peut-on considérer que Cyrano a réussi à retenir De Guiche ?*

7. *Sur quel nouvel effet de surprise s'achèvent la scène 14, et donc l'acte ? Avec quelles conséquences pour les jeunes mariés ? Commentez, à cet égard, les répliques de Cyrano, entre les v. 1698 et 1700.*

8. *Justifiez le titre de l'acte.*

Écriture

9. *Quelle est la fonction dramaturgique* des v. 1579 à 1581 ?*

10. *Analysez la métrique* des v. 1543-1544, 1655, 1673, et commentez les rimes des v. 1575-1576.*

11. *Que remarquez-vous à la première réplique du v. 1582 ?*

12. *Quelle figure trouve-t-on au v. 1585 ?*

13. *Quels jeux de mots relevez-vous aux v. 1596, 1612 et 1625-1626 ?*

14. *Que pensez-vous du v. 1611 ?*

15. *Entre les v. 1614 et 1668, relevez les termes scientifiques et techniques : en quoi consiste la réussite de Rostand ?*

16. *Qu'a de comique la dernière réplique de la scène 13 ?*

Mise en scène

17. *Quels personnages sont ici présents mais muets? Qu'apportent-ils néanmoins à l'ambiance?*

18. *À l'inverse, quels «éléments» sont absents mais sonores? Avec quelle fonction?*

19. *En quoi la scène 13 est-elle la plus spectaculairement théâtrale depuis le début de la pièce?*

*Gravure extraite de l'*Histoire Comique des Estats et Empire de la Lune *par Cyrano de Bergerac (1655).*

Bilan

L'action

• Ce que nous savons

Roxane, dont la maison et sa petite place, toujours à Paris mais en plein Marais, servent de décor à l'acte, réserve d'abord un accueil glacial d'indifférence à De Guiche venu lui annoncer son départ pour Arras; mais, apprenant que ce départ est aussi celui des cadets, elle le convainc de punir Cyrano et ses compagnons en les privant de danger, donc en ne les emmenant pas; mieux ou pis : elle laisse De Guiche voir, dans cette manœuvre complice, une preuve d'amour, que doit confirmer un rendez-vous nocturne.

Le pacte conclu entre Christian et Cyrano fonctionne à merveille, à en juger par les réactions enthousiastes de Roxane aux lettres qu'elle a reçues du duo : elle attend maintenant de Christian qu'il improvise brillamment sur l'amour. Cyrano, ravi, en informe son double : mais Christian prétend se tirer seul d'affaire désormais. Vexé, Cyrano le laisse affronter Roxane : celle-ci, à la grande satisfaction de son cousin, déplore les pannes d'inspiration de son beau baron, qui rappelle son double à la rescousse.

D'abord dans le rôle du souffleur, puis dans le rôle même de Christian, Cyrano, caché dans l'ombre nocturne du balcon de Roxane, se lance dans une bouleversante et enivrante déclaration d'amour à sa cousine, qui permet à Christian de venir cueillir le baiser tant désiré.

Court bonheur néanmoins : un capucin, porteur d'un message de De Guiche à Roxane, réapparaît. Celle-ci réagit instantanément, en travestissant, à voix haute, le contenu du message : il lui faut se «soumettre» *et épouser Christian sur l'heure !*

Durant le quart d'heure que doit durer cette cérémonie, Cyrano est chargé de «distraire» et retenir De Guiche, qui surgit, masqué, pour son rendez-vous avec Roxane. Mission accomplie de la plus spectaculaire des manières : Cyrano feint de tomber de la lune et transforme l'exaspération initiale de De Guiche en attention captivée, puis en stupéfaction face aux deux jeunes mariés. Mais la vengeance de De Guiche est immédiate : il charge Christian de transmettre l'ordre de départ des cadets.

Si le duo Christian-Cyrano est parvenu à déclarer son amour à Roxane et à la conquérir, le spectateur sent bien que, désormais, la pièce quitte les délices de la comédie pour les rigueurs de la tragédie. Pour la troisième fois en trois actes, De Guiche est humilié : mais cette fois-ci, à titre personnel et privé, et non plus seulement social et public. Sa réaction, instantanée, est à la hauteur de sa blessure : la guerre pour tout le monde, donc peut-être la mort.

• À quoi nous attendre ?

1. *Cyrano et Christian reviendront-ils indemnes du siège d'Arras ?*

2. *Le duo Christian-Cyrano survivra-t-il désormais sans que Roxane découvre l'imposture ?*

Les personnages

• Ce que nous savons

Cet acte précise ou modifie ce que nous savions ou pressentions de chacun des **personnages principaux** *(toujours par ordre d'entrée en scène) :*

– **Ragueneau**, *victime de son amour des vers, est entré au service de Roxane grâce à Cyrano : mais, dans cet acte, il est ici réduit aux utilités ;*

– **Roxane**, *qui donne son nom à l'acte, en est évidemment la figure centrale : présente dans la majorité des scènes (8 sur 14) et à toutes les scènes majeures, elle confirme l'amoureuse ardente et précieuse qu'elle était déjà à l'acte II ; mais elle révèle aussi de grandes qualités d'improvisation et de présence d'esprit, face à De Guiche, qu'elle manipule et ridiculise souverainement. Revers de cette médaille : son triomphe et son bonheur sont de courte durée, et la suite des événements promet d'être moins plaisante ;*

– **Cyrano** *est paradoxalement le grand vainqueur de cet acte : ajoutant une dimension « planétaire » à sa talentueuse extravagance, il mystifie De Guiche ; mais, surtout, par le jeu du duo, il a pu exprimer son amour aussi sincèrement et brillamment qu'il en avait été incapable ou empêché à l'acte II : certes, c'est bien Christian que Roxane embrasse, mais, ce faisant,* « elle baise les mots *[que Cyrano a]* dits tout à l'heure » *; mieux, la réaction de De Guiche, envoyant les cadets au front, ne peut que le combler : le bretteur va pouvoir assouvir sa passion des combats ; le rival jaloux ne souffrira pas, puisque Christian part aussi pour Arras ; l'amoureux lyrique pourra continuer à exprimer librement son amour, car Cyrano a promis à Roxane que Christian lui écrirait* « souvent ».

– **De Guiche** *est la grande victime de cet acte : manipulé par Roxane puis par Cyrano, il subit un nouvel affront ; mais cette troisième humiliation est la plus grave, car la plus directe et la plus intime ; d'où la violence de sa réaction. Différence essentielle avec les précédents affronts : la vengeance est immédiate, et non pas différée à l'acte suivant. On peut certes s'étonner de la naïveté de ce grand seigneur, mais on peut aussi s'en réjouir, en ce qu'elle témoigne de l'aveuglement causé par l'amour...*

– **Christian** *confirme ses réserves face au pacte de Cyrano, comme son manque d'éloquence, donc son incapacité à se passer de son double ; toutefois, sa réticence à venir cueillir le baiser de Roxane est, chez lui, le signe d'une lucidité inséparable de son tempérament impatient d'*« animal ».

Parmi les **personnages secondaires**, *se détache surtout* **le capucin**, *pittoresque à souhait. Ici, Le Bret et les cadets sont absents.*

Cet acte est celui de l'amour réconcilié avec l'éloquence, de l'amour enfin exprimé, donc réel : celui du lyrisme triomphant. À Roxane, la précieuse, qui avait été la seule, à l'acte II, à pouvoir dire *son amour, le duo Christian-Cyrano a su répondre, c'est-à-*dire en exprimer *autant. Mais, si l'acte II révélait que l'amour ne peut* se faire *que s'il* se dit, *cet acte III montre aussi que l'amour finit par épuiser les mots qui le disent (Cyrano* « étouffe » *en pleine déclaration d'amour) et exige, une fois* exprimé, *de* se faire, *réclamant le passage à l'acte : le baiser. À cet égard, le duo a parfaitement fonctionné : c'est Cyrano qui a su* dire *cet amour, mais c'est Christian qui en est récompensé et appelé à le* faire. *Toutefois, cette issue prévue par le pacte* (« Je serai ton esprit, tu seras ma beauté ») *est également ce qui le rend sans autre issue possible que la tragédie du malentendu : si l'amour requiert l'esprit qui le dit et la beauté qui le fait après l'avoir fait naître* (« les yeux seulement », *à l'origine du coup de foudre entre Roxane et Christian), il impose que cet esprit et cette beauté soient ceux d'un même être, et non pas d'un duo. Roxane* (« sur cette lèvre où *[elle]* se leurre ») *est donc trompée en même temps que conquise. Surtout, les insuffisances respectives de Christian et Cyrano ne sont pas réciproquement réparables : si le manque d'esprit de l'un peut être pallié par l'éloquence de l'autre, la laideur de Cyrano ne peut évidemment pas être effacée par la beauté de Christian. Or l'amour naît par la beauté qui le provoque, se révèle par l'esprit qui l'exprime et s'accomplit par la beauté des corps qui le font : Cyrano, avec son esprit et son lyrisme, est certes au centre de ce parcours de l'amour, mais seul Christian, dont la beauté l'a provoqué, peut le faire. Dès lors, quelle autre issue, pour Cyrano qui ne sera jamais beau et ne passera jamais à l'acte, que celle de cette mort souhaitée* (« Alors, que la mort vienne ! ») *?*

Par le hasard des mutations hiérarchiques (De Guiche nommé à la tête de Carbon et de ses cadets) et des blessures d'amour et d'amour-propre trop vives (De Guiche joué par Roxane), cette autre issue est la guerre, qui comble en Cyrano le bretteur fougueux, l'amoureux platonique et le poète lyrique : lui qui n'avait effectivement plus qu'à disparaître, une fois exprimé, au nom du duo, son propre amour pour Roxane, se voit littéralement ressuscité par ce coup de théâtre. Christian restera-t-il longtemps docile, et Roxane, longtemps dupe ? Tel sera l'enjeu de l'acte IV.

• À quoi nous attendre ?

1. *Comment survivra le duo Christian-Cyrano, maintenant que Christian a conquis Roxane ?*

2. *Roxane s'apercevra-t-elle de l'imposture ?*

3. *Quels événements réserve la guerre ?*

Écriture

• Ce que nous savons

Cet acte, s'il confirme quelques-uns des partis pris de Rostand (variété des registres d'écriture et des niveaux de langue, des coupes métriques et des images ; mélange des genres, des tons et des émotions ; goût pour l'érudition, avec ses clins d'œil et anachronismes ; alternance des temps forts et des temps faibles), se différencie nettement des précédents, sur quatre points au moins : les didascalies* y sont sensiblement moins abondantes ; pour la première fois, l'action se situe en extérieur et se déroule de nuit ; on n'y trouve aucune scène de foule, au profit de duos, presque exclusivement ; le lyrisme y est nettement plus présent.*

En même temps que l'intrigue se recentre sur le cœur et ses élans, l'écriture se fait plus unitaire et poétique. Par un amusant paradoxe, cette rentrée dans la lumière des cœurs s'opère à la faveur de décors extérieurs et nocturnes.

Le résultat n'en reste pas moins exceptionnel, depuis la vibrante déclaration de la scène 7 jusqu'aux « six moyens de violer l'azur vierge » *du v. 1645, en passant par la touchante définition du baiser, à la scène 10.*

• À quoi nous attendre ?

1. *L'acte suivant se déroulera en temps de guerre. Comment Rostand fera-t-il alterner temps forts et temps faibles ?*

2. *Comment Rostand réussira-t-il à maintenir sa* « comédie héroïque » *dans la comédie, alors que la guerre et ses menaces de mort promettent des moments certes héroïques mais surtout tragiques ?*

De Guiche (Georges Descrières), Roxane (Geneviève Casile), Christian (Jacques Toja). Mise en scène de Jacques Charron, Comédie-Française, 1964.

ACTE IV

Les cadets• de Gascogne

Le poste[1] *qu'occupe la compagnie de Carbon de Castel-Jaloux au siège*[2] *d'Arras.*
Au fond, talus[3] *traversant toute la scène. Au-delà s'aperçoit un horizon de plaine : le pays couvert de travaux de siège. Les murs*
5 *d'Arras et la silhouette de ses toits sur le ciel, très loin.*
Tentes ; armes éparses[4] *; tambours, etc. – Le jour va se lever. Jaune Orient*[5]*. – Sentinelles*[6] *espacées. Feux.*
Roulés dans leurs manteaux, les cadets de Gascogne dorment. Carbon de Castel-Jaloux et Le Bret veillent. Ils sont très pâles et très
10 *maigris*[7]*.*
Christian dort, parmi les autres, dans sa cape, au premier plan, le visage éclairé par un feu. Silence.

SCÈNE PREMIÈRE. Christian, Carbon de Castel-Jaloux, Le Bret, les cadets, *puis* Cyrano

Le Bret

C'est affreux !

Carbon

Oui, plus rien.

Le Bret

Mordious !•

Carbon, *lui faisant signe de parler plus bas.*

Jure en sourdine[8] !

1710 Tu vas les réveiller.

---

1. le poste : la position militaire.
2. siège : opération menée contre une place en vue de s'en emparer.
3. talus : terrain à forte pente.
4. éparses : éparpillées, dispersées un peu partout.
5. Jaune orient : Du jaune qu'a le Soleil à l'Orient, c'est-à-dire à l'Est, là où il se lève.
6. Sentinelles : Gardes qui font le guet.
7. maigris : amaigris.
8. *Jure en sourdine* : Prononce des jurons à voix basse.

Aux cadets•.

Chut! Dormez!

À Le Bret.

Qui dort dîne[1]!

LE BRET

Quand on a l'insomnie[2] on trouve que c'est peu!
Quelle famine!

On entend au loin quelques coups de feu.

CARBON

Ah! maugrébis[3], des coups de feu!...
Ils vont me réveiller mes enfants[4]!

Aux cadets qui lèvent la tête.

Dormez!

On se recouche. Nouveaux coups de feu plus rapprochés.

UN CADET, *s'agitant.*

Diantre•!

Encore?

CARBON

Ce n'est rien! C'est Cyrano qui rentre!

Les têtes qui s'étaient relevées se recouchent.

UNE SENTINELLE, *au-dehors.*

1715 Ventrebieu[5]! qui va là?

LA VOIX DE CYRANO

Bergerac!

---

1. *Qui dort dîne* : célèbre expression signifiant que le sommeil fait passer ou oublier la faim.
2. *Quand on a l'insomnie* : Quand on ne trouve pas le sommeil.
3. *maugrébis* : juron qui fait la synthèse de *« maugrébleu » (« je maugrée contre Dieu ! »* ou *« malgré Dieu »)* et de *« cadédis » (« tête de Dieu »).*
4. *mes enfants* : cette formulation n'est pas seulement le signe d'un paternalisme de Carbon; elle illustre aussi (même si Carbon n'est que capitaine) le fait qu'on appelait couramment *« père du régiment »* le colonel d'un régiment; enfin, Rostand se souvient, une nouvelle fois, des *Trois Mousquetaires* (1844) d'Alexandre Dumas (chap. III, *L'Audience*) : *« Que voulez-vous ! un capitaine n'est rien qu'un père de famille chargé d'une plus grande responsabilité qu'un père de famille ordinaire. Les soldats sont de grands enfants »* (« Le Livre de Poche classique » n° 667, L.G.F., 1995, p. 99).
5. *Ventrebieu* : Ventrebleu, Ventre de Dieu (juron).

LA SENTINELLE, *qui est sur le talus.*
Ventrebieu !...
Qui va là ?

CYRANO, *paraissant sur la crête.*
Bergerac, imbécile !

Il descend. Le Bret va au-devant de lui, inquiet.

LE BRET
Ah ! grand Dieu !

CYRANO, *lui faisant signe de ne réveiller personne.*
Chut !

LE BRET
Blessé ?

CYRANO
Tu sais bien qu'ils ont pris l'habitude
De me manquer tous les matins !

LE BRET
C'est un peu rude[1],
Pour porter une lettre, à chaque jour levant[2],
1720 De risquer...

CYRANO, *s'arrêtant devant Christian.*
J'ai promis qu'il écrirait souvent !

Il le regarde.

Il dort. Il est pâli. Si la pauvre petite
Savait qu'il meurt de faim... Mais toujours beau !

LE BRET
Va vite
Dormir !

CYRANO
Ne grogne pas, Le Bret !... Sache ceci :
Pour traverser les rangs espagnols, j'ai choisi
1725 Un endroit où je sais, chaque nuit, qu'ils sont ivres.

1. *rude* : excessif, difficile, épuisant.
2. *à chaque jour levant* : à chaque lever du jour, chaque matin.

LE BRET

Tu devrais bien un jour nous rapporter des vivres[1].

CYRANO

Il faut être léger pour passer ! – Mais je sais
Qu'il y aura ce soir du nouveau. Les Français
Mangeront ou mourront, – si j'ai bien vu...

LE BRET

Raconte !

CYRANO

1730 Non. Je ne suis pas sûr... vous verrez...

CARBON

Quelle honte,
Lorsqu'on est assiégeant, d'être affamé !

LE BRET

Hélas !
Rien de plus compliqué que ce siège d'Arras :
Nous assiégeons Arras, – nous-mêmes, pris au piège,
Le cardinal infant[2] d'Espagne nous assiège[3]...

CYRANO

1735 Quelqu'un devrait venir l'assiéger à son tour.

---

1. *des vivres* : de quoi se nourrir (aliments et boissons).
2. *infant* : titre donné aux enfants puînés, c'est-à-dire cadets, des rois d'Espagne et de Portugal ; ici, il s'agit de Ferdinand d'Espagne (1609-1641), troisième fils du roi Philippe III et frère de Philippe IV. Effectivement cardinal (de Tolède) en 1619, il devint vice-roi de Catalogne, puis gouverneur des Pays-Bas en 1634. Il s'illustra comme capitaine, notamment à Corbie, près d'Amiens (occupée par les Espagnols en 1636).
3. *Rien de plus compliqué* [...] *nous assiège* : le siège d'Arras (ville détenue par les Espagnols et défendue par leurs alliés catholiques, notamment irlandais) fut effectivement long (du 13 juin au 9 août 1940) et compliqué, dans la mesure où les assiégeants, Français (alliés, quoique catholiques, aux Suédois et aux protestants d'Allemagne et des Pays-Bas), se retrouvèrent eux-mêmes assiégés par les assiégés, à savoir les Espagnols, à l'issue d'une attaque des troupes commandées par le cardinal infant Ferdinand d'Espagne, qui réussit à couper l'approvisionnement des Français. Les Espagnols avaient fait graver, sur l'une des portes de la ville, l'orgueilleuse inscription suivante : « *Quand les Français prendront Arras, / Les souris mangeront les rats.* » Après la prise de la ville, la première lettre du mot « *prendront* » fut effacée par un Français, et l'inscription demeura telle, ainsi modifiée mais non moins péremptoire...

LE BRET

Je ne ris pas.

CYRANO

Oh ! oh !

LE BRET

Penser que chaque jour
Vous risquez une vie, ingrat[1], comme la vôtre,
Pour porter...

Le voyant qui se dirige vers une tente.

Où vas-tu ?

CYRANO

J'en vais[2] écrire une autre.

Il soulève la toile et disparaît.

SCÈNE 2. LES MÊMES, *moins* CYRANO

Le jour s'est un peu levé. Lueurs roses. La ville d'Arras se dore à l'horizon. On entend un coup de canon immédiatement suivi d'une batterie de tambours[3], très au loin, vers la gauche. D'autres tambours battent plus près. Les batteries vont se répondant, et se rapprochant, éclatent presque en scène et s'éloignent vers la droite, parcourant le camp. Rumeurs de réveil[4]. Voix lointaines d'officiers•.

CARBON, *avec un soupir.*

La diane[5] !... Hélas !

Les cadets• s'agitent dans leurs manteaux, s'étirent.

Sommeil succulent[6], tu prends fin !...
1740 Je sais trop quel sera leur premier cri !

1. *ingrat* : sans reconnaissance.
2. *J'en vais* : Je vais en (la formule retenue par Rostand permet d'utiliser deux syllabes au lieu de trois).
3. d'une batterie : d'un roulement.
4. Rumeurs de réveil : Bruits divers et confus des soldats qui se réveillent.
5. *diane* : sonnerie ou batterie de tambours exécutée au réveil.
6. *succulent* : délicieux.

UN CADET•, *se mettant sur son séant*[1].

J'ai faim!

UN AUTRE

Je meurs!

TOUS

Oh!

CARBON

Levez-vous!

TROISIÈME CADET

Plus un pas!

QUATRIÈME CADET

Plus un geste!

LE PREMIER, *se regardant dans un morceau de cuirasse*[2].

Ma langue est jaune : l'air du temps est indigeste!

UN AUTRE

Mon tortil[3] de baron• pour un peu de Chester[4]!

UN AUTRE

Moi, si l'on ne veut pas fournir à mon gaster[5]

1745 De quoi m'élaborer une pinte de chyle[6],

Je me retire sous ma tente, – comme Achille[7]!

---

1. *son séant* : son derrière.
2. *cuirasse* : revêtement d'acier qui protège le buste.
3. *tortil* : *cf.* la note du v. 858.
4. *Chester* : fromage anglais renommé. Peut-être Rostand fait-il ici allusion au roi Richard III d'Angleterre (1452-1485), qui, à la bataille de Bosworth (1485), où il mourut, se disait prêt à échanger son royaume pour un cheval (du moins dans la pièce *Richard III* [1592-1593] de William Shakespeare, V, 4).
5. *gaster* : estomac (sens étymologique du terme).
6. *m'élaborer une pinte de chyle* : me préparer presque un litre (une pinte valait 93,1 cL) d'aliments digérés au sein de l'intestin.
7. *Je me retire sous ma tente, – comme Achille* : allusion au début (chant I) de l'*Iliade* (épopée grecque d'Homère, VIIIe s. av. J.-C., qui raconte la fin de la guerre de Troie entre Grecs et Troyens), où Achille, la plus vaillant des combattants grecs, décida de se retirer sous sa tente après que le chef des Grecs, Agamemnon, lui eut pris sa captive, Briséis; Achille n'accepta de reprendre le combat qu'après l'annonce de la mort de son meilleur ami, Patrocle, tué par Hector, le «champion» des guerriers troyens.

UN AUTRE

Oui, du pain!

CARBON, *allant à la tente où est entré Cyrano, à mi-voix.*

Cyrano!

D'AUTRES

Nous mourons!

CARBON, *toujours à mi-voix, à la porte de la tente.*

Au secours!

Toi qui sais si gaiement leur répliquer[1] toujours,
Viens les ragaillardir[2]!

DEUXIÈME CADET•, *se précipitant vers le premier qui mâchonne quelque chose.*

Qu'est-ce que tu grignotes?

LE PREMIER

1750 De l'étoupe[3] à canon que dans les bourguignotes[4]
On fait frire en la graisse à graisser les moyeux[5].
Les environs d'Arras sont très peu giboyeux[6]!

UN AUTRE, *entrant.*

Moi je viens de chasser!

UN AUTRE, *même jeu.*

J'ai pêché dans la Scarpe[7]!

TOUS, *debout, se ruant sur les deux nouveaux venus.*

Quoi? – Que rapportez-vous? – Un faisan? – Une carpe[8]?
1755 – Vite, vite, montrez!

1. *répliquer* : répondre, repartir.
2. *les ragaillardir* : leur redonner des forces et du courage.
3. *l'étoupe* : la mèche introduite dans le canon (pour la mise à feu).
4. *bourguignotes* : casques sans visière (appelés aussi «*bourguignottes*»), créés au XVe s. pour les Bourguignons.
5. *moyeux* : axes des roues des canons.
6. *giboyeux* : riches en gibier.
7. *Scarpe* : rivière (affluent de l'Escaut) qui prend sa source dans l'Artois et traverse effectivement Arras.
8. *carpe* : gros poisson d'eau douce, réputé pour sa saveur.

LE PÊCHEUR
Un goujon[1] !

LE CHASSEUR
Un moineau !

TOUS, *exaspérés.*
Assez ! – Révoltons-nous !

CARBON
Au secours, Cyrano !

Il fait maintenant tout à fait jour.

SCÈNE 3. LES MÊMES, CYRANO

CYRANO, *sortant de sa tente, tranquille, une plume à l'oreille, un livre à la main.*
Hein ?

Silence. Au premier cadet•.

Pourquoi t'en vas-tu, toi, de ce pas qui traîne ?

LE CADET
J'ai quelque chose, dans les talons, qui me gêne !

CYRANO
Et quoi donc ?

LE CADET
L'estomac[2] !

CYRANO
Moi de même, pardi[3] !

LE CADET
1760 Cela doit te gêner ?

1. *goujon* : très petit poisson d'eau douce, qui, sans être mauvais, ne nourrit guère (*cf.* La Fontaine, *Le Héron* : « *La tanche rebutée, il trouva du goujon. / "Du goujon ! c'est bien là le dîner d'un héron ! / J'ouvrirais pour si peu le bec ! aux dieux ne plaise !"* », in *Fables*, VII, 4, v. 20 à 22).
2. *L'estomac* : l'expression familière « *avoir l'estomac dans les talons* » signifie « *avoir une très grande faim* ».
3. *pardi* : pardieu (exclamation servant à renforcer ce qu'on affirme).

CYRANO
Non, cela me grandit.

DEUXIÈME CADET•
J'ai les dents longues[1] !

CYRANO
Tu n'en mordras que plus large.

UN TROISIÈME
Mon ventre sonne creux !

CYRANO
Nous y battrons la charge.

UN AUTRE
Dans les oreilles, moi, j'ai des bourdonnements.

CYRANO
Non, non ; ventre affamé, pas d'oreilles[2] : tu mens !

UN AUTRE
1765 Oh ! manger quelque chose, – à l'huile !

CYRANO, *le décoiffant et lui mettant son casque dans la main.*
Ta salade[3].

UN AUTRE
Qu'est-ce qu'on pourrait bien dévorer ?

CYRANO, *lui jetant le livre qu'il tient à la main.*
L'*Iliade*[4].

UN AUTRE
Le ministre, à Paris, fait ses quatre repas[5] !

---

1. *J'ai les dents longues* : J'ai grand-faim, après être resté longtemps sans manger (aujourd'hui, l'expression désigne une personne très ambitieuse).
2. ventre affamé, pas d'oreilles : forme raccourcie du proverbe *« ventre affamé n'a pas d'oreilles »*, qui signifie que celui qui a faim n'écoute pas (qu'il a trop faim pour pouvoir écouter).
3. *Ta salade* : Ton casque ; la salade était un casque porté par les cavaliers, à visière très courte, parfois mobile mais le plus souvent fixe, sans crête et pourvu d'un grand couvre-nuque (casque semblable à un simple pot).
4. *L'Illiade* : *cf.* la note du v. 1746.
5. *quatre repas* : même abondance dans la comédie-ballet *Le Mariage forcé* (1664) de Molière, où Sganarelle s'exclame (sc. 1) : *« Ne fais-je pas vigoureusement mes quatre repas par jour ? »*

CYRANO

Il devrait t'envoyer du perdreau ?

LE MÊME

Pourquoi pas ?

Et du vin !

CYRANO

Richelieu, du bourgogne, *if you please*[1] ?

LE MÊME

1770 Par quelque capucin• !

CYRANO

L'Éminence qui grise•[2] ?

UN AUTRE

J'ai des faims d'ogre[3] !

CYRANO

Eh bien, tu croques le marmot[4] !

LE PREMIER CADET•, *haussant les épaules.*

Toujours le mot, la pointe[5] !

CYRANO

Oui, la pointe, le mot !

Et je voudrais mourir, un soir, sous un ciel rose,

---

1. if you please : s'il vous plaît (en anglais).
2. *L'Éminence qui grise* : jeu de mots entre les expressions *« son Éminence »*, titre d'honneur des Cardinaux ; *« l'Éminence grise »*, désignant le conseiller plus ou moins secret du pouvoir, ce que fut Richelieu pour Louis XIII, mais, plus encore, le Père Joseph, un fameux capucin (1577-1638), dont c'était d'ailleurs le surnom, pour Richelieu lui-même ; et *« griser »*, verbe signifiant *« rendre gai, euphorique »*, en parlant notamment du vin.
3. *d'ogre* : de dévoreur d'enfants.
4. *tu croques le marmot* : tu attends impatiemment quelque chose ou quelqu'un qui ne vient pas. Sans doute l'expression vient-elle d'un des sens du mot *« marmot »*, rencontré précédemment (*cf.* la note du v. 1366).
5. *la pointe* : Cyrano de Bergerac, dans la Préface d'un très court recueil de bons mots intitulé *Les Entretiens pointus* (1662), définit lui-même le terme. En voici les premiers mots : *« La pointe n'est pas d'accord avec la raison : c'est l'agréable jeu de l'esprit, et merveilleux en ce point qu'il réduit toutes choses sur le pied nécessaire à ses agréments, sans avoir égard à leur propre substance. S'il faut que pour la pointe l'on fasse d'une belle chose une laide, cette étrange et prompte métamorphose peut se faire sans scrupule, et toujours on a bien fait pourvu qu'on ait bien dit ; on ne pèse pas les choses ; pourvu qu'elles brillent, il n'importe »* (Belin, 1977, p. 17).

En faisant un bon mot, pour une belle cause!
1775 Oh! frappé par la seule arme noble qui soit,
Et par un ennemi qu'on sait digne de soi,
Sur un gazon de gloire et loin d'un lit de fièvres,
Tomber la pointe au cœur en même temps qu'aux lèvres!

CRIS DE TOUS

J'ai faim!

CYRANO, *se croisant les bras.*

Ah çà! mais vous ne pensez qu'à manger?
1780 – Approche, Bertrandou le fifre•, ancien berger;
Du double étui de cuir tire l'un de tes fifres[1],
Souffle, et joue à ce tas de goinfres et de piffres[2]
Ces vieux airs du pays, au doux rythme obsesseur[3],
Dont chaque note est comme une petite sœur,
1785 Dans lesquels restent pris des sons de voix aimées,
Ces airs dont la lenteur est celle des fumées
Que le hameau natal[4] exhale[5] de ses toits,
Ces airs dont la musique a l'air d'être en patois!...

Le vieux s'assied et prépare son fifre.

Que la flûte, aujourd'hui, guerrière qui s'afflige[6],
1790 Se souvienne un moment, pendant que sur sa tige
Tes doigts semblent danser un menuet[7] d'oiseau,
Qu'avant d'être d'ébène, elle fut de roseau[8];
Que sa chanson l'étonne, et qu'elle y reconnaisse
L'âme de sa rustique[9] et paisible jeunesse!

---

1. *fifres* : petites flûtes au son très aigu.
2. *de goinfres et de piffres* : termes presque synonymes (on retrouve «*piffres*» dans le verbe familier «*s'empiffrer*») pour désigner des êtres gloutons, excessivement gourmands.
3. *obsesseur* : obsédant (le terme n'est attesté que comme substantif chez Littré, au sens propre de «*qui est assidu auprès de, qui importune*»).
4. *hameau natal* : assemblage de maisons, où l'on est né (un hameau est un village sans église, comme un village est un bourg sans marché).
5. *exhale* : dégage, répand.
6. *s'afflige* : s'attriste, se désole.
7. *menuet* : danse d'abord rapide puis lente, à deux danseurs, sur une musique à trois temps, et qui était extrêmement codifiée (elle ne fut vraiment adoptée que sous Louis XIV).
8. *avant d'être d'ébène, elle fut de roseau* : avant d'être de bois d'ébène (bois dur), elle fut de roseau (de bois tendre, comme les flûtes champêtres).
9. *rustique* : campagnarde.

Le vieux commence à jouer des airs languedociens[1].

1795 Écoutez, les Gascons•... Ce n'est plus, sous ses doigts,
Le fifre aigu des camps, c'est la flûte des bois!
Ce n'est plus le sifflet du combat, sous ses lèvres,
C'est le lent galoubet[2] de nos meneurs de chèvres!
Écoutez... c'est le val[3], la lande[4], la forêt,
1800 Le petit pâtre[5] brun sous son rouge béret,
C'est la verte douceur des soirs sur la Dordogne[6]...
Écoutez, les Gascons : c'est toute la Gascogne!

Toutes les têtes se sont inclinées : – tous les yeux rêvent – et des larmes sont furtivement[7] *essuyées, avec un revers de manche, un coin de manteau.*

CARBON, *à Cyrano, bas.*
Mais tu les fais pleurer!

CYRANO
De nostalgie[8]!... Un mal
Plus noble que la faim!... pas physique : moral!
1805 J'aime que leur souffrance ait changé de viscère,
Et que ce soit leur cœur, maintenant, qui se serre!

CARBON
Tu vas les affaiblir en les attendrissant!

CYRANO, *qui a fait signe au tambour*[9] *d'approcher.*
Laisse donc! Les héros qu'ils portent dans leur sang
Sont vite réveillés! Il suffit...

1. languedociens : du Languedoc, région du Sud de la France, qui s'étendait, davantage que la région actuelle du Languedoc-Roussillon, au Nord et à l'Ouest, puisqu'elle incluait le Massif Central et Toulouse (qui en fut la capitale).
2. *galoubet* : petite flûte à trois trous, qu'on joue de la main gauche, pendant que la main droite frappe la mesure sur un tambourin, et qui était très répandue en Languedoc.
3. *le val* : la vallée.
4. *lande* : terrain inculte couvert de bruyères, de genêts, de fougères.
5. pâtre : berger.
6. *Dordogne* : actuel département du Sud-Ouest de la France, en Aquitaine, avec pour préfecture Périgueux, et pour sous-préfecture Bergerac (dont, rappelons-le, Cyrano n'est originaire que dans la pièce de Rostand, le vrai Cyrano venant d'un Bergerac situé dans la région parisienne).
7. furtivement : rapidement, comme en cachette.
8. *nostalgie* : au sens propre, «*douleur du retour* [au pays natal]», mal du pays, c'est-à-dire malaise qu'on éprouve loin de chez soi et qui donne envie d'y revenir.
9. *tambour* : joueur de tambour.

Il fait un geste. Le tambour roule.

TOUS, *se levant et se précipitant sur leurs armes.*
Hein?... Quoi?... Qu'est-ce?

CYRANO, *souriant.*
1810 Tu vois, il a suffi d'un roulement de caisse!
Adieu, rêves, regrets, vieille province, amour[1]...
Ce qui du fifre vient s'en va par le tambour[2]!

UN CADET•, *qui regarde au fond.*
Ah! Ah! Voici monsieur De Guiche!

TOUS LES CADETS, *murmurant.*
Hou...

CYRANO, *souriant.*
Murmure
Flatteur!

UN CADET
Il nous ennuie!

UN AUTRE
Avec, sur son armure,
1815 Son grand col de dentelle, il vient faire le fier!

UN AUTRE
Comme si l'on portait du linge sur du fer!

LE PREMIER
C'est bon lorsque à son cou l'on a quelque furoncle[3]!

---

1. *Adieu, rêves, regrets, vieille province, amour* : écho du célèbre vers de La Fontaine, dans *La Laitière et le Pot au lait* : «*Le lait tombe : adieu veau, vache, cochon, couvée*» (*Fables*, VII, 10, v. 23).
2. *Ce qui du fifre vient s'en va par le tambour* : Rostand parodie ici (et détourne de son sens originel) le proverbe «*Ce qui vient de la flûte s'en retourne au tambour*», qui signifie que ce qu'on a gagné en jouant de la flûte se dépense à faire jouer le tambour, ce qu'on a acquis malhonnêtement ou trop aisément disparaissant aussi facilement (une variante du proverbe «*Bien mal acquis ne profite jamais*»).
3. *furoncle* : tumeur inflammatoire présentant une saillie.

LE DEUXIÈME

Encore un courtisan[1] !

UN AUTRE

Le neveu de son oncle[2] !

CARBON

C'est un Gascon• pourtant[3] !

LE PREMIER

un faux !... Méfiez-vous !

1820 Parce que, les Gascons... ils doivent être fous :
Rien de plus dangereux qu'un Gascon raisonnable.

LE BRET

Il est pâle !

UN AUTRE

Il a faim... autant qu'un pauvre diable !
Mais comme sa cuirasse a des clous de vermeil[4],
Sa crampe d'estomac étincelle au soleil !

CYRANO, *vivement.*

1825 N'ayons pas l'air non plus de souffrir ! Vous, vos cartes,
Vos pipes et vos dés...

Tous rapidement se mettent à jouer sur des tambours, sur des escabeaux et, par terre, sur leurs manteaux, et ils allument de longues pipes de pétun[5].

Et moi, je lis Descartes[6].

Il se promène de long en large et lit dans un petit livre qu'il a tiré de sa poche. – Tableau – De Guiche entre. Tout le monde a l'air absorbé et content. Il est très pâle. Il va vers Carbon.

---

1. *un courtisan* : une personne qui fait partie de la cour (d'un roi, d'un prince) ; en un sens péjoratif, le terme désigne quiconque cherche à obtenir les faveurs des puissants.
2. *Le neveu de son oncle* : De Guiche, on s'en souvient, est le neveu du cardinal de Richelieu (*cf.* la note du v. 131).
3. *C'est un Gascon pourtant* : c'était effectivement le cas, si du moins l'on estime qu'un Béarnais est un Gascon (*cf.* la note du v. 145 et la note 3 du vers 1831).
4. *vermeil* : vermeil doré, argent recouvert d'une dorure cuivrée tirant sur le rouge.
5. *pétun* : tabac (*cf.* la note du v. 325).
6. *Descartes* : René Descartes, philosophe et savant français (1596-1650) qui, en 1640, est le tout récent (1637) auteur du célèbre *Discours de la Méthode*, et dont Cyrano de Bergerac fait l'éloge à la fin des *États et Empires du Soleil* (Belin, 1977, pp. 506-507).

Questions

Compréhension

1. *Que pensez-vous de la didascalie* générale de l'acte ?*

2. *Que se passe-t-il dans ces trois scènes ? En quoi consiste l'action ? Quels vers nous précisent-ils la situation ?*

3. *À quel vers de l'acte III fait écho la réplique de Cyrano, v. 1720 ? Qu'apprenons-nous de nouveau, v. 1719 et 1736 ?*

4. *À la scène 3, en quoi Cyrano et les cadets s'opposent-ils ? Relevez les contrastes qui traduisent cette opposition.*

5. *Que nous confirment les v. 1772 à 1778 ?*

6. *À quelle tirade de l'acte I fait écho le v. 1804 ?*

7. *La réaction des cadets à l'arrivée de De Guiche était-elle prévisible ? Commentez la réplique de Cyrano, v. 1825.*

Écriture

8. *Relevez les jeux de mots et calembours de ces trois scènes. Dans quelle mesure peut-on parler ici de « comique troupier » ?*

9. *Analysez la métrique* du v. 1741.*

10. *Quelle figure relevez-vous au v. 1772 ?*

11. *Étudiez les parallèles et les oppositions des v. 1773 à 1778.*

12. *Commentez les v. 1780 à 1802. Quels procédés contribuent au lyrisme de l'ensemble ?*

Mise en scène / Mise en perspective

13. *Quelles difficultés pose la mise en scène de ce début d'acte ?*

14. *Comparez l'éloge de la pointe (v. 1773 à 1778) au conseil donné par le poète Paul Verlaine dans son Art poétique : « Fuis du plus loin la Pointe assassine,/L'Esprit cruel et le rire impur,/Qui font pleurer les yeux de l'Azur,/Et tout cet ail de basse cuisine » La pointe et l'humour vous semblent-ils « antipoétiques » ? Que pensez-vous de l'écriture de Rostand, à cet égard ?*

SCÈNE 4. LES MÊMES, DE GUICHE

DE GUICHE, *à Carbon.*

Ah! Bonjour!

Ils s'observent tous les deux. À part, avec satisfaction.

Il est vert.

CARBON, *de même.*

Il n'a plus que les yeux.

DE GUICHE, *regardant les cadets•.*

Voici donc les mauvaises têtes?... Oui, Messieurs.
Il me revient de tous côtés qu'on me brocarde[1]
1830 Chez vous, que les cadets, noblesse montagnarde,
Hobereaux[2] béarnais[3], barons• périgourdins[4],
N'ont pour leur colonel pas assez de dédain•,
M'appellent intrigant[5], courtisan, qu'il les gêne
De voir sur ma cuirasse un col au point de Gêne[6],
1835 Et qu'ils ne cessent pas de s'indigner entre eux
Qu'on puisse être Gascon• et ne pas être gueux•!

Silence. On joue. On fume.

Vous ferai-je punir par votre capitaine?
Non.

CARBON

D'ailleurs, je suis libre et n'inflige de peine...

DE GUICHE

Ah!

1. *on me brocarde* : on me raille, on se moque de moi.
2. *hobereaux* : petits gentilshommes campagnards.
3. *béarnais* : du Béarn, ancienne province du Sud-Ouest de la France, qui, avec le Pays Basque, forma le département des Basses-Pyrénées (actuelles Pyrénées-Atlantiques), avec Pau pour capitale ; terre natale du roi Henri IV, surnommé *le Béarnais*, le Béarn ne fut rattaché à la Couronne de France qu'en 1594 et ce n'est qu'en 1620, donc tout récemment dans la chronologie de la pièce, que fut publié l'édit de rattachement (*cf.* la note du v. 145).
4. *périgourdins* : du Périgord, région du Sud-Ouest de la France, incluant notamment la Dordogne, qui fut rattachée au domaine royal par Henri IV et qui, au XVIIe s., fut le théâtre de violents soulèvements (révolte des Croquants, Fronde) contre le pouvoir royal.
5. *intrigant* : manœuvrier, qui use de combinaisons secrètes et compliquées pour parvenir à ses fins.
6. *au point de Gêne* : au point de Gênes, variété de dentelle (rime « pour l'œil » : *cf.* les notes des v. 1380, 1610 et 1684).

CARBON
J'ai payé ma compagnie, elle est à moi.
1840 Je n'obéis qu'aux ordres de guerre.

DE GUICHE
Ah?... Ma foi!
Cela suffit.

S'adressant aux cadets•.

Je peux mépriser vos bravades[1].
On connaît ma façon d'aller aux mousquetades[2] :
Hier, à Bapaume[3], on vit la furie avec quoi[4]
J'ai fait lâcher le pied au comte de Bucquoi[5];
1845 Ramenant sur ses gens les miens en avalanche,
J'ai chargé par trois fois[6]!

CYRANO, *sans lever le nez de son livre.*
Et votre écharpe blanche?

DE GUICHE, *surpris et satisfait.*
Vous savez ce détail? En effet, il advint,
Durant que je faisais ma caracole[7], afin
De rassembler mes gens pour la troisième charge,
1850 Qu'un remous[8] de fuyards m'entraîna sur la marge
Des ennemis; j'étais en danger qu'on me prît
Et qu'on m'arquebusât[9], quand j'eus le bon esprit
De dénouer et de laisser couler à terre
L'écharpe qui disait mon grade militaire;
1855 En sorte que je pus, sans attirer les yeux,

1. *bravades* : actions ou paroles par lesquelles on défie avec insolence une autorité.
2. *mousquetades* : coups de mousquets.
3. *Bapaume* : ville du Pas-de-Calais, dans le sud de l'Artois; en réalité, malgré les affirmations de De Guiche, cette percée sur Bapaume échoua. Mais les contemporains de Rostand se souviennent surtout que, moins de trente ans avant la représentation de la pièce, c'est à Bapaume, les 2 et 3 janvier 1871, lors de la guerre franco-prussienne de 1870-1871, que les troupes de Faidherbe battirent les Prussiens de Goeben. L'inexactitude historique de Rostand n'est donc que relative.
4. *avec quoi* : avec laquelle.
5. *comte de Bucquoi* : les troupes du comte de Bucquoy résistèrent et empêchèrent les Français de lever le blocus qui leur était imposé.
6. *J'ai chargé par trois fois* : C'est lors des tentatives qu'il a menées pour rompre le blocus imposé par les Espagnols aux Français que De Guiche a effectivement perdu son écharpe (*cf.* la note 2 du v. 1734).
7. *ma caracole* : mon demi-tour à cheval, avant de commencer à tirer (en utilisant l'arme à feu tout en restant à cheval).
8. *remous* : contre-courant, mouvement confus et massif (d'une foule).
9. *m'arquebusât* : me tuât à coups d'arquebuse (ancienne arme à feu).

Quitter les Espagnols, et revenant sur eux,
Suivi de tous les miens réconfortés, les battre[1] !
– Eh bien ! que dites-vous de ce trait[2] ?

Les cadets• n'ont pas l'air de l'écouter ; mais ici les cartes et les cornets à dés[3] restent en l'air, la fumée des pipes demeure dans les joues : attente.

CYRANO

Qu'Henri quatre[4]
N'eût jamais consenti, le nombre l'accablant[5],
1860 À se diminuer de son panache• blanc[6].

Joie silencieuse. Les cartes s'abattent. Les dés tombent. La fumée s'échappe.

DE GUICHE

L'adresse[7] a réussi, cependant !

Même attente suspendant les jeux et les pipes.

CYRANO

C'est possible.
Mais on n'abdique pas[8] l'honneur d'être une cible.

Cartes, dés, fumées s'abattent, tombent, s'envolent avec une satisfaction croissante.

Si j'eusse été présent quand l'écharpe coula
– Nos courages, monsieur, différent en cela –
1865 Je l'aurais ramassée et me la serais mise.

DE GUICHE

Oui, vantardise[9], encor•, de Gascon• !

---

1. Pour le détail de toutes ces manœuvres militaires, ici comme dans tout l'acte IV, Rostand s'appuie de très près sur les *Mémoires du maréchal de Gramont* (c'est-à-dire de De Guiche : *cf.* la note le concernant, au lexique des personnages), *in* « Collection des Mémoires relatifs à l'histoire de France », t. LVI (56), Paris, 1826.
2. *trait* : (au sens militaire) acte de courage.
3. *cornets à dés* : godet (petit récipient) qui sert à agiter et à jeter les dés.
4. *Henri quatre* : Henri IV (1533-1610), roi de Navarre (1572-1610) et de France (1589-1610), dont l'assassinat par Ravaillac est relativement récent dans la chronologie de la pièce, puisque c'est son fils Louis XIII qui règne alors.
5. *le nombre l'accablant* : même face à une multitude d'ennemis.
6. *À se diminuer de son panache blanc* : À se séparer de son panache blanc ; allusion à la fameuse exhortation d'Henri IV : *« Ralliez-vous à mon panache blanc ! »*
7. *L'adresse* : La ruse, l'habileté.
8. *on n'abdique pas* : on ne renonce pas à, on ne refuse pas.
9. *vantardise* : affirmation de qui se vante, se déclare orgueilleusement capable de.

CYRANO

Vantardise ?...
Prêtez-la-moi. Je m'offre à[1] monter, dès ce soir,
À l'assaut, le premier, avec elle en sautoir[2].

DE GUICHE

Offre encor• de Gascon•[3] ! Vous savez que l'écharpe
1870 Resta chez l'ennemi, sur les bords de la Scarpe,
En un lieu que depuis la mitraille cribla[4],
Où nul ne peut aller la chercher !

CYRANO, *tirant de sa poche l'écharpe blanche et la lui tendant.*

La voilà.

Silence. Les cadets• étouffent leurs rires dans les cartes et dans les cornets à dés. De Guiche se retourne, les regarde ; immédiatement ils reprennent leur gravité, leurs jeux : l'un d'eux sifflote avec indifférence l'air montagnard joué par le fifre•.

DE GUICHE, *prenant l'écharpe.*

Merci. Je vais, avec ce bout d'étoffe claire,
Pouvoir faire un signal, – que j'hésitais à faire.

Il va au talus, y grimpe, et agite plusieurs fois l'écharpe en l'air.

TOUS

1875 Hein !

LA SENTINELLE, *en haut du talus.*

Cet homme, là-bas qui se sauve en courant !...

DE GUICHE, *redescendant.*

C'est un faux espion espagnol. Il nous rend
De grands services. Les renseignements qu'il porte
Aux ennemis sont ceux que je lui donne, en sorte
Que l'on peut influer sur leurs décisions.

CYRANO

1880 C'est un gredin• !

---

1. *Je m'offre à* : Je me propose de, je suis volontaire pour.
2. *en sautoir* : *cf.* la note de la didascalie du v. 129.
3. *Offre encor de gascon* : Promesse de plus qui ne sera pas tenue.
4. *la mitraille cribla* : les munitions (balles de fer mêlées de ferraille) des canons percèrent de nombreux trous.

DE GUICHE, *se nouant nonchalamment*[1] *son écharpe.*
C'est très commode. Nous disions ?...
Ah !... J'allais vous apprendre un fait. Cette nuit même,
Pour nous ravitailler[2] tentant un coup suprême[3],
Le maréchal[4] s'en fut vers Dourlens[5], sans tambours ;
Les vivandiers[6] du roi sont là ; par les labours[7]
1885 Il les joindra ; mais pour revenir sans encombre[8],
Il a pris avec lui des troupes en tel nombre
Que l'on aurait beau jeu[9], certe[10], en nous attaquant :
La moitié de l'armée est absente du camp[11] !

CARBON
Oui, si les Espagnols savaient, ce serait grave.
1890 Mais ils ne savent pas ce départ ?

DE GUICHE
Ils le savent.
Ils vont nous attaquer.

CARBON
Ah !

DE GUICHE
Mon faux espion
M'est venu prévenir[12] de leur agression.
Il ajouta : « J'en peux déterminer la place ;

1. *nonchalamment* : avec insouciance.
2. *ravitailler* : réapprovisionner.
3. *un coup suprême* : une manœuvre à la fois ultime et exceptionnelle.
4. *Le maréchal* : le maréchal de La Meilleraye, l'un des trois détenteurs de ce grade militaire le plus élevé qui commandaient les troupes françaises à Arras, avec les maréchaux de Châtillon et de Brézé (*cf.* la note du v. 1241).
5. *Dourlens* : (ou Doullens) ville de la Somme, où les Français réussirent leur attaque.
6. *vivandiers* : ceux qui suivent un corps de troupes et vendent des vivres.
7. *labours* : champs labourés.
8. *sans encombre* : sans obstacle, sans difficulté.
9. *l'on aurait beau jeu* : l'on aurait la partie facile, l'on réussirait sans difficulté.
10. *certe* : certes (licence poétique permettant de ne compter le terme, suivi d'une voyelle, que pour une syllabe : *cf.* le v. 1387).
11. Cette information souligne le caractère stratégique et décisif de la situation : De Guiche a pour mission de tenir cette position, dégarnie de « *la moitié de l'armée* », partie, en escorte du maréchal de La Meilleraye, à la rencontre du secours français destiné à réapprovisionner les troupes. Si De Guiche (avec les cadets) n'y réussit pas, c'est tout le siège d'Arras qui risque d'échouer.
12. *M'est venu prévenir* : Est venu me prévenir.

Sur quel point voulez-vous que l'attaque se fasse?
1895 Je dirai que de tous c'est le moins défendu,
Et l'effort portera sur lui.» J'ai répondu :
«C'est bon. Sortez du camp. Suivez des yeux la ligne :
Ce sera sur le point d'où je vous ferai signe.»

CARBON, *aux cadets*•.
Messieurs, préparez-vous!

Tous se lèvent. Bruit d'épées et de ceinturons qu'on boucle.

DE GUICHE
C'est dans une heure.

PREMIER CADET
Ah!... bien!...

Ils se rasseyent tous. On reprend la partie interrompue.

DE GUICHE, *à Carbon.*
1900 Il faut gagner du temps. Le maréchal revient.

CARBON
Et pour gagner du temps?

DE GUICHE
Vous aurez l'obligeance[1]
De vous faire tuer.

CYRANO
Ah! voilà la vengeance?

DE GUICHE
Je ne prétendrai pas que si je vous aimais
Je vous eusse choisis vous et les vôtres, mais,
1905 Comme à votre bravoure[2] on n'en compare aucune,
C'est mon Roi que je sers en servant ma rancune[3].

CYRANO, *saluant.*
Souffrez[4] que je vous sois, monsieur, reconnaissant.

1. *l'obligeance* : l'amabilité, la gentillesse.
2. *votre bravoure* : votre courage.
3. *en servant ma rancune* : c'est la seconde fois que De Guiche prononce l'expression *«ma rancune»*, preuve de son entêtement à se venger (*cf.* le v. 1269).
4. *Souffrez* : Permettez.

DE GUICHE, *saluant.*
Je sais que vous aimez vous battre un contre cent.
Vous ne vous plaindrez pas de manquer de besogne[1].
Il remonte, avec Carbon.

CYRANO, *aux cadets*•.
1910 Eh bien donc! nous allons au blason de Gascogne,
Qui porte six chevrons[2], messieurs, d'azur et d'or[3],
Joindre un chevron de sang qui lui manquait encor•!
De Guiche cause bas avec Carbon de Castel-Jaloux, au fond. On donne des ordres. La résistance se prépare. Cyrano va vers Christian qui est resté immobile, les bras croisés.

CYRANO, *lui mettant la main sur l'épaule.*
Christian?

CHRISTIAN, *secouant la tête.*
Roxane!

CYRANO
Hélas!

CHRISTIAN
Au moins, je voudrais mettre
Tout l'adieu de mon cœur dans une belle lettre!...

CYRANO
1915 Je me doutais que ce serait pour aujourd'hui.
Il tire un billet[4] de son pourpoint•.
Et j'ai fait tes adieux.

CHRISTIAN
Montre!...

CYRANO
Tu veux?...

CHRISTIAN, *lui prenant la lettre.*
Mais oui!
Il l'ouvre, lit et s'arrête.

---

1. *besogne* : travail absorbant, occupation prenante.
2. *chevrons* : bandes plates en forme de V retourné (terme de blason).
3. *d'azur et d'or* : l'azur désigne le bleu et constitue l'un des neuf émaux utilisés en armoirie; l'or désigne le jaune et représente le premier métal (termes de blason).
4. un billet : une lettre, un courrier.

Tiens !...

CYRANO

Quoi ?

CHRISTIAN

Ce petit rond ?...

CYRANO, *reprenant la lettre vivement, et regardant d'un air naïf.*

Un rond ?...

CHRISTIAN

C'est une larme !

CYRANO

Oui... Poète, on se prend à son jeu, c'est le charme !...
Tu comprends... ce billet, – c'était très émouvant :
1920 Je me suis fait pleurer moi-même en l'écrivant.

CHRISTIAN

Pleurer ?...

CYRANO

Oui... parce que... mourir n'est pas terrible...
Mais... ne plus la revoir jamais... voilà l'horrible !
Car enfin je ne la...

Christian le regarde.

Nous ne la...

Vivement.

Tu ne la...

CHRISTIAN, *lui arrachant la lettre.*

Donne-moi ce billet !

On entend une rumeur, au loin, dans le camp.

LA VOIX D'UNE SENTINELLE

Ventrebieu, qui va là ?

Coups de feu. Bruits de voix. Grelots.

CARBON

1925 Qu'est-ce ?

LA SENTINELLE, *qui est sur le talus.*

Un carrosse !

On se précipite pour voir.

CRIS

Quoi? Dans le camp? – Il y entre!
– Il a l'air de venir de chez l'ennemi! – Diantre•!
Tirez! – Non! le cocher[1] a crié! – Crié quoi? –
Il a crié : Service du Roi!

Tout le monde est sur le talus et regarde au-dehors. Les grelots se rapprochent.

DE GUICHE

Hein? Du Roi!...

On redescend, on s'aligne.

CARBON

Chapeau bas[2], tous!

DE GUICHE, *à la cantonade*[3].

Du Roi! – Rangez-vous, vile tourbe[4],
1930 Pour qu'il puisse décrire avec pompe[5] sa courbe!

Le carrosse entre au grand trot. Il est couvert de boue et de poussière. Les rideaux sont tirés. Deux laquais• derrière. Il s'arrête net.

CARBON, *criant.*

Battez aux champs[6]!

Roulement de tambours. Tous les cadets• se découvrent.

DE GUICHE

Baissez le marchepied[7]!

Deux hommes se précipitent. La portière s'ouvre.

ROXANE, *sautant du carrosse.*

Bonjour!

Le son d'une voix de femme relève d'un seul coup ce monde profondément incliné. – Stupeur.

---

1. *cocher* : conducteur du carrosse.
2. *Chapeau bas* : Ôtez vos chapeaux (en signe d'hommage et de respect).
3. à la cantonade : aux coulisses, à des personnages qui ne sont pas en scène.
4. *vile tourbe* : méprisable foule.
5. *avec pompe* : avec faste et éclat.
6. *Battez aux champs* : expression signifiant *«Battez pour rendre les honneurs»*.
7. *marchepied* : ensemble de quelques marches repliables, servant à monter et descendre du carrosse.

SCÈNE 5. LES MÊMES, ROXANE

DE GUICHE

Service du Roi ! Vous ?

ROXANE

Mais du seul roi, l'Amour !

CYRANO

Ah ! grand Dieu !

CHRISTIAN, *s'élançant.*

Vous ! Pourquoi ?

ROXANE

C'était trop long, ce siège !

CHRISTIAN

Pourquoi ?...

ROXANE

Je te dirai !

CYRANO, *qui, au son de sa voix, est resté cloué immobile, sans oser tourner les yeux vers elle.*

Dieu ! La regarderai-je ?

DE GUICHE

1935 Vous ne pouvez rester ici !

ROXANE, *gaiement.*

Mais si ! mais si !

Voulez-vous m'avancer un tambour ?...

Elle s'assied sur un tambour qu'on avance.

Là, merci !

Elle rit.

On a tiré sur mon carrosse !

Fièrement.

Une patrouille[1] !

– Il a l'air d'être fait avec une citrouille,

1. *patrouille* : détachement de quelques soldats chargés de surveiller.

N'est-ce pas? comme dans le conte, et les laquais•
1940 Avec des rats.

Envoyant des lèvres un baiser à Christian.

Bonjour!

Les regardant tous.

Vous n'avez pas l'air gais!
– Savez-vous que c'est loin, Arras?

Apercevant Cyrano.

Cousin, charmée[1]!

CYRANO, *s'avançant.*

Ah çà! comment?...

ROXANE

Comment j'ai retrouvé l'armée?
Oh! mon Dieu, mon ami, mais c'est tout simple : j'ai
Marché tant que j'ai vu le pays ravagé.
1945 Ah! ces horreurs il a fallu que je les visse
Pour y croire! Messieurs, si c'est là le service
De votre Roi, le mien vaut mieux!

CYRANO

Voyons, c'est fou!
Par où diable avez-vous bien pu passer?

ROXANE

Par où?
Par chez les Espagnols.

PREMIER CADET•

Ah! Qu'elles sont malignes[2].

DE GUICHE

1950 Comment avez-vous fait pour traverser leurs lignes?

LE BRET

Cela dut être très difficile!...

ROXANE

Pas trop.
J'ai simplement passé dans mon carrosse, au trot.

---

1. *charmée* : enchantée.
2. *malignes* : malicieuses, astucieuses.

Si quelque hidalgo[1] montrait sa mine altière[2],
Je mettais mon plus beau sourire à la portière,
1955 Et ces messieurs étant, n'en déplaise aux Français,
Les plus galantes gens[3] du monde, – je passais!

CARBON
Oui, c'est un passeport, certes, que ce sourire!
Mais on a fréquemment dû vous sommer[4] de dire
Où vous alliez ainsi, madame?

ROXANE
Fréquemment[5].
1960 Alors je répondais : «Je vais voir mon amant[6].»
Aussitôt l'Espagnol à l'air le plus féroce
Refermait gravement la porte du carrosse.
D'un geste de la main à faire envie au Roi
Relevait les mousquets• déjà braqués sur moi,
1965 Et superbe de grâce, à la fois, et de morgue[7],
L'ergot tendu[8] sous la dentelle en tuyau d'orgue[9],
Le feutre• au vent pour que la plume palpitât,
S'inclinait en disant : «Passez, señorita!»

CHRISTIAN
Mais, Roxane...

ROXANE
J'ai dit : mon amant, oui... pardonne!
1970 Tu comprends, si j'avais dit : mon mari, personne
Ne m'eût laissée passer!

CHRISTIAN
Mais...

---

1. *quelque hidalgo* : un noble (en espagnol), de petite noblesse mais de grand orgueil.
2. *sa mine altière* : son air orgueilleux.
3. *galantes gens* : le mot *«gens»* est féminin lorsqu'il est immédiatement précédé d'un adjectif à forme féminine distincte (*«de galantes gens»*) mais *«des gens galants»*.
4. *sommer* : ordonner, contraindre.
5. *Fréquemment* : Souvent.
6. *mon amant* : au sens actuel du terme, comme le confirment les v. 1969 à 1971.
7. *morgue* : attitude hautaine et méprisante.
8. *L'ergot tendu* : L'épée dépassant de la cape (comme Ragueneau décrivait d'ailleurs Cyrano aux v. 109-110).
9. *en tuyau d'orgue* : comme l'est un tuyau d'orgue, ce qui, pour une dentelle empesée, désigne un pli cylindrique fait au fer (*cf.* l'expression de Cyrano, *«me tuyaute»*, au v. 1035).

ROXANE
Qu'avez-vous?

DE GUICHE
Il faut
Vous en aller d'ici!

ROXANE
Moi?

CYRANO
Bien vite!

LE BRET
Au plus tôt!

CHRISTIAN
Oui!

ROXANE
Mais comment?

CHRISTIAN, *embarrassé.*
C'est que...

CYRANO, *de même.*
Dans trois quarts d'heure...

DE GUICHE, *de même.*
[ou...
[quatre...

CARBON, *de même.*
Il vaut mieux...

LE BRET, *de même.*
Vous pourriez...

ROXANE
Je reste. On va se battre.

TOUS
1975 Oh! non!

ROXANE
C'est mon mari!
Elle se jette dans les bras de Christian.

Qu'on me tue avec toi!

CHRISTIAN

Mais quels yeux vous avez!

ROXANE

Je te dirai pourquoi!

DE GUICHE, *désespéré.*

C'est un poste terrible!

ROXANE, *se retournant.*

Hein! terrible?

CYRANO

Et la preuve

C'est qu'il nous l'a donné!

ROXANE, *à De Guiche.*

Ah! vous me vouliez veuve?

DE GUICHE

Oh! je vous jure!...

ROXANE

Non! Je suis folle à présent!

1980 Et je ne m'en vais plus! D'ailleurs, c'est amusant.

CYRANO

Eh quoi! la précieuse• était une héroïne?

ROXANE

Monsieur de Bergerac, je suis votre cousine.

UN CADET•

Nous vous défendrons bien!

ROXANE, *enfiévrée de plus en plus.*

Je le crois, mes amis!

UN AUTRE, *avec enivrement*[1].

Tout le camp sent l'iris[2]!

1. *enivrement* : agréable ivresse.

2. *l'iris* : il s'agit de l'iris à fleurs blanches, ou *Iris florentina*, dont la poudre est utilisée en parfumerie ; mais le terme désigne aussi, en poésie, un prénom conventionnellement utilisé pour ne pas nommer la femme aimée.

ROXANE

Et j'ai justement mis

1985 Un chapeau qui fera très bien dans la bataille !...

Regardant De Guiche.

Mais peut-être est-il temps que le comte s'en aille :
On pourrait commencer.

DE GUICHE

Ah ! c'en est trop ! Je vais
Inspecter mes canons, et reviens... Vous avez
Le temps encor• : changez d'avis !

ROXANE

Jamais !

De Guiche sort.

De Guiche (Georges Descrières), Cyrano (Jean Piat).
Mise en scène de Jacques Charron, Comédie-Française, 1964.

Questions

Compréhension

1. *Quelles conceptions de la guerre s'opposent en De Guiche et Cyrano ? Par quel qualificatif chacune d'elles pourrait-elle être résumée ? Citez des vers, à l'appui de vos réponses.*

2. *Pourquoi De Guiche est-il « surpris et satisfait » (v. 1847) ?*

3. *Quelle nouvelle humiliation De Guiche subit-il ici ? Comment réagit-il ? Que pensez-vous de sa réaction ?*

4. *Qu'apprenons-nous de nouveau entre les v. 1881 et 1898 ?*

5. *Dans le combat verbal entre De Guiche et Cyrano (v. 1901 à 1909), quelles sont les allusions aux épisodes antérieurs ?*

6. *Expliquez la confusion de Cyrano, entre les v. 1917 et 1923. Qu'est-ce que Christian commence à comprendre ?*

7. *Sur quel coup de théâtre s'achève la scène 4 et commence la scène 5 ? Quelle est sa signification symbolique ?*

8. *Quel effet crée la répétition de Roxane, aux v. 1934 et 1976 ? Expliquez la didascalie* du v. 1934.*

9. *Quelles qualités personnelles le récit de Roxane (v. 1952 à 1971) confirme-t-il ? Qu'y ajoute-t-elle ici ?*

Écriture

10. *Que remarquez-vous dans la distribution des personnages ?*

11. *Quel effet et quelle figure crée l'enjambement* des v. 1901-1902 ? Quelle autre figure relevez-vous au v. 1906 ?*

12. *Quelle est la particularité des v. 1913, 1916-1917, 1925, 1931 à 1936, 1947 à 1949, 1971 à 1979, 1983-1984, et 1987 ? Et quel est l'effet sur le rythme ?*

13. *En quoi ces scènes nous plongent-elles bien dans une « comédie héroïque » ? Comment Rostand réussit-il à y faire coexister intrigue théâtrale (et romanesque) et arrière-plan historique ?*

Mise en scène

14. *Quels effets mais aussi quelles difficultés crée le carrosse ? Quel est, ici, l'avantage du cinéma sur le théâtre ?*

SCÈNE 6. LES MÊMES, *moins* DE GUICHE

CHRISTIAN, *suppliant.*
Roxane!...

ROXANE

1990 Non!

PREMIER CADET•, *aux autres.*
Elle reste!

TOUS, *se précipitant, se bousculant, s'astiquant.*
Un peigne! – Un savon! – Ma basane[1]
Est trouée : une aiguille! – Un ruban! – Ton miroir!
– Mes manchettes! – Ton fer à moustache! – Un rasoir!

ROXANE, *à Cyrano qui la supplie encore.*
Non! rien ne me fera bouger de cette place!

CARBON, *après s'être, comme les autres, sanglé, épousseté, avoir brossé son chapeau, redressé sa plume et tiré ses manchettes, s'avance vers Roxane, et cérémonieusement.*
Peut-être siérait-il[2] que je vous présentasse,
1995 Puisqu'il en est ainsi, quelques de ces messieurs
Qui vont avoir l'honneur de mourir sous vos yeux.

Roxane s'incline et elle attend, debout au bras de Christian. Carbon présente.

Baron• de Peyrescous de Colignac[3]!

LE CADET, *saluant.*
Madame...

CARBON, *continuant.*
Baron de Casterac de Cahuzac. – Vidame[4]
De Malgouvre Estressac Lesbas d'Escarabiot. –
2000 Chevalier d'Antignac-Juzet. – Baron Hillot

---

1. basane : (ici) vêtement en peau de mouton (la basane désigne normalement une peau de mouton utilisée en reliure à la place d'une peau de veau).
2. *siérait-il* : conviendrait-il, serait-il séant, convenable.
3. *Colignac* : c'est avec un comte de Colignac que dialogue (et depuis Colignac que s'évade) le narrateur des *États et Empires du Soleil* de Cyrano de Bergerac.
4. *Vidame* : Officier remplaçant les seigneurs ecclésiastiques dans les fonctions juridiques ou militaires.

De Blagnac-Saléchan de Castel-Crabioules...

ROXANE
Mais combien avez-vous de noms, chacun ?

LE BARON• HILLOT
Des foules !

CARBON, *à Roxane.*
Ouvrez la main qui tient votre mouchoir.

ROXANE, *ouvre la main et le mouchoir tombe.*
Pourquoi ?

Toute la compagnie fait le mouvement de s'élancer pour le ramasser.

CARBON, *le ramassant vivement.*
Ma compagnie était sans drapeau ! Mais, ma foi[1],
2005 C'est le plus beau du camp qui flottera sur elle !

ROXANE, *souriant.*
Il est un peu petit.

CARBON, *attachant le mouchoir à la hampe[2] de sa lance de capitaine.*
Mais il est en dentelle !

UN CADET•, *aux autres.*
Je mourrais sans regret ayant vu ce minois[3],
Si j'avais seulement dans le ventre une noix !...

CARBON, *qui l'a entendu, indigné.*
Fi ![4] parler de manger lorsqu'une exquise femme !...

ROXANE
2010 Mais l'air du camp est vif et, moi-même, m'affame :
Pâtés, chauds-froids[5], vins fins : mon menu, le voilà !
Voulez-vous m'apporter tout cela ?

Consternation.

---

1. *ma foi* : assurément, certes, en effet.
2. à la hampe : au long manche de bois.
3. *minois* : visage ravissant et plaisant.
4. *Fi !* : Honte à vous !
5. *chauds-froids* : volailles rôties puis nappées d'une sauce en gelée.

UN CADET
Tout cela !

UN AUTRE
Où le prendrions-nous, grand Dieu ?

ROXANE, *tranquillement.*
Dans mon carrosse.

TOUS
Hein ?

ROXANE
Mais il faut qu'on serve et découpe, et désosse !
2015 Regardez mon cocher d'un peu plus près, messieurs.
Et vous reconnaîtrez un homme précieux :
Chaque sauce sera, si l'on veut, réchauffée !

LES CADETS, *se ruant vers le carrosse.*
C'est Ragueneau !

Acclamations.

Oh ! Oh !

ROXANE, *les suivant des yeux.*
Pauvres gens !

CYRANO, *lui baisant la main.*
Bonne fée !

RAGUENEAU, *debout sur le siège comme un charlatan*[1] *en place publique.*
Messieurs !...

Enthousiasme.

LES CADETS
Bravo ! Bravo !

RAGUENEAU
Les Espagnols n'ont pas,
2020 Quand passaient tant d'appas[2], vu passer le repas !

---

1. **charlatan** : vendeur ambulant qui débite des articles de droguerie (ingrédients propres à la teinture et à la chimie) sur les places et dans les foires (ici, le mot n'a pas le sens péjoratif de *« vendeur de produits prétendument miraculeux et qui exploite la crédulité publique »*).
2. *d'appas* : beautés (notamment gorge et poitrine) qui, chez une femme, suscitent le désir.

Applaudissements.

CYRANO, *bas à Christian.*

Hum! hum! Christian!

RAGUENEAU

Distraits par la galanterie

Ils n'ont pas vu...

Il tire de son siège un plat qu'il élève.

La galantine[1]!...

Applaudissements. La galantine passe de mains en mains.

CYRANO, *bas à Christian.*

Je t'en prie,

Un seul mot!

RAGUENEAU

Et Vénus[2] sut occuper leur œil

Pour que Diane[3], en secret, pût passer...

Il brandit un gigot.

son chevreuil!

Enthousiasme. Le gigot est saisi par vingt mains tendues.

CYRANO, *bas à Christian.*

2025 Je voudrais te parler!

ROXANE, *aux cadets• qui redescendent, les bras chargés de victuailles[4].*

Posez cela par terre!

Elle met le couvert sur l'herbe, aidée des deux laquais• imperturbables qui étaient derrière le carrosse.

ROXANE, *à Christian, au moment où Cyrano allait l'entraîner à part.*

Vous, rendez-vous utile!

---

1. *galantine* : cochon de lait ou volaille désossée dont on conserve la forme ou dont on fait un rouleau en remplissant la bête d'une farce faite de veau, lard, épices, et des lits de jambon, veau, truffes, lard, qu'ensuite on enveloppe de linge et qu'on fait cuire très longtemps avec eau, jarret et pied de veau, carottes, épices, etc.

2. *Vénus* : déesse romaine de l'Amour et de la Fécondité (correspondant à l'Aphrodite grecque). *Cf.* la note du v. 506.

3. *Diane* : déesse romaine de la Lune et de la Chasse (correspondant à l'Artémis grecque). Cyrano la mentionnait déjà au v. 507, ainsi que Vénus, pour décrire Roxane.

4. victuailles : provisions.

Christian vient l'aider. Mouvement d'inquiétude de Cyrano.

RAGUENEAU
Un paon truffé !

PREMIER CADET*, *épanoui, qui descend en coupant une large tranche de jambon.*
Tonnerre !
Nous n'aurons pas couru notre dernier hasard
Sans faire un gueuleton[1]...

Se reprenant vivement en voyant Roxane.
Pardon ! un balthazar[2] !

RAGUENEAU, *lançant les coussins du carrosse.*
Les coussins sont remplis d'ortolans[3] !

Tumulte. On éventre les coussins. Joie.

TROISIÈME CADET
Ah ! viédaze[4] !

RAGUENEAU, *lançant des flacons de vin rouge.*
2030 Des flacons de rubis[5] !...

De vin blanc.
Des flacons de topaze[6] !

ROXANE, *jetant une nappe pliée à la figure de Cyrano.*
Défaites cette nappe !... Eh ! hop ! Soyez léger !

RAGUENEAU, *brandissant une lanterne arrachée.*
Chaque lanterne est un petit garde-manger[7] !

CYRANO, *bas à Christian, pendant qu'ils arrangent la nappe ensemble.*
Il faut que je te parle avant que tu lui parles !

1. *gueuleton* : banquet auquel sont conviées beaucoup de personnes (familier).
2. *balthazar* : synonyme de « *gueuleton* », mais dans un registre élevé, et désignant un festin somptueux et abondant (du nom du dernier roi de Babylone, célèbre par la richesse de ses festins, notamment de celui qu'il donnait lorsque les Perses de Cyrus II prirent la ville et le tuèrent, en 539 av. J.-C.).
3. *ortolans* : petits oiseaux très recherchés pour la délicatesse de leur chair.
4. *viédaze* : à la fois nom provençal de l'aubergine (« *viédase* »), insulte signifiant « *nigaud* », ou, comme ici, exclamation signifiant « *diantre* ».
5. *rubis* : pierre précieuse de couleur rouge foncé.
6. *topaze* : pierre précieuse de couleur jaune doré.
7. *garde-manger* : lieu où l'on conserve les aliments.

RAGUENEAU, *de plus en plus lyrique*[1].
La manche de mon fouet est un saucisson d'Arles!

ROXANE, *versant du vin, servant.*
2035 Puisqu'on nous fait tuer, morbleu[2]! nous nous moquons
Du reste de l'armée! – Oui! tout pour les Gascons•!
Et si De Guiche vient, personne ne l'invite!

Allant de l'un à l'autre.

Là, vous avez le temps. – Ne mangez pas si vite! –
Buvez un peu. – Pourquoi pleurez-vous?

PREMIER CADET•
C'est trop bon!

ROXANE
2040 Chut! – Rouge ou blanc? – Du pain pour monsieur de Carbon!
– Un couteau! – Votre assiette! – Un peu de croûte? Encore?
– Je vous sers! – Du bourgogne? – Une aile?

CYRANO, *qui la suit, les bras chargés de plats, l'aidant à servir.*
Je l'adore!

ROXANE, *allant à Christian.*
Vous?

CHRISTIAN
Rien.

ROXANE
Si! ce biscuit, dans du muscat... deux doigts!

CHRISTIAN, *essayant de la retenir.*
Oh! dites-moi pourquoi vous vîntes?[3]

ROXANE
Je me dois
2045 À ces malheureux... Chut! Tout à l'heure!...

LE BRET, *qui était remonté au fond, pour passer, au bout d'une lance, un pain à la sentinelle du talus.*
De Guiche!

---

1. lyrique : poétique, passionné.
2. *morbleu* : mort de Dieu (juron), version non gasconne de « *Mordious!* ».
3. Sur cette ponctuation, *cf.* la note du v. 1208.

CYRANO

Vite, cachez flacon, plat, terrine, bourriche[1] !
Hop ! – N'ayons l'air de rien !...

À Ragueneau.

Toi, remonte d'un bond
Sur ton siège ! – Tout est caché ?...

En un clin d'œil tout a été repoussé dans les tentes, ou caché sous les vêtements, sous les manteaux, dans les feutres•. – De Guiche entre vivement – et s'arrête, tout d'un coup, reniflant. – Silence.

SCÈNE 7. LES MÊMES, DE GUICHE

DE GUICHE

Cela sent bon.

UN CADET•, *chantonnant d'un air détaché.*

To lo lo !...

DE GUICHE, *s'arrêtant et le regardant.*

Qu'avez-vous, vous ?... Vous êtes tout rouge !

LE CADET

2050 Moi ?... Mais rien. C'est le sang. On va se battre : il bouge !

UN AUTRE

Poum... poum... poum...

DE GUICHE, *se retournant.*

Qu'est cela ?

LE CADET, *légèrement gris•.*

Rien ! C'est une chanson !
Une petite...

DE GUICHE

Vous êtes gai, mon garçon !

LE CADET

L'approche du danger !

1. *bourriche* : panier à gibier ou à poisson.

DE GUICHE, *appelant Carbon de Castel-Jaloux, pour donner un ordre.*
Capitaine ! je...
Il s'arrête en le voyant.
Peste[1] !
Vous avez bonne mine aussi !

CARBON, *cramoisi*[2], *et cachant une bouteille derrière son dos, avec un geste évasif*[3].
Oh !...

DE GUICHE
Il me reste
2055 Un canon que j'ai fait porter...
Il montre un endroit dans la coulisse.
là, dans ce coin,
Et vos hommes pourront s'en servir au besoin[4].

UN CADET•, *se dandinant*[5].
Charmante attention !

UN AUTRE, *lui souriant gracieusement.*
Douce sollicitude[6] !

DE GUICHE
Ah çà ! mais ils sont fous !
Sèchement.
N'ayant pas l'habitude
Du canon, prenez garde au recul.

LE PREMIER CADET
Ah ! pfftt !

DE GUICHE, *allant à lui, furieux.*
Mais !...

LE CADET
2060 Le canon des Gascons• ne recule jamais !

---

1. *Peste* : interjection marquant l'étonnement.
2. *cramoisi* : rouge foncé.
3. évasif : fuyant, volontairement imprécis.
4. *au besoin* : si nécessaire, en cas de besoin.
5. se dandinant : se balançant maladroitement.
6. *sollicitude* : attention soutenue.

DE GUICHE, *le prenant par le bras et le secouant.*
Vous êtes gris•!... De quoi?

LE CADET•, *superbe*[1].
De l'odeur de la poudre!

DE GUICHE, *haussant les épaules, le repousse et va vivement à Roxane.*
Vite, à quoi daignez-vous[2], madame, vous résoudre[3]?

ROXANE

Je reste!

DE GUICHE

Fuyez!

ROXANE

Non!

DE GUICHE

Puisqu'il en est ainsi,
Qu'on me donne un mousquet•!

CARBON

Comment?

DE GUICHE

Je reste aussi.

CYRANO

2065 Enfin, Monsieur! voilà de la bravoure pure!

PREMIER CADET

Seriez-vous un Gascon• malgré votre guipure[4]?

ROXANE

Quoi!...

DE GUICHE

Je ne quitte pas une femme en danger.

---

1. *superbe* : (dans le double sens du terme) à la fois orgueilleux et magnifique.
2. *à quoi daignez-vous* : que consentez-vous de, qu'acceptez-vous de.
3. *vous résoudre* : décider.
4. *guipure* : sorte de dentelle.

DEUXIÈME CADET*, *au premier.*
Dis donc! Je crois qu'on peut lui donner à manger!

Toutes les victuailles reparaissent comme par enchantement.

DE GUICHE, *dont les yeux s'allument.*
Des vivres!

UN TROISIÈME CADET
Il en sort de sous toutes les vestes!

DE GUICHE, *se maîtrisant, avec hauteur.*
2070 Est-ce que vous croyez que je mange vos restes?

CYRANO, *saluant.*
Vous faites des progrès!

DE GUICHE, *fièrement, et à qui échappe sur le dernier mot une légère pointe d'accent.*
Je vais me battre à jeun[1]!

PREMIER CADET, *exultant[2] de joie.*
À jeung! Il vient d'avoir l'accent!

DE GUICHE, *riant.*
Moi!

LE CADET
C'en est un!

Ils se mettent tous à danser.

CARBON DE CASTEL-JALOUX, *qui a disparu depuis un moment derrière le talus, reparaissant sur la crête.*
J'ai rangé mes piquiers[3], leur troupe est résolue[4].

Il montre une ligne de piques qui dépasse la crête.

DE GUICHE, *à Roxane, en s'inclinant.*
Acceptez-vous ma main pour passer leur revue[5]?...

Elle la prend, ils remontent vers le talus. Tout le monde se découvre et les suit.

---

1. *à jeun* : sans avoir mangé.
2. *exultant* : débordant.
3. *piquiers* : soldats armés d'une pique (lance terminée par une pointe).
4. *résolue* : décidée.
5. *passer leur revue* : parcourir le front des troupes pour les inspecter.

CHRISTIAN, *allant à Cyrano, vivement.*

2075 Parle vite !

Au moment où Roxane paraît sur la crête, les lances disparaissent, abaissées pour le salut, un cri s'élève : elle s'incline.

LES PIQUIERS, *au-dehors.*

Vivat[1] !

CHRISTIAN

Quel était le secret ?

CYRANO

Dans le cas où Roxane...

CHRISTIAN

Eh bien ?

CYRANO

Te parlerait

Des lettres ?...

CHRISTIAN

Oui, je sais !...

CYRANO

Ne fais pas la sottise

De t'étonner...

CHRISTIAN

De quoi ?

CYRANO

Il faut que je te dise !...

Oh ! mon Dieu, c'est tout simple, et j'y pense aujourd'hui

2080 En la voyant. Tu lui...

CHRISTIAN

Parle vite !

CYRANO

Tu lui...

---

1. *Vivat !* : Qu'elle vive ! (en latin). *Cf.* la note du v. 855.

As écrit plus souvent que tu ne crois.

CHRISTIAN

Hein ?

CYRANO

Dame ![1]

Je m'en étais chargé : j'interprétais ta flamme[2] !
J'écrivais quelquefois sans te dire : j'écris !

CHRISTIAN

Ah !

CYRANO

C'est tout simple !

CHRISTIAN

Mais comment t'y es-tu pris,
2085 Depuis qu'on est bloqué pour ?...

CYRANO

Oh !... avant l'aurore
Je pouvais traverser...

CHRISTIAN, *se croisant les bras.*

Ah ! c'est tout simple encore ?
Et qu'ai-je écrit de fois par semaine ? Deux ? Trois ?...
Quatre ?

CYRANO

Plus.

CHRISTIAN

Tous les jours ?

CYRANO

Oui, tous les jours. Deux fois.

CHRISTIAN, *violemment.*

Et cela t'enivrait, et l'ivresse était telle
2090 Que tu bravais la mort...

CYRANO, *voyant Roxane qui revient.*

Tais-toi ! Pas devant elle !

Il rentre vivement dans sa tente.

1. *Dame !* : C'est-à-dire que !
2. *ta flamme* : ton amour enflammé.

SCÈNE 8. ROXANE, CHRISTIAN ; *au fond, allées et venues de* CADETS•. CARBON *et* DE GUICHE *donnent des ordres.*

ROXANE, *courant à Christian.*

Et maintenant, Christian !...

CHRISTIAN, *lui prenant les mains.*

Et maintenant, dis-moi
Pourquoi, par ces chemins effroyables, pourquoi
À travers tous ces rangs de soudards[1] et de reîtres[2],
Tu m'as rejoint ici ?

ROXANE

C'est à cause des lettres !

CHRISTIAN

2095 Tu dis ?

ROXANE

Tant pis pour vous si je cours ces dangers !
Ce sont vos lettres qui m'ont grisée• ! Ah ! songez
Combien depuis un mois vous m'en avez écrites[3],
Et plus belles toujours !

CHRISTIAN

Quoi ! pour quelques petites
Lettres d'amour...

ROXANE

Tais-toi ! Tu ne peux pas savoir !
2100 Mon Dieu, je t'adorais, c'est vrai, depuis qu'un soir,
D'une voix que je t'ignorais, sous ma fenêtre,
Ton âme commença de se faire connaître...
Eh bien ! tes lettres, c'est, vois-tu, depuis un mois,
Comme si tout le temps, je l'entendais, ta voix
2105 De ce soir-là, si tendre, et qui vous enveloppe !
Tant pis pour toi, j'accours. La sage Pénélope[4]

---

1. *soudards* : guerriers grossiers et barbares.
2. *reîtres* : guerriers brutaux (sens très proches de « *soudards* »).
3. écrites : avec le partitif « *en* », les usages grammaticaux invitent plutôt à écrire « *vous m'en avez écrit* ».
4. *Pénélope* : épouse d'Ulysse, reine d'Ithaque, qui fut « *sage* » en ce qu'elle attendit patiemment, durant des années, le retour de son époux, repoussant les avances de nombreux prétendants (*Cf.* les v. 650, 2389 et 2399-2400).

Ne fût pas demeurée à broder sous son toit,
Si le Seigneur Ulysse[1] eût écrit comme toi;
Mais pour le joindre, elle eût, aussi folle qu'Hélène[2],
2110 Envoyé promener ses pelotons de laine[3]!...

CHRISTIAN

Mais...

ROXANE

Je lisais, je relisais, je défaillais[4],
J'étais à toi. Chacun de ces petits feuillets
Était comme un pétale envolé de ton âme.
On sent, à chaque mot de ces lettres de flamme,
2115 L'amour puissant, sincère...

CHRISTIAN

Ah! sincère et puissant?
Cela se sent, Roxane?...

ROXANE

Oh! si cela se sent!

CHRISTIAN

Et vous venez?...

ROXANE

Je viens – ô mon Christian, mon maître!
Vous me relèveriez si je voulais me mettre
À vos genoux, c'est donc mon âme que j'y mets,
2120 Et vous ne pourrez plus la relever jamais! –
Je viens te demander pardon (et c'est bien l'heure

1. *Ulysse* : roi d'Ithaque, réputé pour sa force et sa ruse, l'un des principaux combattants grecs lors de la guerre de Troie; son retour de Troie jusqu'à son île d'Ithaque, à l'issue de la victoire des Grecs, est un véritable périple semé d'embûches, sujet de l'*Odyssée* (du nom grec d'Ulysse : *Odysseus*), épopée d'Homère (VIIIe s. av. J.-C.).
2. *Hélène* : Hélène de Sparte, épouse du roi grec Ménélas, «*folle*» en ce qu'elle fut directement à l'origine de la guerre de Troie, puisqu'elle se laissa séduire et enlever par le Troyen Pâris (lequel recevait ainsi sa récompense – l'amour de «*la plus belle des mortelles*» – de la déesse Aphrodite, qu'il avait désignée la plus belle des trois déesses [Aphrodite, Athéna, Héra] qui avaient sollicité son jugement).
3. *pelotons de laine* : Pénélope avait promis de choisir, parmi les prétendants qui la courtisaient, un nouvel époux dès qu'elle aurait terminé un ouvrage de broderie; pour repousser sans cesse ce jour décisif, elle défaisait, la nuit, tout ce qu'elle avait tissé le jour (sur «*pelotons*», *cf.* la note 3, p. 300).
4. *je défaillais* : je m'évanouissais.

De demander pardon, puisqu'il se peut qu'on meure !)
De t'avoir fait d'abord, dans ma frivolité[1],
L'insulte de t'aimer pour ta seule beauté !

CHRISTIAN, *avec épouvante.*

2125 Ah ! Roxane !

ROXANE

Et plus tard, mon ami, moins frivole,
– Oiseau qui saute avant tout à fait qu'il s'envole, –
Ta beauté m'arrêtant, ton âme m'entraînant,
Je t'aimais pour les deux ensemble !...

CHRISTIAN

Et maintenant ?

ROXANE

Eh bien ! toi-même enfin l'emporte sur toi-même
2130 Et ce n'est plus que pour ton âme que je t'aime.

CHRISTIAN, *reculant.*

Ah ! Roxane !

ROXANE

Sois donc heureux. Car n'être aimé
Que pour ce dont on est un instant costumé,
Doit mettre un cœur avide et noble à la torture[2] ;
Mais ta chère pensée efface ta figure,
2135 Et la beauté par quoi tout d'abord tu me plus,
Maintenant j'y vois mieux... et je ne la vois plus !

CHRISTIAN

Oh !...

ROXANE

Tu doutes encor• d'une telle victoire ?...

CHRISTIAN, *douloureusement.*

Roxane !

ROXANE

Je comprends, tu ne peux pas y croire,

1. *frivolité* : légèreté, attachement à des choses sans importance.
2. *Doit mettre un cœur avide et noble à la torture* : Doit mettre à la torture un cœur avide et noble, doit torturer un cœur.

À cet amour ?...

CHRISTIAN

Je ne veux pas de cet amour !

2140 Moi, je veux être aimé plus simplement pour...

ROXANE

Pour

Ce qu'en vous elles ont aimé jusqu'à cette heure ?
Laissez-vous donc aimer d'une façon meilleure !

CHRISTIAN

Non ! c'était mieux avant !

ROXANE

Ah ! tu n'y entends[1] rien !

C'est maintenant que j'aime mieux, que j'aime bien !

2145 C'est ce qui te fait toi, tu m'entends, que j'adore
Et moins brillant...

CHRISTIAN

Tais-toi !

ROXANE

Je t'aimerais encore !

Si toute ta beauté tout d'un coup s'envolait...

CHRISTIAN

Oh ! ne dis pas cela !

ROXANE

Si ! je le dis !

CHRISTIAN

Quoi ? laid ?

ROXANE

Laid ! je le jure !

CHRISTIAN

Dieu !

ROXANE

Et ta joie est profonde ?

1. *entends* : comprends.

CHRISTIAN, *d'une voix étouffée.*

2150 Oui...

ROXANE

Qu'as-tu ?...

CHRISTIAN, *la repoussant doucement.*

Rien. Deux mots à dire : une seconde...

ROXANE

Mais ?...

CHRISTIAN, *lui montrant un groupe de cadets•, au fond.*

À ces pauvres gens mon amour t'enleva :
Va leur sourire un peu puisqu'ils vont mourir... va !

ROXANE, *attendrie.*

Cher Christian !

Elle remonte vers les Gascons• qui s'empressent respectueusement vers elle.

Cyrano (Gérard Depardieu) et Roxane (Anne Brochet) dans le film Cyrano de Bergerac de Jean-Paul Rappeneau, 1989.

Questions

Compréhension

1. *Quel nouveau coup de théâtre la scène 6 introduit-elle ?*

2. *Qui ne participe pas à l'« enthousiasme » général ? Pourquoi ?*

3. *Quelle double caractéristique Ragueneau confirme-t-il ici (v. 2019 à 2024) ? Faites le parallèle avec l'acte II.*

4. *Quelles répliques attestent que Roxane est irrésistible ?*

5. *Comparez la fin de la scène 6 et la fin de la scène 3.*

6. *Que pensez-vous de la décision de De Guiche (v. 2064) ? Et de la réaction de Cyrano et des cadets (v. 2065-2066) ?*

7. *Que comprend Christian, à la fin de la scène 7 ? À quels vers de l'acte II la réplique de Cyrano fait-elle écho ?*

8. *Quelles sont les évolutions respectives de Christian et de Roxane au cours de la scène 8 ?*

9. *Que comprend définitivement Christian, à la fin de la scène 8 ? Que pensez-vous du personnage ?*

Écriture

10. *Entre quelles tonalités l'écriture évolue-t-elle, au cours des scènes 6 et 8 ?*

11. *Que traduit la brièveté des répliques, à partir du v. 2075 ?*

12. *Quels changements remarquez-vous, à la scène 8, dans les échanges entre Roxane et Christian ? Que révèlent-ils ?*

Mise en scène / Mise en perspective

13. *Quelles difficultés de mise en scène provoque la surabondance de nourriture ?*

14. *Comment le metteur en scène peut-il exprimer le passage, en un même décor, d'une scène de liesse à un duo presque tragique ? Quel est, ici encore, l'avantage du cinéma sur le théâtre ?*

SCÈNE 9. CHRISTIAN, CYRANO ; *au fond* ROXANE, *causant avec* CARBON *et quelques* CADETS•.

CHRISTIAN, *appelant vers la tente de Cyrano.*
Cyrano ?

CYRANO, *reparaissant, armé pour la bataille.*
Qu'est-ce ? Te voilà blême• !

CHRISTIAN

Elle ne m'aime plus !

CYRANO

Comment ?

CHRISTIAN

C'est toi qu'elle aime !

CYRANO

2155 Non !

CHRISTIAN

Elle n'aime plus que mon âme !

CYRANO

Non !

CHRISTIAN

Si !
C'est donc bien toi qu'elle aime, – et tu l'aimes aussi !

CYRANO

Moi ?

CHRISTIAN

Je le sais.

CYRANO

C'est vrai.

CHRISTIAN

Comme un fou.

CYRANO

Davantage.

CHRISTIAN

Dis-le-lui !

CYRANO

Non!

CHRISTIAN

Pourquoi?

CYRANO

Regarde mon visage!

CHRISTIAN

Elle m'aimerait laid!

CYRANO

Elle te l'a dit?

CHRISTIAN

Là!

CYRANO

2160 Ah! je suis bien content qu'elle t'ait dit cela!
Mais va, va, ne crois pas cette chose insensée[1]!
– Mon Dieu, je suis content qu'elle ait eu la pensée
De la dire, – mais va, ne la prends pas au mot,
Va, ne deviens pas laid : elle m'en voudrait trop!

CHRISTIAN

2165 C'est ce que je veux voir!

CYRANO

Non, non!

CHRISTIAN

Qu'elle choisisse!
Tu vas lui dire tout!

CYRANO

Non, non! Pas ce supplice.

CHRISTIAN

Je tuerais ton bonheur parce que je suis beau?
C'est trop injuste!

CYRANO

Et moi, je mettrais au tombeau
Le tien parce que, grâce au hasard qui fait naître,
2170 J'ai le don d'exprimer... ce que tu sens peut-être?

1. *insensée* : qui n'a pas de sens, incroyable.

CHRISTIAN

Dis-lui tout !

CYRANO

Il s'obstine à me tenter, c'est mal !

CHRISTIAN

Je suis las[1] de porter en moi-même un rival !

CYRANO

Christian !

CHRISTIAN

Notre union, sans témoins, clandestine[2],
Peut se rompre, si nous survivons !

CYRANO

Il s'obstine !...

CHRISTIAN

2175 Oui, je veux être aimé moi-même, ou pas du tout !
Je vais voir ce qu'on fait, tiens ! Je vais jusqu'au bout
Du poste ; je reviens : parle, et qu'elle préfère
L'un de nous deux !

CYRANO

Ce sera toi !

CHRISTIAN

Mais... je l'espère !

Il appelle.

Roxane !

CYRANO

Non ! Non !

ROXANE, *courant.*

Quoi ?

CHRISTIAN

Cyrano vous dira

2180 Une chose importante...

---

1. *Je suis las* : Je suis lassé, fatigué, j'en ai assez. Même lassitude dès le v. 1315.
2. *clandestine* : connue de personne.

Elle va vivement à Cyrano. Christian sort.

SCÈNE 10. ROXANE, CYRANO, *puis* LE BRET, CARBON DE CASTEL-JALOUX, LES CADETS•, RAGUENEAU, DE GUICHE, *etc.*

ROXANE
Importante?

CYRANO, *éperdu*[1].
Il s'en va!...

À Roxane.

Rien... Il attache, – oh! Dieu! vous devez le connaître! –
De l'importance à rien!

ROXANE, *vivement.*
Il a douté peut-être
De ce que j'ai dit là?... J'ai vu qu'il a douté!...

CYRANO, *lui prenant la main.*
Mais avez-vous bien dit, d'ailleurs, la vérité?

ROXANE
2185 Oui, oui, je l'aimerais même...

Elle hésite une seconde.

CYRANO, *souriant tristement.*
Le mot vous gêne
Devant moi?

ROXANE
Mais...

CYRANO
Il ne me fera pas de peine!
– Même laid?

ROXANE
Même laid!

Mousqueterie au-dehors.

1. éperdu : profondément troublé.

Ah ! tiens, on a tiré !

CYRANO, *ardemment*[1].

Affreux ?

ROXANE

Affreux !

CYRANO

Défiguré ?

ROXANE

Défiguré !

CYRANO

Grotesque[2] ?

ROXANE

Rien ne peut me le rendre grotesque !

CYRANO

2190 Vous l'aimeriez encore ?

ROXANE

Et davantage presque !

CYRANO, *perdant la tête, à part.*

Mon Dieu, c'est vrai, peut-être, et le bonheur est là.

À Roxane.

Je... Roxane... écoutez !...

LE BRET, *entrant rapidement, appelle à mi-voix.*

Cyrano !

CYRANO, *se retournant.*

Hein ?

LE BRET

Chut !

Il lui dit un mot tout bas.

1. ardemment : passionnément.
2. *Grotesque* : D'une laideur caricaturale (allusion aussi aux *Grotesques* [1844] de Théophile Gautier, dont Rostand s'est inspiré).

CYRANO, *laissant échapper la main de Roxane, avec un cri.*
Ah!...

ROXANE
Qu'avez-vous?

CYRANO, *à lui-même, avec stupeur.*
C'est fini.

Détonations nouvelles.

ROXANE
Quoi? Qu'est-ce encore? On tire?

Elle remonte pour regarder au-dehors.

CYRANO
C'est fini, jamais plus je ne pourrai le dire!

ROXANE, *voulant s'élancer.*
2195 Que se passe-t-il?

CYRANO, *vivement, l'arrêtant.*
Rien!

Des cadets• sont entrés, cachant quelque chose qu'ils portent, et ils forment un groupe empêchant Roxane d'approcher.

ROXANE
Ces hommes?

CYRANO, *l'éloignant.*
Laissez-les!...

ROXANE
Mais qu'alliez-vous me dire avant?...

CYRANO
Ce que j'allais
Vous dire?... rien, oh! rien, je le jure, madame!

Solennellement [1].

Je jure que l'esprit de Christian, que son âme
Étaient...

Se reprenant avec terreur.

1. Solennellement : Avec la même gravité que lors d'une cérémonie.

Sont les plus grands...

ROXANE

Étaient ?

Avec un grand cri.

Ah !...

Elle se précipite et écarte tout le monde.

CYRANO

C'est fini.

ROXANE, *voyant Christian couché dans son manteau.*

2200 Christian !

LE BRET, *à Cyrano.*

Le premier coup de feu de l'ennemi !

Roxane se jette sur le corps de Christian. Nouveaux coups de feu. Cliquetis[1]*. Rumeurs. Tambours.*

CARBON DE CASTEL-JALOUX, *l'épée au poing.*

C'est l'attaque ! Aux mousquets• !

Suivi des cadets•, il passe de l'autre côté du talus.

ROXANE

Christian !

LA VOIX DE CARBON, *derrière le talus.*

Qu'on se dépêche !

ROXANE

Christian !

CARBON

Alignez-vous !

ROXANE

Christian !

CARBON

Mesurez... mèche !

Ragueneau est accouru, apportant de l'eau dans un casque.

1. Cliquetis : Bruit d'armes qui s'entrechoquent.

CHRISTIAN, *d'une voix mourante.*

Roxane !...

CYRANO, *vite et bas à l'oreille de Christian, pendant que Roxane affolée trempe dans l'eau, pour le panser*[1], *un morceau de linge arraché à sa poitrine.*

J'ai tout dit. C'est toi qu'elle aime encor• !

Christian ferme les yeux.

ROXANE

Quoi, mon amour ?

CARBON

Baguette[2] *haute !*

ROXANE, *à Cyrano.*

Il n'est pas mort ?...

CARBON

2205 *Ouvrez la charge avec les dents*[3] *!*

ROXANE

Je sens sa joue

Devenir froide, là, contre la mienne !

CARBON

En joue !

ROXANE

Une lettre sur lui !

Elle l'ouvre.

Pour moi !

CYRANO, *à part.*

Ma lettre !

CARBON

Feu !

Mousqueterie. Cris. Bruit de bataille.

---

1. panser : soigner.
2. Baguette : Baguette servant à presser la charge dans le canon.
3. *avec les dents* : Carbon demande de déchirer avec les dents l'emballage en papier de la cartouche contenant la charge qui va être versée dans le canon du mousquet.

CYRANO, *voulant dégager sa main que tient Roxane agenouillée.*
Mais, Roxane, on se bat!

ROXANE, *le retenant.*
Restez encore un peu.
Il est mort. Vous étiez le seul à le connaître.

Elle pleure doucement.

2210 N'est-ce pas que c'était un être exquis, un être
Merveilleux?

CYRANO, *debout, tête nue.*
Oui, Roxane.

ROXANE
Un poète inouï,
Adorable?

CYRANO
Oui, Roxane.

ROXANE
Un esprit sublime?

CYRANO
Oui,
Roxane!

ROXANE
Un cœur profond, inconnu du profane[1],
Une âme magnifique et charmante?

CYRANO, *fermement.*
Oui, Roxane!

ROXANE, *se jetant sur le corps de Christian.*
2215 Il est mort!

CYRANO, *à part, tirant l'épée.*
Et je n'ai qu'à mourir aujourd'hui,
Puisque, sans le savoir, elle me pleure en lui!

Trompettes au loin.

DE GUICHE, *qui reparaît sur le talus, décoiffé, blessé au front, d'une voix tonnante.*
C'est le signal promis! Des fanfares de cuivres!
Les Français vont rentrer au camp avec des vivres!

1. *du profane* : de l'ignorant, du commun des mortels.

Tenez encore un peu !

ROXANE
Sur sa lettre, du sang,

2220 Des pleurs !

UNE VOIX, *au-dehors, criant.*
Rendez-vous !

VOIX DES CADETS•
Non !

RAGUENEAU, *qui, grimpé sur son carrosse, regarde la bataille par-dessus le talus.*
Le péril• va croissant[1] !

CYRANO, *à De Guiche lui montrant Roxane.*
Emportez-la[2] ! Je vais charger !

ROXANE, *baisant la lettre, d'une voix mourante.*
Son sang ! ses larmes !...

RAGUENEAU, *sautant à bas du carrosse pour courir vers elle.*
Elle s'évanouit !

DE GUICHE, *sur le talus, aux cadets, avec rage.*
Tenez bon !

UNE VOIX, *au-dehors.*
Bas les armes !

VOIX DES CADETS

Non !

CYRANO, *à De Guiche.*
Vous avez prouvé, Monsieur, votre valeur :

Lui montrant Roxane.

Fuyez en la sauvant !

DE GUICHE, *qui court à Roxane et l'enlève dans ses bras.*
Soit ! Mais on est vainqueur

2225 Si vous gagnez du temps !

---

1. *va croissant* : s'accroît, augmente (impossible de ne pas voir ici un jeu de mots de Rostand, malgré le contexte, en mettant dans la bouche du pâtissier Ragueneau le mot « *croissant* »).
2. *Emportez-la* : Emmenez-la.

CYRANO
C'est bon !

Criant vers Roxane que De Guiche, aidé de Ragueneau, emporte évanouie.

Adieu, Roxane !

Tumulte. Cris. Des cadets• reparaissent blessés et viennent tomber en scène. Cyrano se précipitant au combat est arrêté sur la crête par Carbon de Castel-Jaloux, couvert de sang.

CARBON
Nous plions[1] ! J'ai reçu deux coups de pertuisane[2] !

CYRANO, *criant aux Gascons•.*
Hardi ! Reculès pas, drollos ![3]

À Carbon, qu'il soutient.

N'ayez pas peur !
J'ai deux morts à venger : Christian et mon bonheur !

Ils redescendent. Cyrano brandit la lance où est attaché le mouchoir de Roxane.

Flotte, petit drapeau[4] de dentelle à son chiffre[5] !

Il la plante en terre ; il crie aux cadets.

2230 ***Toumbè dèssus ! Escrasas lous !***[6]

Au fifre•.

Un air de fifre !

Le fifre joue. Des blessés se relèvent. Des cadets, dégringolant le talus, viennent se grouper autour de Cyrano et du petit drapeau. Le carrosse se couvre et se remplit d'hommes, se hérisse d'arquebuses, se transforme en redoute[7].

---

1. *plions* : cédons, faiblissons.
2. *pertuisane* : ancienne arme d'hast (c'est-à-dire constituée d'un fer monté sur une longue hampe), avec une pointe à son sommet et des crocs, des croissants et des pointes sur les côtés.
3. *Hardi ! Reculès pas, drollos !* : Allez ! Ne reculez pas, les gars !
4. *drapeau* : comme enseigne de l'infanterie, le drapeau ne s'est vraiment répandu qu'à partir du règne de Louis XIV ; mais les contemporains de Rostand entendent ici la chanson *« Flotte, petit drapeau, / Flotte toujours bien haut »*, en vogue entre les guerres de 1870 et de 1914.
5. *chiffre* : initiales brodées en entrelacement.
6. *Tombè dèssus ! Escrasas lous !* : Tombez dessus ! Écrasez-les !
7. redoute : ouvrage de fortification détaché.

UN CADET•, *paraissant, à reculons, sur la crête, se battant toujours, crie :*

Ils montent le talus !

Et tombe mort.

CYRANO

On va les saluer !

Le talus se couronne en un instant d'une rangée terrible d'ennemis. Les grands étendards des Impériaux[1] *se lèvent.*

CYRANO

Feu !

Décharge générale.

CRI, *dans les rangs ennemis.*

Feu !

Riposte meurtrière. Les cadets tombent de tous côtés.

UN OFFICIER• ESPAGNOL, *se découvrant.*

Quels sont ces gens qui se font tous tuer ?

CYRANO, *récitant debout au milieu des balles.*

Ce sont les cadets de Gascogne
De Carbon de Castel-Jaloux ;
2235 Bretteurs• et menteurs sans vergogne...

Il s'élance, suivi de quelques survivants.

Ce sont les cadets...

Le reste se perd dans la bataille.

RIDEAU

1. Impériaux : des soldats d'Autriche et d'Allemagne (autres que protestants).

Questions

Compréhension

1. *Quelle évolution commune suivent tous les personnages principaux dans ces deux dernières scènes ? Dans quelle mesure, malgré le dénouement* tragique, cet acte s'achève-t-il dans la réconciliation ?*

2. *En quoi la scène 9 est-elle à la fois intense et pathétique ? Quel effet provoque sa brièveté ?*

3. *Que reconnaît enfin Cyrano ? À quels vers ? Quelle est néanmoins la limite de son aveu ?*

4. *En quoi la générosité des deux amis rivaux atteint-elle le sublime* (v. 2167 à 2170) ?*

5. *Quelles sont les six étapes de la scène 10 ? À quoi tient précisément l'intensité exceptionnelle de cette scène ? Quelle catastrophe* présente-t-elle ?*

6. *Quelle est l'importance des didascalies* des v. 2184, 2192 et 2208, concernant Cyrano ? À quelle scène de l'acte II font-elles écho ?*

7. *Au v. 2187, voyez-vous une corrélation entre les deux répliques de Roxane ? En quoi ce vers constitue-t-il un tournant ?*

8. *Expliquez le v. 2191 et sa didascalie*. À quel aveu Cyrano s'apprête-t-il ? Qu'est-ce qui l'en empêche désormais ? À quel vers est souligné le caractère définitif de ce renoncement ?*

9. *Que signifie et que symbolise aussi le cri poussé par Cyrano, v. 2192 ? À la seconde lecture, comment comprendre sa réplique au v. 2 180, et la répétition des v. 2193 et 2199 ?*

10. *Quelle interprétation de la mort de Christian la réplique de Le Bret, v. 2200, autorise-t-elle ? Qu'en pensez-vous ?*

11. *Quel lapsus Cyrano commet-il, v. 2199 ? Est-ce habituel chez lui ? Qu'en concluez-vous ? Que choisit-il d'évoquer chez Christian ? Pourquoi ?*

12. *Que pensez-vous du mensonge de Cyrano, v. 2203 ?*

13. *Dans l'éloge funèbre de Christian par Roxane, selon quel ordre celle-ci énumère-t-elle les qualités de son époux défunt ? Qu'y remarquez-vous ? Pourquoi Cyrano est-il alors « tête nue » et prononce-t-il sa dernière réplique « fermement » (didascalies* des v. 2211 et 2215) ?*

14. *À quelle scène (et quels vers) de l'acte III font écho les v. 2216-2217 ?*

15. *Expliquez le v. 2229.*

16. *Pourquoi la pièce ne finit-elle pas avec cet acte ? Qu'est-ce qui justifie un cinquième acte ?*

Écriture

17. *Analysez la métrique* des v. 2168 à 2170, 2188, 2192, 2 212 à 2215.*

18. *Quel effet et quelle figure crée l'enjambement* des v. 2176-2172 ?*

19. *À partir du v. 2201, par quels procédés stylistiques l'écriture superpose-t-elle deux actions ?*

20. *Que peut symboliquement signifier le fait qu'on emporte (v. 2222 et didascalie* du v. 2226) Roxane au lieu de l'emmener ?*

21. *À quoi fait écho la dernière réplique de l'acte (v. 2234 à 2236) ?*

Mise en scène

22. *Comment le metteur en scène peut-il traduire la superposition des actions collectives et isolées, du combat général et des luttes intimes ?*

23. *De quel espace scénique vaut-il mieux impérativement disposer pour un tel final ? Là encore, quel est l'avantage du cinéma sur le théâtre pour de telles scènes ?*

Bilan

L'action

• Ce que nous savons

Au siège d'Arras, les cadets de Carbon crient famine : bien qu'assiégeant la ville aux mains des Espagnols, ils sont en effet eux-mêmes assiégés, l'ennemi ayant coupé leur approvisionnement. Cyrano achemine quotidiennement les lettres qu'il écrit à Roxane. De Guiche vient voir les Gascons, dont l'orgueil leur interdit toutefois de montrer qu'ils souffrent.
À leur colonel soulignant l'efficacité de sa dernière manœuvre militaire, Cyrano oppose le sens du panache et de l'action d'éclat (v. 1 862), et joint le geste à la parole, lui rendant son écharpe tombée en un lieu « où nul ne peut aller la chercher ». *De Guiche s'en sert aussitôt pour avertir un faux espion espagnol et lui signaler que l'ennemi peut désormais les attaquer ici, d'autant plus facilement que, partie escorter leur maréchal tentant une jonction avec les troupes de ravitaillement,* « la moitié de l'armée est absente du camp » : *De Guiche trouve ainsi le moyen d'assouvir sa vengeance. Cyrano l'en remercie et remet à Christian une lettre d'adieu écrite le matin même : Christian y décèle une larme, mais l'arrivée inopinée d'un carrosse royal interrompt l'explication. À la stupéfaction générale, le* « service du Roi » *a les traits de Roxane, venue à travers les lignes ennemies rejoindre Christian. Profitant d'une absence de De Guiche, Roxane provoque une seconde surprise : son carrosse, conduit par Ragueneau, est rempli de vivres ! Scène de liesse, à laquelle toutefois ne s'associent ni Christian, qui veut savoir pourquoi Roxane a pris de tels risques pour venir, ni Cyrano, qui veut prévenir Christian de la fréquence de ses lettres. À l'annonce du retour de De Guiche, les affamés désormais rassasiés cachent les vivres et reprennent leurs attitudes précédentes. Apprenant que Roxane a décidé, malgré le danger, de rester, De Guiche renonce aussi à partir et, à la faveur d'une pointe de fierté et d'accent gascon, conquiert les cadets. Cyrano révèle avec précipitation sa fréquence épistolaire à Christian, qui commence à entrevoir la vérité. La longue déclaration de Roxane — l'assurant qu'elle l'aime désormais pour son âme et qu'elle l'aimerait même laid — achève de convaincre Christian : sans le savoir, c'est Cyrano qu'elle aime.*
Christian en informe Cyrano avant de s'en aller, en lui enjoignant de s'en assurer lui-même auprès d'elle. Mais, alors qu'il reçoit confirmation de l'évolution de Roxane et s'apprête à tout révéler à

celle-ci, Cyrano apprend la blessure mortelle de Christian, qu'il rassure d'un ultime mensonge (v. 2203) et dont Roxane prononce l'éloge funèbre, avant d'être « emportée » par De Guiche, au moment de l'assaut général.
Comme on le pressentait à la fin de l'acte III, « la fête est finie », et tristement : avec la mort de Christian, et malgré Ragueneau rassasiant joyeusement les cadets affamés, la pièce a quitté les délices de la comédie pour les rigueurs de la tragédie. Pourtant, ce dénouement funèbre s'accompagne d'une résolution des conflits intérieurs et d'un apaisement intime généralisé, contrastant avec la guerre extérieure qui fait rage : Cyrano se sait aimé pour lui (v. 2191), Roxane a quitté les artifices de la préciosité (v. 2121 à 2134), et De Guiche n'est plus un rival (v. 2223-2224).

- **À quoi nous attendre ?**

1. *Quelle sera l'issue du siège d'Arras ? Cyrano survivra-t-il ?*
2. *Comment Roxane survivra-t-elle à son deuil ? Découvrira-t-elle l'imposture de Cyrano ?*
3. *Cyrano se déclarera-t-il à Roxane ?*

Les personnages

- **Ce que nous savons**

Cet acte ***confirme, précise*** *ou* ***modifie*** *ce que nous savions de chacun des personnages principaux (toujours par ordre d'entrée en scène) :*
– **Le Bret***, absent de l'acte III, revient ici (personnage secondaire de l'acte, mais pas de la pièce), confirmant son rôle d'ami attentionné, toujours disponible, même pour les mauvaises nouvelles (c'est lui qui annonce la mort de Christian) ;*
– **Cyrano** *confirme ce que promettait la fin de l'acte III : il ne se nourrit que de ses lettres à Roxane ; son goût du danger est comblé par les risques qu'il prend à les transmettre ; son amour de la pointe, celle de l'épée comme de l'esprit, trouve dans le désir de vengeance de De Guiche et dans l'impatience des cadets de quoi se réjouir et s'épanouir. Sa rivalité amoureuse se résout, à l'initiative de Christian : Cyrano lui avoue la vérité, levant enfin le mensonge de l'acte II, bien qu'il apaise son ami mourant d'un ultime mensonge. Enfin, Cyrano se sait aimé malgré sa laideur. Roxane ici,* « sans le savoir, pleure [Cyrano] en [Christian] » *tout comme elle embrassait les mots de Cyrano sur les lèvres de Christian, à l'acte II. La crise du duo Christian-Cyrano est donc résolue, mais au prix de la mort de Christian, qui ne peut appeler que*

la mort de Cyrano, seule issue à cette succession d'impasses (v. 2215). Cyrano a peut-être tout gagné, même une réconciliation avec De Guiche, mais il est désormais un vainqueur terrassé par sa victoire.
– ***De Guiche*** *est la grande révélation de cet acte : d'abord conforme à son attitude à la fois hautaine et mesquine, il n'hésite pas à sacrifier Cyrano, Christian et les cadets à sa rancune personnelle (v. 1901-1902), sous couleur de discipline militaire (v. 1906) ; mais l'arrivée inopinée de Roxane et son refus de partir, provoquant une réaction à la fois galante et solidaire (v. 2067), révèlent un De Guiche que le courage de Roxane fait passer de l'amour-propre à l'amour et que la fréquentation des cadets fait redevenir gascon (v. 2072). Cette évolution entraîne sa réconciliation avec Cyrano, qui lui confie le soin de sauver Roxane.*
– ***Christian*** *est la grande victime de l'acte, sans doute le plus lucide des protagonistes : loin de l'enivrement d'un Cyrano écrivant les lettres (v. 2089-2090) ou d'une Roxane les lisant (v. 2096), Christian se révèle simple et sain dans ses réactions (v. 2139-2140). Il a la lucidité de celui qui, trop simple pour dire son amour autrement qu'en répétant* « Je t'aime, je t'adore », *ne l'est pas assez pour comprendre, dès le début, que son pacte utopique avec Cyrano est promis à l'impasse. Christian, homme simple et sobre qui, de Lignière à Cyrano en passant par Roxane, est entouré – et aimé – d'êtres, à tous égards, ivres, sacrifie sa beauté aux impératifs du lyrisme et de l'esprit, en une mort que son indépendance reconquise a peut-être transfigurée en suicide, ultime avatar de la liberté.*
– ***Roxane*** *est la grande surprise de l'acte : sa présence confirme ses qualités d'improvisation et son habileté face aux Espagnols ; son activité débordante, face aux cadets affamés, et son courage prouvent à tous que* « la précieuse était une héroïne » *; sa métamorphose sentimentale fait d'elle une amoureuse quasi mystique. Paradoxe tragique, Roxane soulage et ressuscite ceux qui vont mourir, et pleure ensuite le* corps *de celui qu'elle aime désormais de toute son* âme, *et qui est mort pour cette raison même.*
– ***Ragueneau*** *recouvre son rôle de père nourricier des affamés, lui-même ne se nourrissant que de lyrisme et de générosité.*
Parmi les ***personnages secondaires,*** *se détachent évidemment* ***Carbon*** *et* ***les cadets****, qui donnent leur titre à l'acte, eux qui étaient, comme Le Bret, absents de l'acte III. Pour la première et la dernière fois, nous les voyons en action ; ils confirment ce que leur présentation, à l'acte II, soulignait : orgueil, bravoure, misogynie mêlée de galanterie – et un solide appétit !*
Contrastant avec l'acte II, cet acte est celui de l'impasse ou de la vanité du lyrisme triomphant. Roxane désormais n'aime plus que l'âme de Christian, parce que le lyrisme de Cyrano a triomphé. À

cet égard, la réaction de Christian est conforme au pacte de l'acte II : dès lors que Roxane n'aime plus que l'âme de Christian, c'est bien qu'elle n'aime plus que son esprit, c'est-à-dire Cyrano. Mais cette réaction consacre aussi l'impasse du duo Christian-Cyrano, en en renversant les données : à l'acte III, Cyrano pouvait prêter son esprit, mais pas recevoir la beauté de Christian ; ici, Christian – dont la beauté est désormais inutile – ne peut recevoir l'esprit de Cyrano, qu'il ne veut d'ailleurs plus emprunter (v. 2172). La raison de ce renversement tient à la métamorphose opérée, en Roxane, par le lyrisme de Cyrano : d'une précieuse amoureuse du beau, qui n'est réellement aimable que s'il s'exprime bien, il a fait une quasi-mystique insensible à la beauté, en extase devant des mots beaux à lire ou à entendre. Ce faisant, Roxane est passée d'un aveuglement à l'autre, sacrifiant l'amour à la passion. Symboliquement d'ailleurs – ultime renversement –, alors qu'à l'acte III, elle attendait de Christian une brillante déclaration – dont il était incapable seul mais qu'il désirait accomplir –, c'est elle ici qui se déclare à lui, mais lui qui n'est plus désireux de cette déclaration.
Cet acte, triomphe de l'amour désincarné (celui du seul lyrisme), consacre logiquement, avec la disparition de Christian, l'échec de l'amour humain (à la fois physique et sentimental). La mort de Christian, confirmant que Cyrano n'a plus besoin de beauté, achève aussi de le priver de corps ; en ce sens, Cyrano, comme Roxane qui n'est plus qu'une âme, est, lui aussi, veuf de Christian.
Seule « réalité physique » de Cyrano, reste pourtant la voix, située au carrefour du corps et de l'âme, corps paradoxalement impalpable qui sert à dire l'âme : cette voix que Roxane trouvait meilleure à l'acte III, lorsque Cyrano remplaça Christian, et qu'elle lui ignorait. Cyrano n'a d'autre corps aimable que sa voix, qui seule pourrait le trahir : tel sera l'enjeu de l'acte V.

• **À quoi nous attendre ?**

1. *Comment survivra Cyrano sans Christian ? Continuera-t-il à taire sa passion ? Roxane s'apercevra-t-elle de l'imposture ?*
2. *Que deviendront Le Bret, Ragueneau, De Guiche ?*

L'écriture

• **Ce que nous savons**

Cet acte, tout en confirmant les partis pris de Rostand, se différencie de l'acte III, sur quatre points au moins : les didascalies y sont plus abondantes ; on y trouve surtout des scènes de foule, au milieu desquelles s'insèrent des duos ; le lyrisme y est nette-*

ment moins présent, au profit du romanesque, du pathétique et du sublime ; l'action se situe, là encore, en extérieur, mais de jour. Très clairement construit en deux parties, l'une, statique, où s'éternise l'attente des cadets affamés, l'autre, dynamique, où l'arrivée de Roxane précipite événements et personnages vers l'action et la mort, cet acte offre un palette variée d'émotions (du jeu des cadets enfin rassasiés lorsque revient De Guiche, au pathétique dialogue de Christian et Cyrano refusant chacun le sacrifice de l'autre, en passant par la vibrante déclaration de Roxane à Christian, sans oublier la spectaculaire arrivée du carrosse rempli de vivres). À l'évidence, cet acte est celui de l'héroïsme, voire de la tragédie, plutôt que de la comédie.

• À quoi nous attendre ?

1. *Au terme de la tragédie de l'acte IV, Rostand pourra-t-il offrir la même « nervosité » de rythme dans le cinquième acte ?*

2. *Rostand réussira-t-il à rétablir sa comédie héroïque dans la comédie, après ces moments héroïques mais tragiques ?*

Cyrano (Jean Piat), Le Bret (René Camouin), Roxane (Geneviève Casile) et Christian (Jacques Toja). Mise en scène de Jacques Charron, 1964, Comédie-Française.

ACTE V

La gazette• de Cyrano

Quinze ans après, en 1655. Le parc du couvent que les Dames de la Croix[1] occupaient à Paris.
Superbes ombrages[2]. À gauche, la maison; vaste perron[3] sur lequel ouvrent plusieurs portes. Un arbre énorme au milieu d'une petite
5 *place ovale. À droite, premier plan, parmi de grands buis[4], un banc de pierre demi-circulaire.*
Tout le fond du théâtre est traversé par une allée de marronniers qui aboutit à droite, quatrième plan, à la porte d'une chapelle[5] entrevue parmi les branches. À travers le double rideau d'arbres de
10 *cette allée, on aperçoit des fuites[6] de pelouses, d'autres allées, des bosquets, les profondeurs du parc, le ciel.*
La chapelle ouvre une porte latérale sur une colonnade enguirlandée[7] de vigne rougie, qui vient se perdre à droite, au premier plan, derrière les buis.
15 *C'est l'automne[8]. Toute la frondaison[9] est rousse au-dessus des pelouses fraîches. Taches sombres des buis et des ifs[10] restés verts. Une plaque de feuilles jaunes sous chaque arbre. Les feuilles jonchent toute la scène, craquent sous les pas dans les allées, couvrent à demi le perron et les bancs.*

---

1. Dames de la Croix : rattachées aux bénédictines de Saint-Thomas, ces religieuses occupaient en effet à Paris, rue de Charonne (dans l'actuel XIe arrondissement), ce couvent fondé en 1637 par Mère Marguerite de Jésus (née Marie de Sénaux) et démoli en 1906 (un an après la promulgation de la loi de séparation de l'Église et de l'État). Une des deux sœurs (malgré ce que Rostand fait dire à Cyrano au v. 2513 : *«Je n'ai pas eu de sœur»*) de Cyrano de Bergerac y fut admise, tandis que la baronne de Neuvillette, sa propre cousine, s'y retira seulement (sans prononcer de vœux).
2. ombrages : feuillages, ensemble de feuilles et de branches qui donnent de l'ombre. Le parc du couvent des Dames de la Croix était effectivement réputé pour son agrément.
3. perron : escalier extérieur se terminant par une plate-forme de plain-pied avec l'entrée principale d'une habitation.
4. buis : arbustes à feuilles persistantes, odoriférants, souvent plantés en bordures dans les jardins.
5. chapelle : petite église.
6. fuites : perspectives.
7. colonnade enguirlandée : file de colonnes ornées comme d'une guirlande.
8. C'est l'automne : en réalité, Cyrano de Bergerac est mort durant l'été 1655.
9. Toute la frondaison : Tout l'ensemble des feuilles.
10. ifs : arbres décoratifs à fruits rouges toxiques.

20 *Entre le banc de droite et l'arbre, un grand métier à broder*[1] *devant lequel une petite chaise a été apportée. Paniers pleins d'écheveaux*[2] *et de pelotons*[3]. *Tapisserie commencée.*
Au lever du rideau, des sœurs• *vont et viennent dans le parc ; quelques-unes sont assises sur le banc autour d'une religieuse plus âgée.*
25 *Des feuilles tombent.*

SCÈNE PREMIÈRE. MÈRE• MARGUERITE, SŒUR MARTHE, SŒUR CLAIRE, LES SŒURS.

SŒUR MARTHE, *à Mère Marguerite.*
Sœur Claire a regardé deux fois comment allait
Sa cornette[4], devant la glace.

MÈRE MARGUERITE, *à sœur Claire.*
C'est très laid.

SŒUR CLAIRE
Mais sœur Marthe a repris un pruneau de la tarte,
2240 Ce matin : je l'ai vu.

MÈRE MARGUERITE, *à sœur Marthe.*
C'est très vilain, sœur Marthe.

SŒUR CLAIRE
Un tout petit regard !

SŒUR MARTHE
Un tout petit pruneau !

MÈRE MARGUERITE, *sévèrement.*
Je le dirai, ce soir, à Monsieur Cyrano.

SŒUR CLAIRE, *épouvantée.*
Non ! il va se moquer !

---

1. métier à broder : machine servant à broder des textiles (en l'occurrence, la *« tapisserie commencée »* [l. 22] de Roxane).
2. écheveaux : assemblages de fils repliés en plusieurs tours et réunis par un fil afin d'éviter qu'ils ne se mêlent.
3. pelotons : petites pelotes (boules de fils roulés).
4. *cornette* : coiffure de religieuse.

SŒUR* MARTHE
Il dira que les nonnes[1]
Sont très coquettes[2] !

SŒUR CLAIRE
Très gourmandes !

MÈRE* MARGUERITE, *souriant.*
Et très bonnes.

SŒUR CLAIRE
2245 N'est-ce pas, Mère Marguerite de Jésus,
Qu'il vient, le samedi, depuis dix ans !

MÈRE MARGUERITE
Et plus !
Depuis que sa cousine à nos béguins[3] de toile
Mêla le deuil mondain[4] de sa coiffe de voile,
Qui chez nous vint s'abattre, il y a quatorze ans,
2250 Comme un grand oiseau noir parmi les oiseaux blancs !

SŒUR MARTHE
Lui seul, depuis qu'elle a pris chambre dans ce cloître[5],
Sait distraire un chagrin qui ne veut pas décroître[6].

TOUTES LES SŒURS
Il est si drôle ! – C'est amusant quand il vient !
– Il nous taquine ! – Il est gentil ! – Nous l'aimons bien !
2255 – Nous fabriquons pour lui des pâtes d'angélique[7] !

1. *nonnes* : religieuses (le terme est péjoratif ou, comme ici, affectueusement burlesque, depuis le XVIIe s.).
2. *coquettes* : soucieuses de plaire.
3. *béguins* : coiffes que portaient les béguines, femmes (de Belgique et des Pays-Bas, à l'origine) vivant dans un couvent mais sans avoir prononcé de vœux (ce qui est le cas de Roxane), contrairement aux religieuses.
4. *deuil mondain* : deuil subi dans sa vie de femme profane (par opposition à religieuse : la vie mondaine [du monde quotidien] s'oppose à la vie monastique [des monastères] ou conventuelle [des couvents]).
5. *cloître* : (ici) couvent ; au sens propre, un cloître est une partie d'un monastère interdite aux profanes et fermée par une enceinte.
6. *décroître* : diminuer.
7. *pâtes d'angélique* : *cf.* la note du v. 706.

SŒUR• MARTHE
Mais enfin, ce n'est pas un très bon catholique[1] !

SŒUR CLAIRE
Nous le convertirons[2].

LES SŒURS
Oui ! Oui !

MÈRE• MARGUERITE
Je vous défends
De l'entreprendre[3] encor• sur ce point, mes enfants,
Ne le tourmentez pas : il viendrait moins peut-être !

SŒUR MARTHE
2260 Mais... Dieu !...

MÈRE MARGUERITE
Rassurez-vous : Dieu doit bien le connaître.

SŒUR MARTHE
Mais chaque samedi, quand il vient d'un air fier,
Il me dit en entrant : « Ma sœur, j'ai fait gras[4], hier ! »

MÈRE MARGUERITE
Ah ! il vous dit cela ?... Eh bien ! la fois dernière
Il n'avait pas mangé depuis deux jours.

SŒUR MARTHE
Ma mère !

MÈRE MARGUERITE
2265 Il est pauvre.

SŒUR MARTHE
Qui vous l'a dit ?

---

1. *un très bon catholique* : un chrétien catholique respectant et pratiquant exactement les règles et préceptes de sa religion. Il est vrai que Cyrano de Bergerac fut un « libertin » (contestataire et agitateur) proche parfois de l'athéisme, mais il n'en mourut pas moins en vrai chrétien.
2. *convertirons* : ramènerons à la pratique religieuse (ici, catholique).
3. *l'entreprendre* : l'entretenir, lui parler.
4. *j'ai fait gras* : j'ai mangé de la viande (nourriture « grasse »), au lieu de « *faire maigre* » – ce que la religion chrétienne impose en certaines occasions.

MÈRE* MARGUERITE
Monsieur Le Bret.

SŒUR* MARTHE
On ne le secourt pas?

MÈRE MARGUERITE
Non, il se fâcherait.

Dans une allée du fond, on voit apparaître Roxane, vêtue de noir, avec la coiffe des veuves et de longs voiles; De Guiche, magnifique et vieillissant, marche auprès d'elle. Ils vont à pas lents. Mère Marguerite se lève.

Allons, il faut rentrer... Madame Magdeleine,
Avec un visiteur, dans le parc se promène.

SŒUR MARTHE, *bas à sœur Claire.*
C'est le duc-maréchal de Gramont[1]?

SŒUR CLAIRE, *regardant.*
Oui, je crois.

SŒUR MARTHE
2270 Il n'était plus venu la voir depuis des mois!

LES SŒURS
Il est très pris! – La cour! – Les camps!

SŒUR CLAIRE
Les soins du monde[2]!

Elles sortent. De Guiche et Roxane descendent en silence et s'arrêtent près du métier. Un temps.

SCÈNE 2. ROXANE, LE DUC DE GRAMONT, *ancien comte de Guiche, puis* LE BRET *et* RAGUENEAU

LE DUC
Et vous demeurerez ici, vainement blonde,

1. *le duc-maréchal de Gramont* : sur la carrière de De Guiche, *cf.* la note au lexique des personnages et la note de la didascalie entrecoupant le v. 129.
2. *les soins du monde* : les préoccupations de la vie terrestre, en même temps que les contraintes liées aux mondanités.

Toujours en deuil ?

ROXANE

Toujours.

LE DUC

Aussi fidèle ?

ROXANE

Aussi.

LE DUC, *après un temps.*

Vous m'avez pardonné ?

ROXANE, *simplement, regardant la croix du couvent.*

Puisque je suis ici.

Nouveau silence.

LE DUC

2275 Vraiment c'était un être ?...

ROXANE

Il fallait le connaître !

LE DUC

Ah ! Il fallait ?... Je l'ai trop peu connu, peut-être !
Et son dernier billet, sur votre cœur, toujours ?

ROXANE

Comme un doux scapulaire[1], il pend à ce velours.

LE DUC

Même mort, vous l'aimez ?

ROXANE

Quelquefois il me semble
2280 Qu'il est mort à demi, que nos cœurs sont ensemble,
Et que son amour flotte, autour de moi, vivant !

LE DUC, *après un silence encore.*

Est-ce que Cyrano vient vous voir ?

1. *scapulaire* : objet de dévotion composé de deux petits morceaux d'étoffe bénits, réunis par des rubans et qui s'attachent au cou.

ROXANE

Oui, souvent.

– Ce vieil ami, pour moi, remplace les gazettes•.
Il vient ; c'est régulier ; sous cet arbre où vous êtes
2285 On place son fauteuil, s'il fait beau ; je l'attends
En brodant ; l'heure sonne ; au dernier coup, j'entends
– Car je ne tourne plus même le front ! – sa canne
Descendre le perron ; il s'assied ; il ricane
De ma tapisserie éternelle[1] ; il me fait
2290 La chronique de la semaine, et...

Le Bret paraît sur le perron.

Tiens, Le Bret !

Le Bret descend.

Comment va notre ami ?

LE BRET

Mal.

LE DUC

Oh !

ROXANE, *au duc.*

Il exagère !

LE BRET

Tout ce que j'ai prédit[2] : l'abandon, la misère !...
Ses épîtres[3] lui font des ennemis nouveaux !
Il attaque les faux nobles, les faux dévots,
2295 Les faux braves, les plagiaires[4], – tout le monde !

---

1. *De ma tapisserie éternelle* : comme celle faite et sans cesse défaite par Pénélope (*cf.* les notes des v. 650, 2106 et 2399-2400).
2. *prédit* : annoncé à l'avance, prévu.
3. *épîtres* : lettres (publiées, et non pas privées).
4. *plagiaires* : copieurs qui s'attribuent la création d'un autre créateur ; Cyrano de Bergerac, dans ses *Lettres satiriques* (1654), prit bel et bien pour cibles *« les faux nobles »* (*cf.* sa lettre XVI, *À un comte de bas aloi,* Belin, 1977, p. 104), *« les faux braves »* (*I, Contre un poltron*, pp. 73-74, et XIX, *Contre un faux brave*, p. 110) et les plagiaires (VIII, *Contre un pilleur de pensée*, visant Chapelle, p. 85, et IX, *Autre, sur le même sujet*, visant La Mothe Le Vayer, pp. 86 à 88), mais pas explicitement *« les faux dévots »* (toutefois, la lettre XII, intitulée *Autre*, pp. 96-97, et adressée à l'ecclésiastique *« messire Jean »*, accusé d'*« être impie et bigot tout ensemble »*, s'indigne : *« Et quand votre devoir vous obligera d'annoncer l'Évangile pour nous en faire accroire* [nous mentir], *faites semblant de le croire ! »).*

ROXANE
Mais son épée inspire une terreur profonde.
On ne viendra jamais à bout de lui.

LE DUC, *hochant la tête.*
Qui sait !

LE BRET
Ce que je crains, ce n'est pas les attaques, c'est
La solitude, la famine, c'est Décembre
2300 Entrant à pas de loups dans son obscure chambre :
Voilà les spadassins[1] qui plutôt le tueront !
Il serre chaque jour, d'un cran, son ceinturon.
Son pauvre nez a pris des tons de vieil ivoire.
Il n'a plus qu'un petit habit de serge[2] noire.

LE DUC
2305 Ah ! celui-là n'est pas parvenu[3] ! – C'est égal,
Ne le plaignez pas trop.

LE BRET
Monsieur le maréchal !...

LE DUC
Ne le plaignez pas trop : il a vécu sans pactes[4],
Libre dans sa pensée autant que dans ses actes.

LE BRET, *de même.*
Monsieur le duc !...

LE DUC, *hautainement•.*
Je sais, oui : j'ai tout ; il n'a rien...
2310 Mais je lui serrerais volontiers la main.

Saluant Roxane.

Adieu.

ROXANE
Je vous conduis.

---

1. *spadassins* : tueurs à gages (*cf.* la note 1 du v. 107).
2. *serge* : étoffe serrée et solide.
3. *parvenu* : parvenu au sommet de l'échelle sociale, souvent au prix de compromissions ou de malhonnêtetés.
4. *pactes* : (ici) compromis, accords conclus au prix de concessions mutuelles (*cf.* la note du v. 2561).

Le duc salue Le Bret et se dirige avec Roxane vers le perron.

LE DUC, *s'arrêtant, tandis qu'elle monte.*

Oui, parfois, je l'envie.
– Voyez-vous, lorsqu'on a trop réussi sa vie,
On sent, – n'ayant rien fait, mon Dieu, de vraiment mal ! –
Mille petits dégoûts de soi, dont le total
2315 Ne fait pas un remords[1], mais une gêne obscure ;
Et les manteaux de duc traînent, dans leur fourrure,
Pendant que des grandeurs[2] on monte les degrés[3],
Un bruit d'illusions sèches et de regrets,
Comme, quand vous montez lentement vers ces portes,
2320 Votre robe de deuil traîne des feuilles mortes.

ROXANE, *ironique.*

Vous voilà bien rêveur ?...

LE DUC

Eh ! oui !

Au moment de sortir, brusquement.

Monsieur Le Bret !

À Roxane.

Vous permettez ? Un mot.

Il va à Le Bret, et à mi-voix.

C'est vrai : nul n'oserait
Attaquer votre ami ; mais beaucoup l'ont en haine ;
Et quelqu'un me disait, hier, au jeu, chez la Reine :
2325 « Ce Cyrano pourrait mourir d'un accident. »

LE BRET

Ah ?

LE DUC

Oui. Qu'il sorte peu. Qu'il soit prudent.

LE BRET, *levant les bras au ciel.*

Prudent !
Il va venir. Je vais l'avertir. Oui, mais !...

---

1. *remords* : regret qui vous ronge.
2. *grandeurs* : honneurs, sujets de gloire, marques de pouvoir.
3. *degrés* : marches.

ROXANE, *qui est restée sur le perron, à une sœur• qui s'avance vers elle.*

Qu'est-ce ?

LA SŒUR

Ragueneau veut vous voir, Madame.

ROXANE

Qu'on le laisse

Entrer.

Au duc et à Le Bret.

Il vient crier misère. Étant un jour

2330 Parti pour être auteur, il devint tour à tour

Chantre[1]...

LE BRET

Étuviste[2]...

ROXANE

Acteur...

LE BRET

Bedeau[3]...

ROXANE

Perruquier[4]...

LE BRET

Maître

De théorbe•...

ROXANE

Aujourd'hui, que pourrait-il bien être ?

RAGUENEAU, *entrant précipitamment.*

Ah ! Madame !

Il aperçoit Le Bret.

Monsieur !

1. *Chantre* : Chanteur (notamment dans un service religieux).
2. *Étuviste* : Étuveur, celui qui tient une étuve, c'est-à-dire un établissement de bains chauds.
3. *Bedeau* : Employé laïque chargé de l'ordre et du service matériel dans une église.
4. *Perruquier* : Fabricant de perruques, coiffeur et barbier (tout à la fois).

ROXANE, *souriant.*
Racontez vos malheurs
À Le Bret. Je reviens.

RAGUENEAU
Mais, Madame...

Roxane sort sans l'écouter, avec le duc.
Il redescend vers Le Bret.

SCÈNE 3. LE BRET, RAGUENEAU

RAGUENEAU
D'ailleurs
2335 Puisque vous êtes là, j'aime mieux qu'elle ignore !
– J'allais voir votre ami tantôt[1]. J'étais encore
À vingt pas de chez lui... quand je le vois, de loin,
Qui sort. Je veux le joindre. Il va tourner le coin
De la rue... et je cours... lorsque d'une fenêtre
2340 Sous laquelle il passait – est-ce un hasard[2] ?... peut-être !
– Un laquais• laisse choir[3] une pièce de bois.

LE BRET
Les lâches !... Cyrano !

RAGUENEAU
J'arrive et je le vois...

LE BRET
C'est affreux !

RAGUENEAU
Notre ami, Monsieur, notre poète,
Je le vois, là, par terre, un grand trou dans la tête !

LE BRET
2345 Il est mort ?

1. *tantôt* : tout à l'heure, ce matin.
2. *est-ce un hasard ?* : il est à peu près certain que Cyrano de Bergerac n'est pas du tout mort assassiné, même si, en une lettre intitulée *Autre. Contre un Je... assassin et médisant*, adressée à un *« père criminel »* et extraite de ses *Nouvelles Œuvres* (Belin, 1977, pp. 159-160), il fait état d'une *« embuscade »*, tentative d'assassinat orchestrée contre lui par ce jésuite.
3. *choir* : tomber.

RAGUENEAU

Non ! mais... Dieu ! je l'ai porté chez lui.
Dans sa chambre... Ah ! sa chambre ! il faut voir ce réduit[1] !

LE BRET

Il souffre ?

RAGUENEAU

Non, Monsieur, il est sans connaissance[2].

LE BRET

Un médecin ?

RAGUENEAU

Il en vint un par complaisance[3].

LE BRET

Mon pauvre Cyrano ! – Ne disons pas cela
2350 Tout d'un coup à Roxane ! – Et ce docteur ?

RAGUENEAU

Il a
Parlé, – je ne sais plus, – de fièvre, de méninges[4] !...
Ah ! si vous le voyiez – la tête dans les linges !...
Courons vite ! – Il n'y a personne à son chevet[5] ! –
C'est qu'il pourrait mourir, Monsieur, s'il se levait !

LE BRET, *l'entraînant vers la droite.*

2355 Passons par là ! Viens, c'est plus court ! Par la chapelle !

ROXANE, *paraissant sur le perron et voyant Le Bret s'éloigner par la colonnade qui mène à la petite porte de la chapelle.*

Monsieur Le Bret !

Le Bret et Ragueneau se sauvent sans répondre.

Le Bret s'en va quand on l'appelle ?
C'est quelque histoire encor• de ce bon Ragueneau !

Elle descend le perron.

1. *réduit* : petite pièce dans une plus grande, local sombre et exigu.
2. *sans connaissance* : évanoui.
3. *par complaisance* : par politesse, pour la forme.
4. *méninges* : cerveau.
5. *à son chevet* : à ses côtés, près de son lit.

SCÈNE 4. ROXANE, *seule, puis* DEUX SŒURS•, *un instant.*

ROXANE

Ah ! que ce dernier jour de septembre est donc beau !
Ma tristesse sourit. Elle qu'Avril offusque[1],
2360 Se laisse décider par l'automne, moins brusque.

Elle s'assied à son métier. Deux sœurs sortent de la maison et apportent un grand fauteuil sous l'arbre.

Ah ! voici le fauteuil classique[2] où vient s'asseoir
Mon vieil ami !

SŒUR MARTHE

Mais c'est le meilleur du parloir[3] !

ROXANE

Merci, ma sœur.

Les sœurs s'éloignent.

Il va venir.

Elle s'installe. On entend sonner l'heure.

Là... l'heure sonne.
– Mes écheveaux ! – L'heure a sonné ? Ceci m'étonne !
2365 Serait-il en retard pour la première fois ?
La sœur tourière[4] doit – mon dé ?... Là, je le vois ! –
L'exhorter à[5] la pénitence[6].

Un temps.

Elle l'exhorte !
– Il ne peut plus tarder. – Tiens ! une feuille morte ! –

Elle repousse du doigt la feuille tombée sur son métier.

D'ailleurs, rien ne pourrait – mes ciseaux... dans mon sac ! –
2370 L'empêcher de venir !

UNE SŒUR, *paraissant sur le perron.*

Monsieur de Bergerac.

1. *offusque* : blesse, heurte, choque.
2. *classique* : (ici) à la fois ordinaire et habituel.
3. *du parloir* : de la salle où sont admis les visiteurs voulant s'entretenir avec un pensionnaire d'un établissement religieux.
4. *sœur tourière* : religieuse non cloîtrée, chargée des relations avec l'extérieur du couvent.
5. *L'exhorter à* : L'encourager vivement à, le convaincre de choisir.
6. *la pénitence* : le repentir, regret sincère de ses péchés, de ses fautes contre la religion.

Questions

Compréhension

1. *Quel climat se dégage de la didascalie* générale de l'acte ?*

2. *Qu'apprenons-nous de nouveau, sur chacun des personnages, dans ces quatre scènes (citez précisément vers et didascalies*) ? Pourquoi s'agit-il d'une nouvelle exposition* ?*

3. *Comment comprenez-vous l'expression* « vainement blonde » *(v. 2272) ?*

4. *Commentez les didascalies* entre les v. 2274 et 2282.*

5. *Quels changements de comportement l'intervention de De Guiche révèle-t-elle, dans sa formulation comme dans son contenu ?*

6. *Selon quel point de vue l'accident de Cyrano est-il présenté ? L'est-il comme un accident ?*

7. *En quoi les v. 2297 (réplique de De Guiche), 2325, 2354 et 2368 à 2370 sont-ils prémonitoires ?*

Écriture

8. *Selon vous, pourquoi Rostand choisit-il de commencer l'acte V par les enfantillages des sœurs ?*

9. *Quels procédés permettent de créer une certaine dramatisation dans le récit de Ragueneau, à la scène 3 ?*

10. *Quel type de texte clôt la scène 4 ? Quel effet y créent les interruptions « matérielles » de Roxane (v. 2364, 2366 et 2369) ?*

11. *Étudiez la métrique* du v. 2331. Quel effet l'enjambement* des v. 2331-2332 produit-il ?*

12. *D'une manière générale, quel est le rythme de ce début d'acte ? Quels procédés y contribuent ?*

Mise en scène

13. *Quelle est l'importance des couleurs dans le décor et les costumes de cet acte ? Relevez précisément, dans les didascalies* et les répliques, les couleurs explicites et implicites.*

14. *Quelles difficultés pose la décoration de ce début d'acte ?*

SCÈNE 5. ROXANE, CYRANO *et, un moment,* SŒUR• MARTHE

ROXANE, *sans se retourner.*
Qu'est-ce que je disais?

Et elle brode. Cyrano, très pâle, le feutre• enfoncé sur les yeux, paraît. La sœur qui l'a introduit rentre. Il se met à descendre le perron lentement, avec un effort visible pour se tenir debout, et en s'appuyant sur sa canne. Roxane travaille à sa tapisserie.

Ah! ces teintes fanées[1]...
Comment les rassortir[2]?

À Cyrano, sur un ton d'amicale gronderie.

Depuis quatorze années,
Pour la première fois, en retard!

CYRANO, *qui est parvenu au fauteuil et s'est assis, d'une voix gaie contrastant avec son visage.*
Oui, c'est fou!
J'enrage. Je fus mis en retard, vertuchou[3]!...

ROXANE
2375 Par?

CYRANO
Par une visite assez inopportune[4].

ROXANE, *distraite, travaillant.*
Ah! oui! quelque fâcheux•?

CYRANO
Cousine, c'était une
Fâcheuse.

ROXANE
Vous l'avez renvoyée?

1. *fanées* : passées, devenues très pâles.
2. *rassortir* : réassortir, reconstituer, retrouver, remplacer.
3. *vertuchou* : vertubleu (juron).
4. *inopportune* : qui ne tombe pas au bon moment.

CYRANO

Oui, j'ai dit :

Excusez-moi, mais c'est aujourd'hui samedi,

Jour où je dois me rendre en certaine demeure ;

2380 Rien ne m'y fait manquer : repassez dans une heure.

ROXANE, *légèrement.*

Eh bien ! cette personne attendra pour vous voir :

Je ne vous laisse pas partir avant ce soir.

CYRANO, *avec douceur.*

Peut-être un peu plus tôt faudra-t-il que je parte[1].

Il ferme les yeux et se tait un instant. Sœur• Marthe traverse le parc de la chapelle au perron. Roxane l'aperçoit, lui fait un petit signe de la tête.

ROXANE, *à Cyrano.*

Vous ne taquinez pas sœur Marthe ?

CYRANO, *vivement, ouvrant les yeux.*

Si !

Avec une grosse voix comique.

Sœur Marthe !

2385 Approchez !

La sœur glisse vers lui.

Ha ! ha ! ha ! Beaux yeux toujours baissés !

SŒUR MARTHE, *levant les yeux en souriant.*

Mais...

Elle voit sa figure et fait un geste d'étonnement.

Oh !

CYRANO, *bas, lui montrant Roxane.*

Chut ! Ce n'est rien !

D'une voix fanfaronne[2]. Haut.

Hier, j'ai fait gras.

---

1. *Peut-être un peu plus tôt faudra-t-il que je parte* : Peut-être faudra-t-il que je parte un peu plus tôt (les contraintes métriques obligent Rostand à cette formulation).
2. fanfaronne : vantarde.

SŒUR* MARTHE

Je sais.

À part.

C'est pour cela qu'il est si pâle !

Vite et bas.

Au réfectoire
Vous viendrez tout à l'heure, et je vous ferai boire
Un grand bol de bouillon... Vous viendrez ?

CYRANO

Oui, oui, oui.

SŒUR MARTHE

2390 Ah ! vous êtes un peu raisonnable, aujourd'hui !

ROXANE, *qui les entend chuchoter.*

Elle essaie de vous convertir ?

SŒUR MARTHE

Je m'en garde[1] !

CYRANO

Tiens, c'est vrai ! Vous toujours si saintement bavarde,
Vous ne me prêchez[2] pas ? C'est étonnant, ceci !

Avec une fureur bouffonne[3].

Sabre de bois[4] ! Je veux vous étonner aussi !
2395 Tenez, je vous permets...

Il a l'air de chercher une bonne taquinerie, et de la trouver.

Ah ! la chose est nouvelle ?...
De... de prier pour moi, ce soir, à la chapelle.

ROXANE

Oh ! oh !

CYRANO, *riant.*

Sœur Marthe est dans la stupéfaction[5] !

---

1. *Je m'en garde* : Surtout pas, je m'en abstiens.
2. *ne me prêchez pas* : ne me sermonnez pas, ne tentez pas de me convertir.
3. bouffonne : volontairement comique.
4. *Sabre de bois* : juron signifiant une menace ridicule, inefficace (l'expression fait allusion au sabre de bois d'Arlequin, sorte de batte qui fait partie de ses attributs).
5. *la stupéfaction* : l'étonnement le plus complet.

SŒUR* MARTHE, *doucement.*
Je n'ai pas attendu votre permission.

Elle rentre.

CYRANO, *revenant à Roxane, penchée sur son métier.*
Du diable si je peux jamais, tapisserie,
2400 Voir ta fin[1] !

ROXANE
J'attendais cette plaisanterie.

À ce moment, un peu de brise fait tomber les feuilles.

CYRANO
Les feuilles !

ROXANE, *levant la tête, et regardant au loin, dans les allées.*
Elles sont d'un blond vénitien.
Regardez-les tomber.

CYRANO
Comme elles tombent bien !
Dans ce trajet si court de la branche à la terre,
Comme elles savent mettre une beauté dernière,
2405 Et, malgré leur terreur de pourrir sur le sol,
Veulent que cette chute ait la grâce d'un vol !

ROXANE
Mélancolique[2], vous !

CYRANO, *se reprenant.*
Mais pas du tout, Roxane !

ROXANE
Allons, laissez tomber les feuilles de platane...
Et racontez un peu ce qu'il y a de neuf.
2410 Ma gazette*[3] ?

---

1. *Du diable* [...] *ta fin* : allusion à la tapisserie de Pénélope – à qui Roxane est ici assimilée par Cyrano (*cf.* les notes des v. 650, 2106 et 2289).
2. *Mélancolique* : D'humeur triste et sombre.
3. *Ma gazette* : plusieurs des événements mentionnés par Cyrano sont authentiques et rapportés par *La Muse historique* de Loret, de septembre-octobre 1655 (la fièvre du roi : v. 2411 à 2414 ; le bal aux sept cents flambeaux : v. 2415-2416 ; les combats contre Don Juan d'Autriche : v. 2417 ; le déplacement de la Cour à Fontainebleau : v. 2422).

CYRANO

Voici !

ROXANE

Ah !

CYRANO, *de plus en plus pâle, et luttant contre la douleur.*

Samedi, dix-neuf[1] :
Ayant mangé huit fois du raisiné de Cette[2],
Le Roi fut pris de fièvre ; à deux coups de lancette[3]
Son mal fut condamné pour lèse-majesté[4],
Et cet auguste[5] pouls n'a plus fébricité[6] !
2415 Au grand bal, chez la Reine, on a brûlé, dimanche,
Sept cent soixante-trois flambeaux de cire blanche ;
Nos troupes ont battu, dit-on, Jean l'Autrichien[7] ;
On a pendu quatre sorciers ; le petit chien
De madame d'Athis[8] a dû prendre un clystère[9]...

ROXANE

2420 Monsieur de Bergerac, voulez-vous bien vous taire !

---

1. *dix-neuf* : il n'y eut aucun samedi 19 durant l'automne 1655 ; cette date n'est donc appelée que par la rime. Pas plus que Cyrano de Bergerac n'est mort un «*samedi, vingt-six*» (*cf.* les v. 2426 et 2477).
2. *du raisiné de Cette* : de la confiture préparée avec du jus de raisin concentré, en provenance de Sète (port de l'Hérault, orthographié *Cette* jusqu'en 1927).
3. *lancette* : petit instrument tranchant, à lame plate et acérée, utilisé pour les incisions et les saignées.
4. *lèse-majesté* : atteinte grave à la majesté, à la grandeur du souverain, que ce soit contre sa personne, son pouvoir ou l'intérêt de l'État.
5. *auguste* : vénérable, sacré.
6. *fébricité* : eu de fièvre (de l'ancien verbe «*fébriciter*» ; le substantif «*fébricité*», synonyme de «*fébrilité*», ne date que du début du XXe s.).
7. *Jean l'Autrichien* : Don Juan d'Autriche (1629-1679), prince espagnol, fils naturel (ou bâtard) de Philippe IV d'Espagne ; si des combats (d'ailleurs sans vainqueur clair) l'opposèrent bien à des troupes françaises en Catalogne en 1655 (date de l'action de l'acte V), ce n'est pas cette année-là qu'il fut «*battu*», mais en 1658, par Turenne (allié à Cromwell et opposé aux troupes franco-espagnoles commandées en fait par Condé), à la bataille des Dunes, aux abords de Dunkerque (bataille terrestre – une première bataille des Dunes, navale, ayant vu la défaite de la flotte espagnole face à une escadre hollandaise, en 1639).
8. *madame d'Athis* : femme mentionnée dans les *Historiettes* de Gédéon Tallemant des Réaux (1619-1692), recueil d'anecdotes sur la vie de la Cour du «premier XVIIe s.» (la France de Richelieu et de Mazarin), jamais publié du vivant de l'auteur (1re édition complète, «Bibliothèque de la Pléiade», 2 vol., Gallimard, 1960-1961).
9. *clystère* : lavement, injection médicamenteuse dans le rectum.

CYRANO

Lundi... rien. Lygdamire[1] a changé d'amant[2].

ROXANE

Oh!

CYRANO, *dont le visage s'altère*[3] *de plus en plus.*

Mardi, toute la cour est à Fontainebleau.
Mercredi, la Montglat[4] dit au comte de Fiesque[5] :
« Non! » Jeudi : Mancini, reine de France, – ou presque[6]!
2425 Le vingt-cinq, la Montglat à de Fiesque dit : « Oui ».
Et samedi, vingt-six...

Il ferme les yeux. Sa tête tombe. Silence.

ROXANE, *surprise de ne plus rien entendre se retourne, le regarde, et se levant effrayée.*

Il est évanoui?

Elle court vers lui en criant.

Cyrano!

---

1. *Lygdamire* : nom de précieuse d'Anne-Geneviève de Bourbon-Condé, duchesse de Longueville (1619-1679), sœur aînée du Grand Condé et du prince de Conti, l'une des destinées les plus singulières du XVIIe s., grande amie de La Rochefoucauld et non moins grande ennemie de Mazarin, qui, très « active » politiquement – et sentimentalement, comme l'évoque ici Cyrano –, finit sa vie dans le mysticisme le plus austère.
2. *d'amant* : sans doute au sens actuel du terme.
3. s'altère : devient autre, se dégrade.
4. *la Montglat* : la marquise de Montglas (ou Montglat), maîtresse de l'officier et écrivain Bussy-Rabutin (1618-1693), cousin de Mme de Sévigné et auteur (à l'attention de Mme de Montglas) de l'*Histoire amoureuse des Gaules* (1665), *« roman satirique »*, peinture des intrigues galantes de la cour de Louis XIV, remplie d'allusions transparentes qui valurent à cet académicien d'être embastillé plus d'un an puis exilé sur ses terres, et à ce militaire pourtant brillant de ne plus jamais servir.
5. *comte de Fiesque* : noble d'origine italienne, établi en France, qui s'intéressa notamment au théâtre; figure également dans l'*Histoire amoureuse des Gaules* (1665) de Bussy-Rabutin.
6. *Mancini, reine de France, – ou presque* : Marie Mancini (1639-1706), nièce du cardinal de Mazarin, arrivée en France en 1654, mais qui resta en pension jusqu'en 1657 et ne rencontra Louis XIV qu'en 1658, lequel en fut longtemps éperdument amoureux au point de vouloir l'épouser (1659), amour d'ailleurs réciproque et sacrifié (par les soins actifs de Mazarin) à la raison d'État (Louis XIV avait d'abord eu pour maîtresse Olympe [1638-1708], l'une des sœurs aînées de Marie, arrivée à Paris dès 1647 et élevée avec le jeune souverain et son frère Philippe).

CYRANO, *rouvrant les yeux, d'une voix vague.*
Qu'est-ce?... Quoi?...

Il voit Roxane penchée sur lui et, vivement, assurant[1] *son chapeau sur sa tête et reculant avec effroi dans son fauteuil.*

Non, non, je vous assure,
Ce n'est rien. Laissez-moi!

ROXANE
Pourtant...

CYRANO
C'est ma blessure
D'Arras... qui... quelquefois... vous savez...

ROXANE
Pauvre ami!

CYRANO
2430 Mais ce n'est rien. Cela va finir.

Il sourit avec effort.

C'est fini.

ROXANE, *debout près de lui.*
Chacun de nous a sa blessure : j'ai la mienne.
Toujours vive, elle est là, cette blessure ancienne,

Elle met la main sur sa poitrine.

Elle est là, sous la lettre au papier jaunissant
Où l'on peut voir encor• des larmes et du sang!

Le crépuscule commence à venir.

CYRANO
2435 Sa lettre!... N'aviez-vous pas dit qu'un jour, peut-être,
Vous me la feriez lire?

ROXANE
Ah! vous voulez?... Sa lettre?

CYRANO
Oui... Je veux... Aujourd'hui...

ROXANE, *lui donnant le sachet pendu à son cou.*
Tenez!

---

1. assurant : enfonçant correctement.

CYRANO, *le prenant.*
Je peux l'ouvrir?

ROXANE
Ouvrez... lisez!...

Elle revient à son métier, le replie, range ses laines.

CYRANO, *lisant.*
« Roxane, adieu, je vais mourir! »

ROXANE, *s'arrêtant, étonnée.*
Tout haut?

CYRANO, *lisant.*
« C'est pour ce soir, je crois, ma bien-aimée!
2440 *« J'ai l'âme lourde encor• d'amour inexprimée*[1],
« Et je meurs! Jamais plus, jamais mes yeux grisés•,
« Mes regards dont c'était... »

ROXANE
Comme vous la lisez,
Sa lettre!

CYRANO, *continuant.*
« ... dont c'était les frémissantes fêtes,
« Ne baiseront au vol les gestes que vous faites :
2445 *« J'en revois un petit qui vous est familier*
« Pour toucher votre front, et je voudrais crier... »

ROXANE, *troublée.*
Comme vous la lisez, – cette lettre!

La nuit vient insensiblement.

CYRANO
« Et je crie :
« Adieu!...

ROXANE
Vous la lisez...

CYRANO
« Ma chère, ma chérie,
« Mon trésor... »

1. d'amour inexprimée : sur ce féminin, *cf.* la note du v. 1437.

ROXANE, *rêveuse.*
D'une voix...

CYRANO
« Mon amour !...

ROXANE
D'une voix...

Elle tressaille•.

2450 Mais... que je n'entends pas pour la première fois !

Elle s'approche tout doucement, sans qu'il s'en aperçoive, passe derrière le fauteuil, se penche sans bruit, regarde la lettre. – L'ombre augmente.

CYRANO
« Mon cœur ne vous quitta jamais une seconde
« Et je suis et serai jusque dans l'autre monde[1]
« Celui qui vous aima sans mesure, celui... »

ROXANE, *lui posant la main sur l'épaule.*
Comment pouvez-vous lire à présent ? Il fait nuit.

Il tressaille, se retourne, la voit là tout près, fait un geste d'effroi, baisse la tête. Un long silence. Puis, dans l'ombre complètement venue, elle dit avec lenteur, joignant les mains :

2455 Et pendant quatorze ans, il a joué ce rôle
D'être le vieil ami qui vient pour être drôle !

CYRANO
Roxane !

ROXANE
C'était vous.

CYRANO
Non, non, Roxane, non !

ROXANE
J'aurais dû deviner quand il disait mon nom !

CYRANO
Non ! ce n'était pas moi !

---

1. l'autre monde : la mort (mais c'est aussi le titre sous lequel ont été rassemblés les *États et Empires de la Lune* et les *États et Empires du Soleil* de Cyrano de Bergerac).

ROXANE
C'était vous !

CYRANO
Je vous jure...

ROXANE
2460 J'aperçois toute la généreuse imposture[1] :
Les lettres, c'était vous...

CYRANO
Non !

ROXANE
Les mots chers et fous,
C'était vous...

CYRANO
Non !

ROXANE
La voix dans la nuit, c'était vous.

CYRANO
Je vous jure que non !

ROXANE
L'âme, c'était la vôtre !

CYRANO
Je ne vous aimais pas.

ROXANE
Vous m'aimiez !

CYRANO, *se débattant.*
C'était l'autre !

ROXANE
2465 Vous m'aimiez !

CYRANO, *d'une voix qui faiblit.*
Non !

1. *imposture* : tromperie.

ROXANE
Déjà vous le dites plus bas !

CYRANO
Non, non, mon cher amour, je ne vous aimais pas !

ROXANE
Ah ! que de choses qui sont mortes... qui sont nées !
Pourquoi vous être tu pendant quatorze années,
Puisque sur cette lettre où lui n'était pour rien
2470 Ces pleurs étaient de vous ?

CYRANO, *lui tendant la lettre.*
Ce sang était le sien.

ROXANE
Alors pourquoi laisser ce sublime silence
Se briser aujourd'hui ?

CYRANO
Pourquoi ?...

Le Bret et Ragueneau entrent en courant.

SCÈNE 6. LES MÊMES, LE BRET *et* RAGUENEAU

LE BRET
Quelle imprudence !
Ah ! j'en étais bien sûr ! il est là !

CYRANO, *souriant et se redressant.*
Tiens, parbleu[1] !

LE BRET
Il s'est tué, Madame, en se levant !

ROXANE
Grand Dieu !
2475 Mais tout à l'heure alors... cette faiblesse ? ... cette ?...

1. *parbleu* : pardi, évidemment, et comment.

CYRANO

C'est vrai! je n'avais pas terminé ma gazette• :
... Et samedi, vingt-six, une heure avant dîné,
Monsieur de Bergerac est mort assassiné[1].

Il se découvre; on voit sa tête entourée de linges.

ROXANE

Que dit-il? – Cyrano! – Sa tête enveloppée!...
2480 Ah! que vous a-t-on fait? Pourquoi?

CYRANO

« D'un coup d'épée,
Frappé par un héros, tomber la pointe au cœur[2]! »...
– Oui, je disais cela!... Le destin est railleur[3]!...
Et voilà que je suis tué dans une embûche[4],
Par-derrière, par un laquais•, d'un coup de bûche!
2485 C'est très bien. J'aurai tout manqué, même ma mort.

RAGUENEAU

Ah! Monsieur!...

CYRANO

Ragueneau, ne pleure pas si fort!...

Il lui tend la main.

Qu'est-ce que tu deviens, maintenant, mon confrère[5]?

RAGUENEAU, *à travers ses larmes.*

Je suis moucheur de... de... chandelles[6], chez Molière[7].

CYRANO

Molière!

---

1. *samedi, vingt-six* [...] *mort assassiné* : Cyrano de Bergerac est, en fait, décédé le 28 juillet 1655.
2. *tomber la pointe au cœur* : ce second hémistiche constituait le premier du v. 1778; sur cette obsession de Cyrano, *cf.* les v. 1772 à 1778.
3. *railleur* : moqueur.
4. *une embûche* : un guet-apens, un attentat.
5. *confrère* : qui exerce le même métier.
6. *moucheur de* [...] *chandelles* : chargé de moucher les chandelles, c'est-à-dire d'y ôter le bout de lumignon qui empêche les chandelles de bien éclairer (*cf.* le v. 175).
7. *Molière* : Jean-Baptiste Poquelin, dit Molière (1621-1673), notre plus grand auteur de comédies, reconnu comme tel (malgré bien des ennemis) de son vivant – d'où l'exclamation suivante de Cyrano.

RAGUENEAU

Mais je veux le quitter, dès demain;

2490 Oui, je suis indigné[1]!... Hier, on jouait *Scapin*[2],

Et j'ai vu qu'il vous a pris une scène!

LE BRET

Entière!

RAGUENEAU

Oui, Monsieur, le fameux : « Que diable allait-il faire[3]?... »

LE BRET, *furieux.*

Molière te l'a pris[4]!

CYRANO

Chut! chut! Il a bien fait!...

À Ragueneau.

La scène, n'est-ce pas, produit beaucoup d'effet?

RAGUENEAU, *sanglotant.*

2495 Ah! Monsieur, on riait! on riait!

1. *indigné* : scandalisé.
2. Scapin : *Les Fourberies de Scapin*, célèbre comédie de Molière, l'une de ses dernières pièces, ne date en fait que de 1671 (alors que l'action de cet acte V est censée se dérouler en 1655).
3. *« Que diable allait-il faire?... »* : la réplique exacte, *« Que diable allait-il faire dans cette galère? »*, est prononcée (avec les variantes *« **Mais** que diable »* et *« **à** cette galère »*) une demi-douzaine de fois par Géronte à propos de son fils Léandre, dont il refuse de payer la rançon exigée, selon Scapin, pour son prétendu enlèvement par des Turcs sur une galère (II, 7), et on la retrouve ici un peu plus loin (v. 2535), prononcée par Cyrano lui-même. Or on trouve effectivement, dans la comédie *Le Pédant joué* (1645) de Cyrano de Bergerac, la réplique (II, 4, Belin, 1977, p. 191) répétée d'ailleurs une demi-douzaine de fois, avec quelques variantes (pp. 191 à 193) : *« Que diable allez*[-vous] *faire aussi dans la galère d'un Turc? D'un Turc! »*
4. *Molière te l'a pris* : l'emprunt ne fait aucun doute, tant il est manifeste; mais, la propriété littéraire, au sens juridique du terme, n'ayant été établie qu'à la fin du XVIIIe s. (à l'instigation de Beaumarchais), il ne s'agit pas de ce que nous qualifierions aujourd'hui de « plagiat », délit sanctionné par la loi – et cela, d'autant que Cyrano et Molière se sont probablement rencontrés dans les cercles gassendistes, si bien qu'ils y auraient l'un et l'autre mis en commun des réflexions qu'ils auraient pu reprendre dans leurs œuvres respectives (sur toute cette question, *cf.* l'édition de J. Truchet, Imprimerie Nationale, 1983, p. 345).

CYRANO

Oui, ma vie
Ce fut d'être celui qui souffle[1] – et qu'on oublie!

À Roxane.

Vous souvient-il du soir où Christian vous parla
Sous le balcon? Eh bien! toute ma vie est là :
Pendant que je restais en bas, dans l'ombre noire,
2500 D'autres montaient cueillir le baiser de la gloire!
C'est justice, et j'approuve au seuil[2] de mon tombeau :
Molière a du génie et Christian était beau!

À ce moment, la cloche de la chapelle ayant tinté, on voit tout au fond, dans l'allée, les religieuses se rendant à l'office.

Qu'elles aillent prier puisque leur cloche sonne!

ROXANE, *se relevant pour appeler.*

Ma sœur•! ma sœur!

CYRANO, *la retenant.*

Non! non! n'allez chercher personne!
2505 Quand vous reviendriez, je ne serais plus là.

Les religieuses sont entrées dans la chapelle, on entend l'orgue.

Il me manquait un peu d'harmonie[3]... en voilà.

ROXANE

Je vous aime, vivez!

CYRANO

Non! car c'est dans le conte
Que lorsqu'on dit : Je t'aime! au prince plein de honte,
Il sent sa laideur fondre à ces mots de soleil[4]...
2510 Mais tu t'apercevrais que je reste pareil.

ROXANE

J'ai fait votre malheur! moi! moi!

---

1. *celui qui souffle* : le souffleur, celui qui dit à voix basse les répliques dont un comédien ne se souvient plus.
2. *seuil* : bord.
3. *d'harmonie* : d'ensemble de notes et de sons agréablement équilibrés et accordés.
4. *c'est dans le conte* [...] *ces mots de soleil* : cf. *Riquet à la houppe* (in *Contes de ma mère l'Oye*, 1697) de Charles Perrault (1699-1708) et *La Belle et la Bête* (in *Le Magasin des enfants*, 1757) de Jeanne-Marie Leprince de Beaumont (1711-1780).

CYRANO

Vous ?... au contraire !
J'ignorais la douceur féminine. Ma mère
Ne m'a pas trouvé beau[1]. Je n'ai pas eu de sœur[2].
Plus tard, j'ai redouté l'amante à l'œil moqueur.
2515 Je vous dois d'avoir eu, tout au moins, une amie.
Grâce à vous une robe a passé dans ma vie.

LE BRET, *lui montrant le clair de lune qui descend à travers les branches.*
Ton autre amie est là, qui vient te voir.

CYRANO, *souriant à la lune.*

Je vois.

ROXANE

Je n'aimais qu'un seul être et je le perds deux fois !

CYRANO

Le Bret, je vais monter dans la lune opaline[3],
2520 Sans qu'il faille inventer, aujourd'hui, de machine.

ROXANE

Que dites-vous ?

CYRANO

Mais oui, c'est là, je vous le dis,
Que l'on va m'envoyer faire mon paradis[4].
Plus d'une âme que j'aime y doit être exilée,

1. *Ne m'a pas trouvé beau* : il n'est pas exclu que Rostand se souvienne ici de « *Gaspard Hauser chante : Je suis venu [...]* », poème de Paul Verlaine publié dans le recueil *Sagesse* (III, IV, 1880) ; dans le deuxième des quatre quatrains, on lit en effet : « *À vingt ans un trouble nouveau, / Sous le nom d'amoureuses flammes, / M'a fait trouver belles les femmes : / Elles ne m'ont pas trouvé beau.* »

2. *Je n'ai pas eu de sœur* : Cyrano de Bergerac eut, en fait, deux sœurs (dont l'une fut admise au couvent des Dames de la Croix ; *cf.* la note 1, p. 299).

3. *opaline* : qui a la couleur laiteuse, blanchâtre, et les reflets irisés de l'opale (pierre précieuse).

4. faire mon paradis : l'expression « *faire son paradis* » est surtout attestée dans la formule « *faire son paradis en ce monde* », qui signifie « *jouir de tous les bonheurs et de tous les plaisirs sur terre* » ; ici, l'expression est à prendre au sens propre : « *atteindre le paradis, vivre au paradis* », le paradis étant le royaume éternel de Dieu.

Et je retrouverai Socrate[1] et Galilée[2] !

LE BRET, *se révoltant.*

2525 Non ! non ! C'est trop stupide à la fin, et c'est trop
Injuste ! Un tel poète ! Un cœur si grand, si haut !
Mourir ainsi !... Mourir !...

CYRANO

Voilà Le Bret qui grogne !

LE BRET, *fondant en larmes.*

Mon cher ami...

CYRANO, *se soulevant, l'œil égaré.*

Ce sont les cadets• de Gascogne...
La masse élémentaire[3]... Eh oui !... voilà le ***hic***...

LE BRET

2530 Sa science... dans son délire !

CYRANO

Copernic[4]

A dit...

---

1. *Socrate* : philosophe grec (470-399 av. J.-C.), « père » (bien qu'il n'ait jamais rien écrit) de la philosophie occidentale, connu par les dialogues où le met en scène son disciple le philosophe Platon (428-348 av. J.-C.) ; défenseur de la raison contre les préjugés et les superstitions, il fut condamné à mort pour impiété et corruption de la jeunesse : alors qu'il pouvait très facilement s'évader de prison, il préféra affronter la mort, présentant celle-ci comme le moment nullement redoutable où l'âme, immortelle, est séparée du corps, qui seul est mortel. Le narrateur des *États et Empires de la Lune* rencontre longuement le démon de Socrate sur la Lune.
2. *Galilée* : scientifique italien (1564-1642), premier expérimentateur moderne, dont les découvertes bouleversèrent la physique et l'astronomie ; reprenant les thèses héliocentriques (selon lesquelles le Soleil est le centre de l'Univers) de Copernic (1473-1543), qu'il valida et diffusa, il fut néanmoins contraint, par les autorités de l'Église, de les récuser, sous peine d'emprisonnement, ce qu'il fit (1633), non sans s'être quand même écrié (selon la tradition) : *« Eppur, si muove ! »* (*« Et pourtant, elle* [la Terre] *se meut, elle tourne ! »*) ; Galilée eut une influence considérable sur Descartes et Newton.
3. *La masse élémentaire* : l'état de la matière à l'origine (cette question a passionné Cyrano de Bergerac).
4. *Copernic* : Nicolas Copernic, scientifique polonais (1473-1543), dont les découvertes bouleversèrent l'astronomie, puisque, aux thèses géocentriques (selon lesquelles la Terre est au centre de l'Univers) en vigueur depuis l'astronome grec Ptolémée (90-168), il substitua les thèses héliocentriques (selon lesquelles c'est le Soleil qui est le centre de l'Univers), sans toutefois parvenir à les démontrer scientifiquement (ce que fit Galilée, 1564-1642). La « révolution copernicienne » fut scientifiquement, intellectuellement et socialement considérable.

ROXANE

Oh !

CYRANO

Mais aussi que diable allait-il faire,
Mais que diable allait-il faire en cette galère[1] ?...
Philosophe, physicien,
Rimeur, bretteur•, musicien,
2535 Et voyageur aérien,
Grand riposteur du tac au tac[2],
Amant[3] aussi – pas pour son bien ! –
Ci-gît[4] Hercule-Savinien
De Cyrano de Bergerac
2540 Qui fut tout, et qui ne fut rien.
... Mais je m'en vais, pardon, je ne peux plus attendre :
Vous voyez, le rayon de lune vient me prendre !

Il est retombé assis, les pleurs de Roxane le rappellent à la réalité, il la regarde, et caressant ses voiles :

Je ne veux pas que vous pleuriez moins ce charmant,
Ce bon, ce beau Christian, mais je veux seulement,
2545 Que lorsque le grand froid aura pris mes vertèbres,
Vous donniez un sens double à ces voiles funèbres,
Et que son deuil sur vous devienne un peu mon deuil.

ROXANE

Je vous jure !...

CYRANO, *est secoué d'un grand frisson et se lève brusquement.*

Pas là ! non ! pas dans ce fauteuil !

On veut s'élancer vers lui.

Ne me soutenez pas ! Personne !

---

1. Telle est presque exactement (avec *« à cette galère »*) la réplique que l'on trouve (II, 7) dans *Les Fourberies de Scapin* (1671) de Molière (*cf.* la note du v. 2492).
2. *riposteur du tac au tac* : au sens propre, qui répond à un tac (parade consistant à écarter le fer adverse d'un mouvement sec du poignet puis par un battement) par un autre tac, dans une passe d'armes (terme d'escrime) ; au sens figuré, qui répond aussitôt à toute remarque désobligeante par un mot tout aussi désagréable. Bien sûr, les deux sens de l'expression s'appliquent fort bien à Cyrano.
3. *Amant* : Amoureux, qui aime sans être aimé (sens du terme au XVIIe s.).
4. *Ci-gît* : Ici repose.

Il va s'adosser à l'arbre.

Rien que l'arbre !

Silence.

2550 Elle vient. Je me sens déjà botté de marbre,
Ganté de plomb !

Il se raidit.

Oh ! mais !... puisqu'elle est en chemin,
Je l'attendrai debout,

Il tire l'épée.

et l'épée à la main !

LE BRET

Cyrano !

ROXANE, *défaillante*[1].

Cyrano !

Tous reculent épouvantés.

CYRANO

Je crois qu'elle regarde...
Qu'elle ose regarder mon nez, cette Camarde[2] !

Il lève son épée.

2555 Que dites-vous ?... C'est inutile ?... Je le sais !
Mais on ne se bat pas dans l'espoir du succès !
Non ! non, c'est bien plus beau lorsque c'est inutile !
Qu'est-ce que c'est que tous ceux-là ! Vous êtes mille ?
Ah ! je vous reconnais, tous mes vieux ennemis !
2560 Le Mensonge ?

Il frappe de son épée le vide.

Tiens, tiens ! – Ha ! ha ! les Compromis,
Les Préjugés, les Lâchetés !...

Il frappe.

Que je pactise[3] ?

---

1. défaillante : près de s'évanouir.
2. *Camarde* : l'adjectif «*camard*», déjà rencontré (*cf.* v. 290) signifie «*qui a le nez plat et écrasé*» ; il désigne aussi la mort (parce qu'on figure celle-ci avec une tête décharnée, justement dénommée «tête de mort», dont le nez, réduit aux seuls os, paraît aplati), ce qui est le cas ici.
3. *Que je pactise* : Que j'accepte de conclure des pactes, des accords obtenus au prix de concessions (*cf.* la réplique de De Guiche, au v. 2307).

Jamais, jamais ! – Ah ! te voilà, toi la Sottise !
Je sais bien qu'à la fin vous me mettrez à bas[1] ;
N'importe : je me bats ! je me bats ! je me bats !

Il fait des moulinets[2] immenses et s'arrête haletant.

2565 Oui, vous m'arrachez tout, le laurier et la rose[3] !
Arrachez ! Il y a malgré vous quelque chose
Que j'emporte ; et ce soir, quand j'entrerai chez Dieu,
Mon salut balaiera largement le seuil bleu,
Quelque chose que sans un pli, sans une tache,
2570 J'emporte malgré vous,

Il s'élance l'épée haute.

et c'est...

L'épée s'échappe de ses mains, il chancelle, tombe dans les bras de Le Bret et de Ragueneau.

ROXANE, *se penchant sur lui et lui baisant le front.*
C'est ?...

CYRANO, *rouvre les yeux, la reconnaît et dit en souriant.*
Mon panache•[4].

RIDEAU

1. *vous me mettrez à bas* : vous me vaincrez.
2. moulinets : *cf.* la note du v. 955.
3. *le laurier et la rose* : symboles respectifs – éternels ! – de la victoire (militaire, littéraire et poétique) et de l'amour.
4. *panache* : c'est Rostand qui contribua à répandre le sens figuré de ce terme (sens métaphorique inconnu des dictionnaires du XIXe s. et attesté dans le *Dictionnaire* de l'Académie française seulement en 1935).

Questions

Compréhension

1. *Quelles sont les quatre étapes de la scène 5? Citez vers et didascalies*, à l'appui de votre réponse.*

2. *En quoi la première didascalie* de la scène 5 est-elle essentielle? Quel effet l'arrivée de Cyrano crée-t-elle?*

3. *Commentez les didascalies* des v. 2373, 2384, 2386, 2401. En quoi celles des v. 2435, 2447 et 2451 sont-elles particulièrement importantes?*

4. *Que signifie la réplique de Cyrano, v. 2376-2377? En quoi les v. 2380, 2383, 2396, 2399-2400 et 2403 à 2406 sont-ils prémonitoires?*

5. *À quels vers de l'acte IV fait écho le v. 2430?*

6. *Pourquoi Cyrano insiste-t-il pour lire la lettre aujourd'hui (v. 2437)?*

7. *Qu'est-ce qui trahit — et révèle — la «généreuse imposture» (v. 2460) de Cyrano? Où en était-il déjà question? Quelle même réaction physique se produit en Roxane puis en Cyrano lors de cette révélation?*

8. *Quelle progression remarquez-vous dans les répétitions de Roxane, entre les v. 2442 et 2447 et à partir du v. 2457, et notamment entre les v. 2460 et 2463?*

9. *Comment interprétez-vous les questions de Roxane (v. 2468 à 2472)? Que n'a-t-elle pas encore compris? Pourquoi?*

10. *Qu'ont d'ironique, malgré le contexte, les répliques de Cyrano, aux v. 2485-2486, 2495-2496, 2498 à 2502, 2506?*

11. *En quoi le v. 2507 constitue-t-il un tournant de la pièce?*

12. *Que pensez-vous des explications de Cyrano, v. 2512 à 2516?*

13. *Commentez le v. 2518. À quel vers de l'acte IV fait-il écho? Et quels vers de la scène 6 lui font écho? En quoi réside ici le tragique de la situation de Roxane?*

14. *Que pensez-vous de l'épitaphe de Cyrano (v. 2533 à 2540)?*

15. *Qui est désignée par «Elle», à partir du v. 2550? Commentez le v. 2554.*

16. *Quels vers, entre les v. 2555 et 2559, peuvent donner une illustration du «panache»? Avec une telle mort, quels vœux,*

émis à quels moments de la pièce (retrouvez actes, scènes et vers), Cyrano réalise-t-il ?

17. *En quoi est-il significatif que le premier des « vieux ennemis » évoqués par Cyrano soit « le Mensonge » (v. 2559- 2560) ?*

18. *En quoi les quatre dernières didascalies* constituent-elles un raccourci et une synthèse de la pièce ?*

Écriture

19. *Quel effet les enjambements* des v. 2376-2377, 2428-2429 et 2442-2443 produisent-ils ?*

20. *Quelle figure relevez-vous au v. 2466 ? En quoi ce vers est-il particulièrement réussi ? Quels autres vers vous paraissent mémorables ? Quelles autres figures relevez-vous aux v. 2560 à 2562 ? Et au v. 2565 ?*

21. *Que remarquez-vous au v. 2510 ?*

22. *Étudiez la métrique* des v. 2386 et 2533 à 2540.*

Mise en scène

23. *En quoi les lumières sont-elles un élément important de cette fin de pièce ? Dans quelle mesure le cinéma se prêterait-il mieux aux différents effets signalés ici par les didascalies* ?*

Cyrano (Jacques Weber), mise en scène de Jérome Savary, Mogador, 1983.

Bilan

L'action

• Ce que nous savons

Quinze ans après le siège d'Arras, Roxane, veuve inconsolable, s'est retirée comme pensionnaire dans un couvent parisien. Elle y reçoit la visite de De Guiche, devenu duc-maréchal de Gramont, désormais réconcilé avec elle et élogieux sur Cyrano dont il admire la vie sans compromission. Chaque samedi, Cyrano vient voir sa cousine et lui tient « [sa] gazette », compte rendu ironique des cancans mondains. Pour la première fois, celui que son ami Le Bret, présent également, décrit comme très diminué physiquement mais toujours aussi enclin à se créer « des ennemis nouveaux », *est en retard. Ragueneau sait pourquoi et l'annonce au seul Le Bret, avant qu'ils ne volent ensemble à son secours : accident ou attentat ? Les jours Cyrano, qui a reçu* « une pièce de bois » *sur le crâne, sont en danger.*
Malgré son état, Cyrano arrive, aidé d'une canne, et sa blessure dissimulée sous son feutre, puis s'installe dans son fauteuil habituel, sans que Roxane se retourne. Alors qu'il lui détaille sa gazette, Cyrano s'évanouit, puis se reprend. À sa demande, Roxane le laisse lire, à voix haute, la dernière lettre de Christian, qu'elle conserve sur elle depuis quinze ans ; mais, alors que « la nuit vient insensiblement » *et ne permet donc plus de lire, Cyrano est trahi par sa voix, que Roxane reconnaît et qui révèle sa* « généreuse imposture », *malgré ses inutiles et contradictoires dénégations* (« Non, non, mon cher amour, je ne vous aimais pas ! »)*. Alors que Roxane lui demande* « pourquoi laisser ce sublime silence / Se briser aujourd'hui », *reviennent Le Bret et Ragueneau : Cyrano* « se découvre », *laissant voir* « sa tête entourée de linges », *mais empêchant ses amis et sa cousine — qui a désormais tout compris mais dont l'ultime aveu* (« Je vous aime, vivez ! ») *est inutile — d'appeler au secours. Pris de délire, Cyrano évoque son imminent départ au paradis, sur la Lune, énonce lui-même son épitaphe et se dresse,* « l'épée haute », *avant de tomber dans les bras de ses deux amis puis de disparaître, ayant reçu de Roxane un baiser sur le front et lui révélant,* « en souriant », *qu'il emporte avec lui* « *[son]* panache ».

Comme l'acte IV avec la mort de Christian, l'acte V — et donc la pièce —, avec la mort de Cyrano, s'achève tristement : de la comédie à la comédie héroïque et pathétique, nous sommes parvenus à la tragédie. Pourtant, là encore, ce dénouement funèbre* *s'accompagne d'une résolution des conflits intérieurs et d'un apaisement intime généralisé : De Guiche n'est plus du tout un rival ; Cyrano meurt, aimé de Roxane en toute connaissance de cause désormais. En définitive, seule Roxane, qui, dans le même moment, découvre la* « généreuse imposture » *et la mort de celui qu'elle aime, en est réduite aux abîmes de la tragédie :* « Je n'aimais qu'un seul être et je le perds deux fois ! »

• Ce que nous pouvons nous demander

1. *Rétrospectivement, le titre de l'acte vous paraît-il bien choisi ?*

2. *Comment jugez-vous ce dénouement* ?*

Les personnages

• Ce que nous savons

Cet acte, le plus court (en nombre de scène comme de vers) de la pièce, est d'autant plus concentré qu'il rassemble exclusivement (hormis les sœurs) les cinq survivants des six **personnages principaux** *(toujours par ordre d'entrée en scène) :*

– **De Guiche** *confirme et amplifie les transformations positives observées en lui à la fin de l'acte IV. Réconcilié avec Roxane et Cyrano, au sommet de l'échelle sociale, il fait preuve d'une réelle élévation morale, qui laisse de lui une image aussi positive qu'elle était négative durant les trois premiers actes.*

– **Roxane** *est la grande victime de l'acte : découvrant enfin en Cyrano la vérité de son deuil, et donc de son amour, elle en subit simultanément la mort ; rien de plus tragique, en définitive, que cette destinée d'une jeunesse prématurément endeuillée, dont la possible résurrection s'accompagne de l'agonie qui la rend définitivement impossible, la condamnant ainsi à mourir deux fois ;*

– **Le Bret** *confirme son rôle d'ami fidèle et dévoué, trouvant même la ressource, en pleine agonie de Cyrano, d'évoquer la Lune si chère à son ami, avant de se révolter et de fondre en larmes devant la stupidité et l'injustice de cette mort ;*

– **Ragueneau** *n'est évidemment plus au service de Roxane : ayant exercé tous les métiers, aussi souple et adaptable que Cyrano est demeuré rigide et intransigeant (et constituant ainsi son double inversé,* « positif »*), il joue le rôle essentiel de messager de l'accident de son ami et confirme, par sa réaction scandalisée au plagiat d'une réplique de Cyrano par Molière, quel ami admiratif et dévoué il est resté ; mais, en ce dernier acte, toutes ses inter-*

ventions sont marquées du sceau du tragique, contribuant à laisser de lui l'image d'un personnage grotesque ;*
– **Cyrano** *est, bien sûr, la grande figure de l'acte. En est-il aussi la victime ? Certes, sa mort tend à le faire penser. Mais sa disparition lui fait aussi réaliser son vœu émis à la fin de l'acte IV, après celle de Christian, et déjà exprimé, à l'acte III, lors de sa déclaration d'amour (*« Alors, que la mort vienne ! »*). Surtout, Cyrano disparaît dans le soulagement de son secret découvert par Roxane et dans l'immense bonheur d'une déclaration enfin réciproque, accompagnée d'un baiser au front, auquel peut répondre le sourire de celui qui n'a plus rien à redouter ni à espérer, puisqu'il a atteint son idéal. Finissant sur une pointe (*« Mon panache ! »*) qui résume et confirme les mille et une facettes de son personnage, Cyrano s'offre aussi la mort qu'il souhaitait (comme il le rappelait au début de l'acte IV :* « Et je voudrais mourir, un soir, sous un ciel rose, / En faisant un bon mot, pour une belle cause ! *[...]* Tomber la pointe au cœur en même temps qu'aux lèvres ! »*). On peut, bien sûr, déplorer que ce bonheur enfin possible ne se révèle qu'au moment même de son agonie, mais rien n'indique que Cyrano, inconsolable aussi de la mort de Christian, eût trouvé les moyens de vivre ce bonheur. Surtout, cette mort physique et terrestre de Cyrano permet aussi son apothéose et sa transfiguration : Roxane baise le front d'un Cyrano mourant mais devenu beau.*

Parmi les **personnages secondaires**, *à savoir exclusivement les sœurs, se détache* **sœur Marthe**, *qu'une connivence particulière lie à Cyrano, traduite par le silence complice que la sœur observe, à sa demande, à l'égard de Roxane, alors qu'elle a découvert la blessure de son pécheur impénitent, toujours fier de lui annoncer qu'il a* « fait gras ».

Cet acte est celui, bien sûr, du dénouement, à la fois délivrance des souffrances, résolution des impasses et, au sens définitif du terme, fin : chacun des personnages a atteint son terminus. Qui plus est, dans l'élégance et la dignité. Du moins cela est-il vrai de De Guiche et, surtout, de Cyrano ; chacun d'eux a réalisé son idéal : terrestre et mondain, puisque social, pour l'un ; lunaire et divin, puisque poétique, pour l'autre. Mais l'un et l'autre payent ces apparentes réussites de l'échec de l'amour humain : De Guiche,* « magnifique et vieillissant », *vivra peut-être longtemps mais ne sera jamais aimé de Roxane ; Cyrano meurt au moment même où Roxane lui déclare son amour.*

Cette seconde mort de Roxane, victime expiatoire de l'acte et de la pièce, confirme aussi l'échec de l'amour humain, terrestre, à la fois physique et sentimental, et, inversement, le triomphe de l'amour proprement « inhumain » qu'est celui du seul lyrisme, ici incarné par la voix de Cyrano, instrument de cette résurrection aussi soudaine qu'inutile, puisque la mort est au rendez-vous.

Cet acte très religieux (dans ses décors, ses silences, ses lenteurs et, bien sûr, dans son issue) rayonne d'une beauté surtout tragique. En ce sens, il consacre la victoire d'une forme supérieure de l'esprit cher à Roxane (faut-il d'ailleurs y voir une compensation de son sacrifice ?) : celle de la méditation et du recueillement.

• **Ce que nous pouvons nous demander**

1. *Roxane survivra-t-elle à cette seconde mort ?*
2. *Que deviendront Le Bret, Ragueneau, De Guiche ?*

Écriture

• **Ce que nous savons**

Cet acte confirme certains des partis pris de Rostand : abondance et minutie des didascalies, variété des coupes métriques* et des images comme des mètres* (avec l'épitaphe de Cyrano), goût de l'érudition (avec la gazette). Mais il se différencie nettement des précédents, sur cinq points au moins : on n'y trouve que des scènes d'intimité et aucune scène de foule ; les registres d'écriture et les niveaux de langue y sont nettement moins variés (même les enfantillages initiaux des sœurs restent exprimés en une langue presque soutenue) ; on n'y trouve aucun mélange des genres, des tons et des émotions (même Ragueneau ne fait pas du tout rire, et la gazette ne fait pas sourire longtemps) ; on n'y décèle aucun temps faible ; l'action se situe, comme aux actes III et IV, en extérieur, mais à la fois de jour et de nuit.*

Très unitaire en ses deux parties (avant et après l'arrivée de Cyrano), il est surtout l'acte du silence et du recueillement, après la furie guerrière de l'acte IV ; l'acte des splendeurs de l'automne, celui de la nature comme celui des existences ; et l'acte de l'au-delà, avec le couvent comme avec la mort. Le plus dense, le plus court et le plus sobre de tous les actes de la pièce, il concentre l'essentiel : loin des rires et des sourires de la comédie, loin des fureurs brillantes mais pathétiques de l'héroïsme, il impose la belle mais rude méditation de la tragédie, seule issue de cette impasse en forme d'oxymore que semble être une* « comédie héroïque ».

DATES	ÉVÉNEMENTS HISTORIQUES	ÉVÉNEMENTS CULTURELS
1868	Fin du Second Empire de Napoléon III, dont la chute est provoquée par la défaite de Sedan (1870), suivie de la proclamation de la République (4 septembre 1870) et de la sanglante Commune (1871) de Paris.	Zola, *Thérèse Raquin*, 2e édition, Préface : définition des principes du naturalisme. Naissance de Paul Claudel.
1878		Édison invente la lampe électrique.
1884	Lois sur l'organisation municipale, sur le divorce et sur les libertés syndicales.	Rétrospective Manet. Huysmans, *À rebours*. Premier Salon des Indépendants.
1887	Crise du boulangisme. Scandale des décorations : démission de Grévy. Sadi Carnot lui succède.	Mallarmé, *Poésies*. Fauré, *Requiem*. Fondation du Théâtre-Libre par Antoine. Mort de Laforgue.
1889	Fin du boulangisme.	Exposition universelle de Paris (la tour Eiffel). Bourget, *Le Disciple*.
1890	Première célébration de la fête du Travail, le 1er mai. Chute de Bismarck.	Suicide de Van Gogh. Ibsen, *Les Revenants*. Zola, *La Bête humaine*.
1891	Scandale de Panama (étouffé depuis 1889). Encyclique *Rerum novarum*. Fondation de la IIe Internationale.	Fondation du « théâtre d'Art » et manifeste pour un théâtre symboliste par Paul Fort. Mort de Banville et de Rimbaud.
1894	Assassinat de Sadi Carnot. Alliance franco-russe. Début de l'affaire Dreyfus.	Renard, *Poil de carotte*. Strindberg, *Père*. Rodin, *Les Bourgeois de Calais*.
1895	Félix Faure, président de la République. Fondation de la C.G.T.	Premiers films des frères Lumière. Verhaeren, *Les Villes tentaculaires*.
1897	Incendie du bazar de la Charité. Rebondissement dans l'affaire Dreyfus : révision du procès.	Barrès, *Les Déracinés*. Gide, *Les Nourritures terrestres*. Ouverture du Théâtre Antoine.
1900	Métro parisien. Exposition universelle de Paris.	Maurras, *Enquête sur la monarchie*. Barrès, *L'Appel au soldat*.
1901	Loi sur la liberté d'association. L'État finance l'Opéra et la Comédie-Française.	Anna de Noailles, *Le Cœur innombrable*.
1902	Ministère Combes, anti-clérical.	Mort de Zola. Gide, *L'Immoraliste*.
1903	Requête en révision de Dreyfus (fin en 1906).	Mirbeau, *Les affaires sont les affaires*.
1909	Briand succède à Clemenceau.	*Nouvelle Revue française*.
1910	Condamnation du *Sillon* par Pie X. Grève des cheminots.	Péguy, *Le Mystère de la Charité de Jeanne d'Arc*.
1911	Crise diplomatique d'Agadir.	Claudel, *L'Otage*, *Cinq Grandes Odes*. Maillol, *Flore*.
1913	Poincaré, président de la République.	Ouverture du théâtre du Vieux-Colombier.
1914	Assassinat de Jaurès. Première Guerre mondiale. Bataille de la Marne.	Alain-Fournier et Péguy meurent à la guerre. Claudel, *L'Échange*.
1915	Attaque des Dardanelles.	Rolland, *Au-dessus de la mêlée*.
1916	Bataille de Verdun.	Mouvement Dada, à Zurich.
1918	Armistice du 11 novembre.	Introduction du jazz en Europe.

VIE ET ŒUVRE DE ROSTAND	DATES
Naissance, à Marseille, le 1er avril, au sein d'une vieille famille provençale de notables aisés et cultivés. Edmond est l'aîné d'une famille de trois enfants (deux sœurs cadettes), à la fois bonapartiste (un portrait de l'Aiglon orne sa chambre) et républicaine. Les vacances se passent en famille à Luchon, au sein de ces Pyrénées qui ravivent les ascendances espagnoles, présentes du côté maternel.	1868
Au lycée de Marseille : bon élève, doué pour le théâtre, et lecteur passionné des *Trois Mousquetaires* de Dumas et des *Grotesques* de Gautier.	1878
À Paris, au collège Stanislas : son professeur, René Doumic, lui fait connaître notamment Cyrano de Bergerac ; et son « pion », un certain Pif-Luisant, conforte son goût pour les vers.	1884
Étudiant en droit depuis 1886, est proclamé lauréat de l'Académie de Marseille pour sa réponse au sujet qu'elle avait mis au concours : *« Deux romanciers de Provence : Honoré d'Urfé et Émile Zola »*.	1887
Échec du vaudeville en 4 actes *Le Gant rouge*, écrit avec Henry Lee, demi-frère de Rosemonde Gérard (donc futur beau-frère de Rostand).	1889
Mariage avec Rosemonde Gérard, petite-fille du maréchal Gérard et filleule du poète Leconte de Lisle. Publication, passée inaperçue, du recueil de poésies *Les Musardises* et d'un *Essai sur le roman naturaliste* (anti-naturalisme).	1890
Naissance d'un fils, Maurice, futur poète et dramaturge. Refus, par la Comédie-Française, d'une comédie en un acte et en musique, *Pierrot qui pleure et Pierrot qui rit*, alias *Les Deux Pierrots*.	1891
Naissance d'un second fils, Jean, futur biologiste de renommée mondiale. Succès, à la Comédie-Française, de la comédie *Les Romanesques*, à contre-courant du naturalisme. Rostand est dreyfusard.	1894
Succès d'estime mais échec commercial de la pièce « biblique » en 4 actes et en vers *La Princesse lointaine*, écrite pour et jouée par Sarah Bernhardt, et qui contient le thème de la substitution des prétendants.	1895
En avril, succès de *La Samaritaine*, avec Sarah Bernhardt. Le 28 décembre, triomphe de *Cyrano de Bergerac*, avec Constant Coquelin mais sans Sarah Bernhardt : plus de 400 représentations consécutives.	1897
Triomphe du drame en 6 actes *L'Aiglon*, avec Sarah Bernhardt dans le rôle-titre. Atteint de pleurésie, l'auteur doit se retirer à Combo-les-Bains.	1900
Élection à l'Académie française (il est alors le plus jeune académicien) : sa mauvaise santé l'empêche d'y être reçu avant 1903. Est fait officier de la Légion d'honneur.	1901
Acquiert, à Combo, le terrain de sa future villa extravagante d'Arnaga.	1902
Réception à l'Académie française, où il fait l'éloge du panache.	1903
Mort brutale de l'acteur Constant Coquelin, qui répétait *Chantecler*.	1909
Demi-échec de *Chantecler*, avec Lucien Guitry (père de Sacha) dans le rôle-titre. Mais Rostand est fait commandeur de la Légion d'honneur.	1910
Rencontre de l'écrivain Anna de Noailles qui devient sa maîtresse. Écrit *La Dernière Nuit de Don Juan* (création, 1921).	1911
Millième représentation (toujours triomphale) de *Cyrano*.	1913
Ne pouvant s'engager pour des raisons de santé, exprime sa solidarité en composant un recueil de poèmes patriotiques, *Le Vol de la Marseillaise*.	1914
Mort de son père.	1915
Mort de sa mère.	1916
Mort à Paris, à 50 ans, le 2 décembre, sans doute de l'épidémie de grippe espagnole dont venait de mourir (9 nov.) Apollinaire.	1918

Les jugements émis à la sortie de *Cyrano de Bergerac* empliraient des dizaines de pages. Faute de place, nous nous limiterons ici à l'essentiel (les autres étant dans le *Dossier du professeur*).

DES APPLAUDISSEMENTS PRESQUE UNANIMES

À la création de la pièce

•

La pièce fut presque unanimement saluée comme un triomphe, à de très rares exceptions près. L'intensité de ce triomphe se mesure à la ... démesure des compliments et des éloges que reçurent la pièce et son auteur, dès la création, même si les raisons d'applaudir, de l'enthousiasme littéraire à l'élan patriotique, voire xénophobe, n'étaient pas les mêmes pour tous.
Seul le critique Jules Lemaître, quelques semaines après la première, dresse un compte rendu « raisonnable », en tout cas dépassionné, qui en fait l'un des plus pertinents et intéressants jugements émis sur la pièce :

> *J'aurai le courage ingrat de considérer Cyrano comme un événement merveilleux sans doute, mais non pas, à proprement parler, surnaturel. La pièce de M. Rostand n'est pas seulement délicieuse : elle a eu l'esprit de venir à propos. Je vois à l'énormité de son succès deux causes, dont l'une (la plus forte) est son excellence, et dont l'autre est sans doute une lassitude du public et comme un rassasiement, après tant d'études psychologiques, tant d'historiettes d'adultères parisiens, tant de pièces féministes, socialistes, scandinaves : toutes œuvres dont je ne pense* a priori *aucun mal, et parmi lesquelles il y en a peut-être qui contiennent autant de substance morale et intellectuelle que ce radieux* Cyrano ; *mais moins délectables à coup sûr, et dont on nous avait un peu accablés dans ces derniers temps. Joignez que* Cyrano *a bénéficié même de nos discordes civiles. Qu'un journaliste éloquent ait pu écrire que* Cyrano de Bergerac *« éclatait comme une fanfare de pantalons rouges » et qu'il en ait auguré le réveil du nationalisme en France, cela montre bien que des sentiments ou des instincts assez étrangers à l'art sont venus seconder la réussite de cette exquise comédie romanesque, et que, lorsqu'un succès de cette ampleur se déclare, tout contribue à l'enfler encore.*
> *Je me hâte d'ajouter que l'opportunité du moment eût médiocrement servi la pièce de M. Edmond Rostand, si elle n'était, prise en soi, d'un rare et surprenant mérite. Mais ce mérite, enfin, quelle en est l'espèce ? Est-il vrai que cette comédie « ouvre un siècle », ou, plus modestement, qu'elle « commence quelque chose », – comme* le Cid, *comme* Andromaque, *comme* l'École des femmes, *comme* la Surprise de l'amour, *comme* le Mariage de Figaro, *comme* Hernani, *comme* la Dame aux camélias ?

Je serai plutôt tenté de croire que le mérite de cette ravissante comédie, c'est sans rien «ouvrir» du tout (au moins à ce qu'il me semble), de prolonger, d'unir et de fondre en elle sans effort, et certes avec éclat, et même avec originalité, trois siècles de fantaisie comique et de grâce morale – et d'une grâce et d'une fantaisie qui sont de «chez nous».

Jules Lemaître, *Revue des Deux Mondes*, 1er février 1898

À l'occasion du centenaire

•

Après le triomphe de 1897, le regard porté sur *Cyrano* reste très élogieux mais moins inconditionnel. En 1997, Francis Huster, qui tient le rôle-titre dans la nouvelle mise en scène de Jérôme Savary au Théâtre national de Chaillot, à Paris, opposant Cyrano à Bergerac (*«Jouer Cyrano en 1997, c'est donc jouer* contre. *Contre tous ceux d'avant. Et pour Bergerac»*) et dénonçant les méfaits de la création du rôle-titre par Coquelin (*«Cyrano mort-nez par l'accoucheur Coquelin»*), souligne la nécessité d'en revenir à la jeunesse des personnages :

Cyrano a vingt-et-un an au premier acte et trente-six au dernier! quand rendra-t-on la pièce à la jeunesse? Non pas en la faisant jouer par des jeunes de l'âge des rôles, mais en la jouant jeune. C'est l'âge de la pièce qui compte, pas celui des rôles. Et toute pièce a l'âge de la façon dont on la joue.

Francis Huster, *Cyrano, À la recherche du nez perdu*,
Ramsay / Archimbaud, 1997

CYRANO VU PAR ROSTAND

Lors de la première

•

Dans un entretien accordé à André Arnyvelde, une quinzaine d'années après la création de la pièce, Edmond Rostand revient sur la genèse de son triomphe :

L'idée toute première de Cyrano *germa dans mon esprit en rhétorique. Aussitôt après la lecture de la préface qu'avait écrite le bibliophile Jacob aux œuvres de Cyrano de Bergerac. «Ah! faire* Cyrano*!...», pensait-je. Mais il n'y avait absolument rien autour de ce souhait. Faire* Cyrano*!... Comment? Le jour où je lus à Sarah Bernhardt et à ses comédiens* la Samaritaine, *Coquelin était là. Il jouait alors à la Renaissance, et avait demandé à Sarah Bernhardt la permission d'assister à la lecture, alors qu'il ne dût point prendre*

part à la représentation. Après la séance, il sortit avec moi. Nous nous connaissions à peine. Je nous vois encore, rue de Bondy. Coquelin m'avait pris le bras. Il était très « emballé ». « Vous devriez me faire un rôle », me dit-il. « J'en ai un », répondis-je immédiatement. Cyrano avait sursauté sous mon front. Mais cela ne faisait point du tout que je susse le moins du monde ce que serait ce rôle.
[...] Je ne veux pas être méchant... Combien d'écrivains, de dramaturges, qui faisaient alors profession de ce naturalisme et de ce scepticisme, sont, à présent, de fougueux exalteurs des vertus traditionnelles, du – mon Dieu, disons le mot, ce mot qui fit fortune au lendemain de Cyrano *–, du « panache ! Combien d'eux, qui devaient, somme toute, subir l'influence de* Cyrano*, eussent alors plaisanté le « Cyranisme » !*
J'écrivis Cyrano *par goût, avec amour, avec plaisir, et aussi, je l'affirme, dans l'idée de lutter contre les tendances du temps. Tendances, au vrai, qui m'agaçaient..., me révoltaient. J'écrivis* Cyrano.

Entretien d'André Arnyvelde avec Edmond Rostand,
Les Annales, 9 mars 1913

Le panache selon Rostand

•

Terminons l'examen de ces quelques jugements sur *Cyrano* en laissant Rostand commenter ainsi le fameux *« panache »* :

Qu'est-ce que le panache ? il ne suffit pas, pour en avoir, d'être un héros. Le panache n'est pas la grandeur, mais quelque chose qui s'ajoute à la grandeur, et qui bouge au-dessus d'elle. C'est quelque chose de voltigeant, d'excessif, – et d'un peu frisé. Si je ne craignai d'avoir l'air bien pressé de travailler au Dictionnaire, je proposerais cette définition : le panache, c'est l'esprit de la bravoure. Oui, c'est le courage dominant à ce point la situation – qu'il en trouve le mot. Toutes les répliques du Cid *ont du panache, beaucoup de traits du grand Corneille sont d'énormes mots d'esprit. Le vent d'Espagne nous apporta cette plume ; mais elle a pris dans l'air de France une légèreté de meilleur goût. Plaisanter en face du danger, c'est la suprême politesse, un délicat refus de se prendre au tragique ; le panache est alors la pudeur de l'héroïsme, comme un sourire par lequel on s'excuse d'être sublime. Certes, les héros sans panache sont plus désintéressés que les autres, car le panache, c'est souvent, dans un sacrifice qu'on fait, une consolation d'attitude qu'on se donne. Un peu frivole peut-être, un peu théâtral sans doute, le panache n'est qu'une grâce ; mais cette grâce est si difficile à conserver jusque devant la mort, cette grâce suppose tant de force (l'esprit qui voltige n'est-il pas la plus belle victoire sur la carcasse qui tremble ?) que, tout de même, c'est une grâce... que je nous souhaite.*

Edmond Rostand,
Discours de réception à l'Académie française, 4 mai 1903

ainsi que : comme.
baron : titre de noblesse hiérarchiquement supérieur à celui de chevalier mais inférieur à ceux de vicomte, comte, marquis et duc.
blême : très pâle (d'inquiétude ou de timidité).
bouquetière : marchande de fleurs, qui fait et vend des bouquets de fleurs naturelles.
bourgeois : au sens propre, citoyen d'un bourg, d'une ville, ne travaillant pas de ses mains, possédant des biens, et n'appartenant ni au clergé ni à la noblesse ni à l'armée.
bretteur : amateur et spécialiste du combat à l'épée.
cadet : gentihomme servant comme soldat puis comme officier subalterne, débutant dans le métier des armes.
capucin : religieux d'une fraction de l'ordre des franciscains, fondée par Matteo Baschi vers 1520.
chevau-léger : cavalier d'un corps de cavalerie légère, composé de gens de naissance et d'honneur, le plus souvent chargé de la garde d'un souverain.
dédain : mépris ouvertement affiché (par l'air, le ton, les manières).
diantre ! : juron marquant l'admiration, l'étonnement, l'imprécation ou renforçant une affirmation (synonyme de «*diable !*»).
drôle : homme plaisamment singulier et bizarre, coquin qui inquiète et amuse en même temps.
duègne : en Espagne, vieille gouvernante chargée de veiller sur une jeune personne ; c'est aussi un terme de théâtre, pour désigner l'emploi de duègne (d'où l'article défini : la duègne).
encor : encore (par licence poétique, pour que le mot ne compte que pour deux syllabes devant une consonne ou un *h* aspiré, ou en cas de rime «pour l'œil»).
envoi : dans une ballade, dernière strophe de quatre vers, dédiant le poème à quelqu'un.
fâcheux : gêneur, importun, qui dérange. *«Un fâcheux est celui qui, sans faire à quelqu'un un fort grand tort, ne laisse pas de l'embarrasser beaucoup»* (La Bruyère, *Caractères*, XX). En termes moins polis, un fâcheux est ce que nous appelons aujourd'hui un «emmerdeur».
fat : à la fois sans jugement et plein de complaisance pour soi-même (le sens propre est «insipide, sot, niais» — l'un n'empêchant pas l'autre...).
feindre de : faire semblant de.
fendre (se)/fendu : en escrime, porter vivement la jambe droite en avant, sans bouger le pied gauche, pour atteindre l'adversaire / qui accomplit ce mouvement.
feutre : chapeau fait de feutre (étoffe de laine ou de poils foulés et agglutinés – feutrés !).
fifre : joueur de fifre (petite flûte en bois, au son aigu).
fort : très, extrêmement.
gardes : terme désignant un corps de troupe chargé de la défense d'un souverain ; il peut désigner elliptiquement les Gardes françaises, corps de soldats d'élite, créé en 1563 par Charles IX et chargé de garder les abords des palais du roi comme de protéger le souverain.
gascon : natif ou résidant de la Gascogne, duché français qui s'étendait entre les Pyrénées, l'Atlantique et la Garonne (dont la capitale était Auch, l'actuel chef-lieu du département du Gers), il présente les caractéristiques qu'on prête aux Gascons (vantardise, hâblerie, fanfaronnade, inclination aux promesses peu sérieuses, mais aussi bravoure au combat).
gazette : journal.
goguenard : qui plaisante en paraissant se moquer d'autrui.

gredin : selon le contexte, bandit, voleur, ou chenapan.
gris/griser : presque ivre, éméché, gai / rendre gris, enivrer, enchanter.
gueux : misérable coquin, fripon méprisable.
hautain/hautainement : qui se considère comme supérieur aux autres et le montre en les prenant de haut, dans ses manières dédaigneuses et arrogantes / d'une façon hautaine.
Hôtel de Bourgogne : salle de théâtre parisienne située à l'emplacement de l'ancienne résidence des ducs de Bourgogne, construite par les Confrères de la Passion, en 1548 ; les « Comédiens du Roi » s'y installèrent en 1629, tandis qu'une troupe rivale, menée par Mondory, s'installa au Jeu de Paume du Marais, en 1634 ; d'abord spécialisée dans la farce, la troupe de l'Hôtel de Bourgogne, sous l'impulsion de Bellerose, qui en devint effectivement *« l'orateur »* en 1634, puis sans doute le chef à partir de 1643, releva son répertoire vers la pastorale et la tragédie, avec notamment le gros Montfleury, spécialiste des rôles de roi, sans toutefois quitter la comédie, voire la farce, avec Julien Bedeau, dit Jodelet, et son frère L'Épy (qui jouèrent dans les deux troupes, ainsi que dans celle de Molière) ; en 1660, Paris comptait quatre troupes : Hôtel de Bourgogne, Marais, Molière et les Italiens, jouant dans trois salles (Molière et les Italiens se partageant la salle du Palais-Royal, ex-Palais-Cardinal, après avoir partagé la salle du Petit-Bourbon) ; en 1673, à la mort de son chef, l'ex-troupe de Molière reçut du roi l'ordre de fusionner avec celle du Marais, l'une et l'autre s'installant au Théâtre Guénégaud, rue Mazarine, toujours en alternance avec les Italiens ; en 1680, à la mort de son chef La Thorillière, ordre fut donné à la troupe de l'Hôtel de Bourgogne de fusionner avec celle du Théâtre Guénégaud, ce qui se traduisit par le départ des Italiens (la fusion des trois troupes françaises n'offrant plus de possibilités d'alternance) pour... l'Hôtel de Bourgogne, tandis que les trois troupes françaises rassemblées rue Mazarine formèrent alors la compagnie de la Comédie-Française (qui donna sa première représentation, au Théâtre Guénégaud, le 25 août 1680).
incrédule : qui n'y croit pas.
laquais : valet de pied qui porte la livrée (costume signalant leur appartenance à une grande maison).
lyre : instrument de musique, remontant à l'Antiquité, constitué de cordes pincées qui sont fixées sur une caisse de résonance d'où partent deux montants recourbés soutenant une barre transversale (la lyre est un attribut du dieu grec Apollon, symbole d'expression poétique noble et élevée — ce qu'on retrouve dans les mots *« lyrisme »* et *« lyrique »*).
marquis : à l'origine, seigneur préposé à la garde des marches, c'est-à-dire des frontières d'un État ; titre de noblesse hiérarchiquement supérieur à ceux de chevalier, vicomte et comte, mais inférieur à celui de duc ; ici, le terme désigne un personnage de comédie, appartenant à la noblesse mais souvent présenté de manière ridicule.
mère : dans la religion chrétienne, titre que porte la supérieure d'un couvent.
Mordious ! : juron gascon, équivalent de *« Mort de dieu ! »*, renforçant une affirmation ou une protestation.
mousquet : arme à feu (ancêtre du fusil), qui succéda à l'arquebuse et qui était plus lourde et d'une portée plus grande que celle-ci ; nécessitant d'abord d'être appuyé sur une fourquine pour tirer, le mousquet devint

portatif au milieu du XVIIe s., ce qui permit la suppression de la fourquine.

mousquetaire : à l'origine, fantassin (ou soldat à pied) armé d'un mousquet ; au XVIIe s., gentilhomme à cheval, appartenant à l'une des deux compagnies préposées respectivement à la garde du roi et à celle de l'équivalent d'un Premier ministre (Richelieu jusqu'en 1642, puis Mazarin).

officier : militaire titulaire d'un grade supérieur ou égal à celui de sous-lieutenant et susceptible d'exercer un commandement.

page : jeune noble placé au service d'un seigneur qu'il escorte ou auprès de qui il apprendle métier des armes.

panache : assemblage de plumes serrées à la base et flottantes en haut, ornant notamment un chapeau, un casque ; bravoure et brio éclatants.

parterre : rez-de-chaussée d'une salle de théâtre, où le public se tenait debout ; par métonymie*, spectateurs du parterre, public généralement populaire.

péril : danger, risque.

pourpoint : partie de vêtement masculin qui couvrait le torse, du cou jusqu'au dessous de la ceinture.

précieux / précieuse : adepte ou partisan de la préciosité, mouvement littéraire datant de 1654 (et non pas de 1640), année de la publication du début de *La Clélie* de Madeleine de Scudéry (qui imagina la carte du royaume de Tendre, dite carte du Tendre), et caractérisé par l'adoption d'une attitude nouvelle et raffinée envers les sentiments ainsi que d'un langage recherché, dans la célébration des plaisirs du bel esprit et de la délicatesse des manières ; on aurait tort de réduire la préciosité aux *Précieuses ridicules* de Molière : celles-ci ne sont pas ridicules d'être précieuses, mais de l'être à l'excès, et la préciosité, loin de n'être qu'une simple mode superficielle et dérisoire, ne peut se réduire à la peinture parodique et caricaturale qu'en a laissée Molière : la précieuse se méfiait des galants et ne voulait imiter ni les coquettes ni les dévergondées, mais se gardait aussi de passer pour prude, situation qui est très exactement celle de Roxane ici.

rivesalte : vin doux et sucré, de la région de Rivesaltes, en Roussillon (dans les Pyrénées-Orientales).

sans doute : sans aucun doute, assurément, certainement (et non pas *« peut-être »*).

sœur : dans la religion chrétienne, titre que porte la religieuse d'un couvent.

sonnet : poème à forme fixe, hérité de la poésie italienne, décasyllabique à l'origine puis composé d'alexandrins, constitué de quatorze vers, répartis en deux quatrains sur deux rimes embrassées (abba) et en deux tercets sur trois rimes aux dispositions variables (par ex., ccd, ede).

soubrette : suivante, c'est-à-dire demoiselle attachée au service d'une grande dame, de comédie ; c'est aussi un terme de théâtre, pour désigner l'emploi de soubrette (d'où l'article défini : la soubrette).

tableau : scène figurée par des personnages figés dans une attitude donnée, réglée par la mise en scène. Un tableau désigne aussi une subdivision d'un acte liée à un changement de décor.

théorbe : sorte de grand luth (ancêtre de la guitare) à deux manches, au son plus grave que le luth. (s'écrit aussi *« téorbe »*).

tire-laine : autre nom du tireur de laine, voleur tenant son nom de ce qu'il rôdait la nuit pour voler les manteaux de laine ; ici, voleur.

trépignant(e) : frappant vivement des pieds contre terre.

tressaillir : frémir, frisonner, sursauter, sous l'emprise d'une très vive émotion ou d'une sensation surprenante ; signe d'une maîtrise mise à mal par une spontanéité qui révèle et trahit, le tressaillement est mentionné à sept reprises dans la pièce, ce qui ne saurait être fortuit ni anecdotique : Christian face à Roxane (I, 2, v. 129, puis I, 3, v. 153), Lise surprise avec son amant par Cyrano (II, 5, v. 735), Cyrano, d'abord face à Le Bret (II, 7, v. 885) puis face à Roxane (III, 1, v. 1225), Roxane face à Cyrano (V, 5, v. 2450), enfin Cyrano face à Roxane (V, 5, v. 2455) tressaillent (on aura remarqué que seuls les deux rivaux-complices tressaillent au début, la précieuse Roxane ne tressaillant pas alors mais seulement au dénouement, lorsqu'il ne reste plus rien de sa préciosité, et que jamais Roxane ne tressaille face à Christian...).

violons : joueurs de violon.

LEXIQUE DES PERSONNAGES

Bellerose. De son vrai nom, Pierre Le Messier (1592-1670), il était *« l'orateur de la troupe »* (v. 238) de l'Hôtel de Bourgogne de 1634 à 1646 (sans doute même directeur à partir de 1643), c'est-à-dire porte-parole chargé d'interpeller le public, au début comme à la fin d'une représentation (pour une annonce ou pour une remontrance), et même à tout moment (à chaque incident). Il fut un tragédien extrêmement réputé.

Brissaille. Compagnon d'armes de Cyrano et poète.

Carbon de Castel-Jaloux. Celui qui fut bel et bien capitaine d'une compagnie de Gascons passa même pour avoir servi de modèle à Cyrano de Bergerac pour son personnage du capitaine de Châteaufort dans sa comédie *Le Pédant joué* (1647).

Christian de Neuvillette. Le modèle de ce personnage se nommait Christofle de Champagne, baron de Neuvillette. Il épousa effectivement Magdeleine Robineau (*alias* « Roxane »), cousine de Cyrano, et mourut en effet au siège d'Arras.

Cuigy. Ami de Cyrano, qui participa à l'affaire de la Porte de Nesles.

Cyrano de Bergerac. Savinien de Cyrano, né à Paris en mars 1619, n'avait rien de gascon, le Bergerac de son patronyme désignant l'un des deux fiefs familiaux (l'autre était Mauvières) de la vallée de Chevreuse, en région parisienne, et non pas la cité périgourdine. Après une enfance à Mauvières, où il fut élevé avec son ami Le Bret, puis des études au collège de Beauvais, à Paris, il s'engagea, à 19 ans, avec Le Bret, dans les cadets de Carbon de Castel-Jaloux, sous le nom de Bergerac (et bien que son père eût vendu les deux fiefs familiaux deux ans plus tôt) : sérieusement blessé à Mouzon (1639) puis au siège d'Arras (1640, où il n'avait donc que 21 ans), il quitta alors les armes. D'une vie encore mal éclaircie, on tient pour avérés son homosexualité (« censurée » par Rostand) et, pour reprendre les éléments évoqués dans la pièce : son nez assez proéminent, son combat de la porte de Nesle, l'épisode du singe de Brioché, sa fréquentation des milieux « libertins », son intérêt pour la philosophie de Gassendi et pour les sciences (notamment l'astronomie), la rédaction de sa comédie *Le Pédant joué* (1645), la dilapidation très rapide de sa part d'héritage à la mort de son père (1648), son passage du camp des Frondeurs (1649) à celui de Mazarin (1651), son attachement au service du duc d'Arpajon (1652) malgré son refus des protecteurs, la création à scandale de sa tragédie *La Mort d'Agrippine* (1653), l'accident de la poutre qui le frappa à la tête (1654), les efforts conjoints de son entourage (sa cousine la baronne de Neuvillette, Le Bret et Mère Marguerite de Jésus, supérieure du couvent des filles de la Croix, dont sa tante Catherine de Cyrano était prieure) pour le convertir avant sa mort, chez son cousin Pierre de Cyrano, à Sannois (le 28 juillet 1655, et non le 26 septembre). En 1657, Le Bret publia une version très expurgée des *États et Empires de la Lune*, et *Les États et Empires du Soleil* parurent en 1662. Sur les rapports entre le personnage de Rostand et le Cyrano historique, *cf.* l'édition de J. Truchet, pp. 353 à 377.

De Guiche. Antoine III, comte de Guiche, puis comte (1645) et enfin duc (1648) de Gramont (1604-1678), gentilhomme béarnais de très grande maison, neveu, par alliance, du Cardinal de Richelieu (il en avait épousé la nièce, Françoise de Chivré, en 1634 : *cf.* I, 2, v. 130-131), fut fait maréchal de France en 1641 (donc un an après la date à laquelle débute la pièce). Comme on le voit à l'acte V, où celui qui n'était que comte de Guiche est devenu duc de Gramont, il connut une suite et fin de carrière extrêmement brillante (gouverneur, duc et pair, ministre d'État, ambassadeur extraordinaire, colonel des gardes françaises).

Jodelet. De son vrai nom, Julien Bedeau (1590-1660), acteur comique connu pour sa laideur, qui joua vingt-cinq ans (de 1634 à 1659) dans la troupe de l'Hôtel de Bourgogne, avant de finir sa carrière et sa vie dans celle de Molière.

Le Bret. Henri Le Bret (1617-1710), ami d'enfance de Cyrano, partagea avec lui les années d'étude puis d'engagement aux Cadets de Gascogne. Devenu chanoine après la mort de Cyrano en 1655, c'est lui qui publia la première édition de *L'Autre Monde* (version amendée des *États et Empires de la Lune*), précédée d'une préface biographique, en 1657.

Lignière. François Payot de Lignières (1628-1704) — ou Lignière (les commentateurs ne sont pas unanimes : A. Adam écrit *Lignières* ; J. Truchet, *Lignière*) —, connu comme poète, débauché et libertin, c'est-à-dire contestataire, fut pris pour cible, après en avoir été longtemps l'ami, par Nicolas Boileau (*L'Art poétique*, chant II, v. 191 à 194). Sans doute est-ce aussi pour des raisons de métrique que Rostand a adopté une orthographe sans *s* final (*Lignières* au lieu de *Lignière*), ce qui permet de comptabiliser, au besoin, une syllabe en moins (le *e* final devenant muet devant une voyelle ou un *h* muet).

Mère Marguerite de Jésus. Fondatrice, en 1637, du couvent des Dames de la Croix, à Paris, dans le parc duquel se déroule le cinquième acte.

Montfleury. De son vrai nom, Zacharie Jacob (1600-1667), l'un des plus célèbres acteurs de l'Hôtel de Bourgogne, où il termina sa carrière (1664-1667), il était effectivement d'une corpulence exceptionnelle (*cf.* v. 90, 192, 484-485), ce qui lui valut les railleries de Molière dans *L'Impromptu de Versailles* (sc. 1) et celles de Cyrano de Bergerac dans sa lettre *Contre un gros homme* .

Ragueneau. Cyprien Ragueneau (1608-1654) fut successivement pâtissier (d'ailleurs bel et bien rue Saint-Honoré, comme le précisent les didascalies de l'acte II), poète et comédien : en 1653, un an avant sa mort, il était effectivement *« moucheur de [...] chandelles, chez Molière »* (V, 6, v. 2490).

Roxane. Deux femmes homonymes inspirèrent à Rostand le personnage de Roxane : l'une, Marie Robineau, connue dans le monde de la préciosité sous le nom de *Roxane*, était une amie intime de Mlle de Scudéry, l'auteur de *La Clélie* et du *Grand Cyrus* (où elle apparaît sous le nom de *Doralise*) ; l'autre, Madeleine Robineau (et non pas *Robin*), qui n'avait rien d'une précieuse, était la cousine de Cyrano de Bergerac et l'épouse du baron de Neuvillette, après la mort duquel (effectivement au siège d'Arras) elle se retira du monde, menant une vie très pieuse (sans toutefois entrer dans un couvent).

LEXIQUE STYLISTIQUE

alexandrin : vers de douze syllabes (hormis la ballade de l'Hôtel bourguignon, la recette de Ragueneau, la présentation des Cadets de Gascogne, et quelques répliques que nous avons signalées, la pièce est composée de plus de 2 500 alexandrins).

allitération : répétition de la (ou des) même(s) sonorités consonantique(s) initiale(s), voire intérieure (s), de plusieurs termes consécutifs ou rapprochés (ex. : *« Pour qui sont ces serpents qui sifflent sur vos têtes? »*, Racine, *Andromaque*, V, 5, v. 1638).

catastrophe: coup de théâtre, sans la notion d'événement terrible qui s'attache au mot catastrophe.

contrepoint : motif secondaire qui se superpose à un autre tout en ayant sa réalité propre (comme une musique face aux images d'un film).

coupe : pause, léger arrêt dans un vers ou dans une phrase.

didascalie : indication scénique, précision concernant le décor, les accessoires, les costumes, la diction (intonations) ou le jeu de scène (mouvements) des acteurs.

diérèse : figure stylistique (de diction) consistant en la prononciation en deux syllabes, pour les besoins de la métrique*, d'un mot ou d'un son dissylabique habituellement prononcé comme un monosyllabe (ex. : *« fier »* prononcé *« fi-er »*, *« tion »* prononcé *« ti-on »*, etc.).

dénouement : manière dont se termine une pièce de théâtre.

dramatique : relatif au drame, c'est-à-dire à l'action théâtrale, qu'il s'agisse d'une comédie ou d'une tragédie (l'expression *« sur le plan dramatique »* ne signifie rien de plus que *« concernant l'action de la pièce »*) ; ce n'est qu'à partir du drame romantique (dans les années 1830) que le terme devient synonyme de *« saisissant, émouvant, poignant »*, puis de *« pathétique, terrible, tragique »*, et c'est en ce sens que Cyrano l'emploie dans sa tirade des nez (I, 4, v. 340).

dramaturgique : relatif à l'écriture et à la composition théâtrales.

enjambement : procédé poétique consistant à faire déborder le sens d'un énoncé au-delà des limites d'un vers, en rejetant au vers suivant les éléments supplémentaires.

exposition **:** début d'une pièce de théâtre, pouvant durer de quelques scènes à un acte entier, où l'auteur, via les personnages, fait connaître au spectateur tous les éléments indispensables à sa compréhension de l'action de la pièce (l'exposition est achevée quand le spectateur sait de quoi il retourne dans ce qui va se jouer sous ses yeux, quand il en connaît les tenants sans en savoir les aboutissants).

figure stylistique **:** procédé de style (ou figure de rhétorique), destiné à créer un effet particulier ; on distingue – parmi les exemples les plus courants – les figures de mots (ou *« tropes »,* consistant à employer les mots dans un sens différent de leur sens habituel, comme l'antiphrase, l'ironie, la métaphore*, la métonymie*), de diction (dont la diérèse* et la synérèse*), de construction (dont l'anacoluthe, le chiasme, l'oxymore* et le pléonasme), de pensée (dont l'antithèse, l'hyperbole et la litote).

grotesque **:** ridicule, bizarre, extravagant, burlesque.

hémistiche **:** chacune des deux moitiés d'un vers (spécialement d'un alexandrin) coupé par une césure (coupe ou repos après une syllabe accentuée).

hyperbole **:** figure stylistique (de pensée) consistant en une exagération volontaire de l'expression pour produire une impression forte (ex. : *« un géant »* pour *« un homme de haute taille »*, ou *« un nain »* pour *« un homme de petite taille »*).

métaphore **:** figure stylistique (de mot) consistant en l'emploi d'un terme concret dans un contexte abstrait, par substitution analogique (ex. *« un monument* [concret] *de bêtise* [abstrait] »*, « la fleur* [concret] *de l'âge* [abstrait] »).

mètre **:** en versification française, nombre de syllabes d'un vers.

métrique **:** étude de la versification, plus particulièrement consacrée à l'emploi des différents mètres ou types de vers.

nœud **:** se dit, au théâtre (en comédie comme en tragédie), d'un événement qui complique l'action au point de la rendre insoluble, sinon difficilement (dans la dramaturgie classique, le *nœud* est suivi de *péripéties* [événements inattendus à l'issue incertaine], puis d'une *catastrophe* [c'est-à-dire un coup de théâtre] qui mène au *dénouement*).

octosyllabe **:** vers de huit syllabes.

oxymore **:** figure stylistique (de construction) consistant en une alliance de termes contradictoires dans une même qualification (ex. : *« une douce violence » ;* on parle aussi d'*« oxymoron »*).

prosodie **:** étude des règles relatives à la métrique* et, en particulier l'étude de la durée, de l'intensité et de la hauteur des sons.

sublime **:** style distingué par la rhétorique classique et destiné à frapper l'esprit du lecteur.

synérèse **:** figure stylistique (de diction) consistant en la prononciation en une seule syllabe, pour les besoins de la métrique*, d'un mot ou d'un son dissylabique habituellement prononcé comme un dissyllabe (ex. : *« hier »* prononcé *« hier »* au lieu de *« hi-er »*).

SUR *CYRANO DE BERGERAC*

Éditions de la pièce

•

• Edmond Rostand, *Cyrano de Bergerac*, « Œuvres complètes illustrées d'Edmond Rostand », Pierre Lafitte et Cie, 1910 (disponible uniquement chez les bibliophiles ou les bouquinistes).
• Edmond Rostand, *Cyrano de Bergerac*, éd. de Jacques Truchet, « Lettres françaises », Imprimerie Nationale, 1983.
• Jacques Weber présente Edmond Rostand, *Cyrano de Bergerac*, éditions Vent d'Ouest, 1986 (Bande Dessinée).

SUR EDMOND ROSTAND ET SON ÉPOQUE

Biographies d'Edmond Rostand

•

• Rosemonde Gérard, *Edmond Rostand*, Charpentier, 1935, rééd. Grasset, 1967.
• Carole Garcia, Roland Dargeles, *Edmond Rostand : panache et tourments*, J. Curutchet, E. Harriet, 1997.
• Anne de Margerie, *Edmond Rostand*, Grasset, 1997.

Ouvrages sur l'époque d'Edmond Rostand

•

• Jean-Marie Mayeur, *Les Débuts de la Troisième République (1871-1898)*, et Madeleine Rebérioux, *La République radicale ? (1899-1914)*, in *Nouvelle histoire de la France contemporaine*, « Points » n° 110, Seuil, 1973.

SUR CYRANO DE BERGERAC (1619-1655) ET SON ŒUVRE

Œuvres de Cyrano de Bergerac (1619-1655)

•

• Cyrano de Bergerac, *Œuvres complètes*, éd. de Jacques Prévot, Belin, 1977.
• Cyrano de Bergerac, *Voyage dans la Lune (L'Autre Monde ou les États et Empires de la Lune)*, éd. de Maurice Laugaa, « GF », Flammarion, 1970.

Études sur Cyrano de Bergerac (1619-1655) et son œuvre

•

• Antoine Adam, *Les Libertins au XVIIe siècle*, « Le vrai savoir », Buchet-Chastel, 1964.
• Jacques Prévot, *Cyrano de Bergerac romancier*, Belin, 1977, et *Cyrano de Bergerac poète et dramaturge*, Belin, 1978.

SUR L'ÉPOQUE DE CYRANO DE BERGERAC (1619-1655)

• Antoine Adam, *Histoire de la littérature française au XVIIe siècle*, Domat-Monchrestien, 5 tomes, 1948 à 1954 coll. « Bibliothèque de l'Évolution de l'Humanité », Albin Michel, 1997.
• François Bluche, *Dictionnaire du Grand siècle*, Fayard, 1990.
• Alexandre Dumas, *Les Trois Mousquetaires*, 1844, « Le Livre de Poche classique » n° 667, L.G.F., 1995.
• Théophile Gautier, *Le Capitaine Fracasse*, 1863, « Le Livre de Poche classique » n° 6 138, L.G.F., 1985.
• René et Suzanne Pilorget, *France baroque, France classique, 1589-1715*, 2 vol. (I. Récit - II. Dictionnaire), « Bouquins », Laffont, 1995

LECTURES COMPLÉMENTAIRES

• Jacqueline de Jomaron (dir.), *Le Théâtre en France, du Moyen Âge à nos jours*, Armand Colin, 1992, rééd. « Encyclopédies d'aujourd'hui / La Pochothèque / Le Livre de Poche », L.G.F., 1993.

SCÉNOGRAPHIE

• 28 décembre 1897, création par Coquelin (interprète du rôle titre et metteur en scène), au théâtre de la Porte Saint-Martin.
• 3 mai 1913, millième représentation.
• 19 décembre 1938, entrée de la pièce à la Comédie-Française, mise en scène de Pierre Dux, avec André Brunot et Marie Bell.
• 1964 à 1972, reprise à la Comédie-Française, mise en scène de Jacques Charron, avec Jean Piat (puis Paul-Émile Deiber) et Geneviève Casile.

• 1976, la Comédie-Française sur l'immense scène du Palais des Congrès, à Paris, mise en scène de Jacques Charron revue par Jean-Paul Roussillon, avec, en alternance, Alain Pralon, Jacques Destoop et Jacques Toja dans le rôle de Cyrano, et Claire Vernet et Ludmilla Mikael dans celui de Roxane.
• 30 septembre 1983, Théâtre Mogador, mise en scène de Jérôme Savary, avec Jacques Weber (puis Denis Manuel, Jean Dalric et Pierre Santini) et Charlotte de Turkheim (puis Nicole Jamet).
• février 1990, Théâtre Marigny, mise en scène de Robert Hossein, avec Jean-Paul Belmondo et Béatrice Agenin.
• 1997, année du centenaire, fut l'occasion de trois adaptations très différentes :
– Théâtre Le Ranelagh, mise en scène d'Henri Lazarini, avec Patrick Préjean et Marie-Christine Laurent (version non intégrale) ;
– Théâtre Déjazet, mise en scène de Pino Micol, avec Pierre Santini et Magali Houth ;
– Théâtre national de Chaillot, salle Jean-Vilar, mise en scène de Jérôme Savary, avec Francis Huster et Christiana Reali.

FILMOGRAPHIE

• *Cyrano*, film américain de Michael Gordon, 1950, avec José Ferrer (lequel remporta un Oscar pour ce rôle).
• *Cyrano de Bergerac*, téléfilm (en noir et blanc) de Claude Barma, 1960, avec Daniel Sorano.
• *Cyrano et d'Artagnan*, film (en couleur) d'Abel Gance, 1963, avec José Ferrer (Cyrano) et Jean-Pierre Cassel (D'Artagnan).
• *Cyrano de Bergerac*, vidéo du spectacle du Théâtre Mogador, mise en scène de Jérôme Savary, avec Jacques Weber et Nicole Jamet, « TF1 Vidéo », TF1-ALAP VIDÉO, 1989.
• *Cyrano de Bergerac*, film (en couleur) de Jean-Paul Rappeneau, 1990, avec Gérard Depardieu, Anne Brochet, Vincent Perez et Jacques Weber (dans le rôle de De Guiche).

Imprimé en France par l'Imprimerie Hérissey, Évreux (Eure) - N° 78269
Dépôt légal N° 5428-10-1997 - Collection N° 10 - Édition N° 01 - **16/6745/0**